Les héritiers du Lantana

Du même auteur

La Dynastie du Lantana (Olivier Orban)

Ronald S. Joseph

Les héritiers du Lantana

Traduit de l'américain

par

France-Marie Watkins

Olivier Orban

Titre original : « The Power »
Publié aux éditions Warner Books (USA)

PREMIERE PARTIE

1893

I

Le long de la frontière il était d'usage, quand une fille avait quinze ans, de marquer son entrée dans l'âge adulte et, en septembre 1893, Maggie Cameron devait célébrer son *quinceañera.*

Un *quinceañera* pouvait se réduire à une réunion de famille, avec quelques gâteaux décorés de sucre glace, un goûter et la musique d'un accordéon asthmatique, ou bien devenir une fête somptueuse, comme pour Maggie.

Les préparatifs pour la fiesta d'une semaine commencèrent un an avant la date prévue car ce serait la plus grande fête jamais donnée au Lantana.

Depuis le changement des rideaux de velours de la plus petite des chambres du troisième jusqu'à l'astiquage à la main des milliers de pendeloques des lustres de cristal scintillant dans l'immense salle de bal, la vaste demeure fut complètement remise à neuf... toutes les quarante-six pièces. Tout l'été, des bonnes en sueur repassèrent des hectares de draps, de nappes, de serviettes, tout ce linge brodé de la célèbre marque du Lantana, la couronne d'épines. Et les cuisinières à l'œil expérimenté trièrent les plus belles bêtes sur pied des immenses troupeaux pour les réunir dans un enclos spécial afin de les engraisser.

Comme toujours dans ces cas-là, une amélioration en amenait une autre. Des charpentiers et des peintres furent embauchés pour donner un coup de neuf aux granges et aux écuries tandis que les cow-boys faisaient des heures supplémentaires pour réparer toutes les clôtures.

Une semaine avant l'arrivée des invités, tout était presque terminé et une armée de péons armés de faux transforma près de quinze hectares de pâturages en pelouse digne du parc d'un château.

Quand ils eurent fini, leur *caporal* se présenta à la grande maison et la maîtresse du domaine, Anne Cameron, sauta en selle pour aller approuver le travail, car au Lantana aucun détail n'échappait à son examen.

C'était une femme remarquable, encore d'une beauté saisissante à quarante-cinq ans, grande, le port altier trahissant une volonté de fer. Elle avait de longs cheveux aussi dorés que le soleil et des yeux vifs – auxquels rien n'échappait –, aussi verts que la prairie au printemps. Sauf aux grandes réceptions, on la voyait toujours habillée de la même façon, d'une culotte de peau glissée dans des bottes de cow-boy et de la chemise de coton blanc toute simple des *campesinos* les plus pauvres.

Cinq choses comptaient dans sa vie : son mari Alex, ses deux enfants, son demi-frère Carlos et, à un degré égal, le Lantana. Selon la légende, Alex Cameron se serait déclaré en lui demandant : « Voulez-vous me donner votre amour ? » Et à cela elle aurait répondu : « Je ferai mieux, je vous donnerai le Texas. »

Une légende, bien sûr, mais comme tous les mythes elle contenait plus d'un soupçon de vérité car, en 1874, en prenant pour époux le bel Ecossais, Anne Trevor lui avait bel et bien donné le Texas, ou tout au moins la plus grande partie du territoire. Sa dot était le Lantana, le ranch le plus vaste et le plus riche que le monde avait jamais connu, un empire du bétail couvrant sept cent cinquante mille hectares.

Quand les barbelés étaient apparus sur la prairie, elle avait eu l'idée d'arracher les poteaux de cèdres et de repousser la clôture, ici d'une dizaine de mètres, là de deux ou trois cents mètres, de petites déviations pratiquement invisibles pour l'œil d'un arpenteur dans la brasada presque illimitée... mais le périmètre du Lantana était tel que lorsque Anne alla à Austin pour faire réenregistrer son titre de propriété et rectifier le cadastre, elle s'aperçut avec surprise et une immense satisfaction qu'elle avait agrandi son ranch de quelque deux cent cinquante mille hectares.

Au cours des années 80, elle accrut encore son domaine en rachetant des terres à des ranchers en faillite ou à des veuves qui n'avaient pas le goût ou la force de poursuivre l'œuvre de leur mari défunt, ou encore à des hommes qui trouvaient son offre irrésistible, si bien que dix-neuf ans plus tard le Lantana couvrait un million deux cent cinquante mille hectares, allant du golfe du Mexique à l'est et s'étalant presque jusqu'à la frontière à l'ouest et au sud, un fief, un royaume aux frontières de barbelés où régnaient en maîtres absolus Anne et Alex Cameron.

Les vieux racontaient que dans sa jeunesse Anne avait été une beauté indomptée éprise de liberté, qu'elle avait laissé derrière elle un sillage de cœurs brisés. A la vérité, elle n'avait aimé qu'une seule fois, avant de rencontrer Alex Cameron, et c'était elle qui avait été trompée et abandonnée.

Un autre bruit courait, une histoire à peine chuchotée prétendant qu'Anne avait été la maîtresse de son régisseur, un nommé Rudy Stark, et que cette liaison s'était poursuivie après son mariage avec Alex. Cette rumeur faisait douter de la légitimité de l'héritier des Cameron, un garçon nommé Dos...

II

Dos Cameron prit le cabriolet flambant neuf de sa mère et partit à travers la prairie, vers la voie de chemin de fer privée du Lantana, à une dizaine de kilomètres à l'ouest de la grande maison. Dès qu'il eut dépassé le dernier des corrals nouvellement blanchis, il poussa un soupir de soulagement, heureux d'échapper à la frénésie de dernière minute de la fiesta de Maggie.

Le train spécial devait arriver en début d'après-midi, aussi n'y aurait-il de sieste pour personne. Dans la matinée, quand la caravane de chariots était partie pour aller chercher les invités, Alex s'était inquiété.

– Crois-tu qu'il soit convenable de faire monter le gouverneur dans un chariot comme tout le monde ? avait-il demandé à Anne.

– Ça ne devrait pas l'offusquer. Il ne cesse de répéter qu'il est un homme du peuple.

Comme la plupart des grands ranchers, Anne n'aimait pas du tout Jim Hogg et elle était plutôt satisfaite de lui imposer ce trajet pénible. Mais Alex n'était pas du même avis.

– Un affront ne nous servirait à rien. Envoyons Dos le chercher avec ta voiture.

Anne reconnut qu'Alex avait raison. Il serait stupide d'offenser le gouverneur et, malgré ce qu'ils pensaient de sa politique, les Cameron pouvaient se permettre d'être généreux.

Dos avait dix-huit ans, déjà homme et fort comme un taureau, avec de larges épaules, des bras et un torse musclés. En le voyant pour la première fois, on avait une impression de danger latent, de puissance à peine contrôlée. Ses yeux — très écartés et du même vert que ceux d'Anne, frangés d'épais cils blonds — recélaient des éclairs semblables à ceux qui fulguraient à l'horizon par les chaudes nuits d'été.

Malgré sa forte charpente, il se déplaçait avec la grâce féline d'un lynx traquant une proie et d'aucuns disaient que Dos Cameron cherchait constamment une proie. Depuis l'âge de douze ans, il avait eu toutes les filles qu'il désirait, des servantes aux yeux noirs jusqu'aux filles virginales de Joëlsboro. C'était un amant enthousiaste et vigoureux, et si ses admiratrices se plaignaient, c'était parce qu'il les quittait trop vite pour de nouvelles conquêtes.

En fait, alors que son cheval trottait vers la petite gare du Lantana, il se demandait déjà laquelle des nombreuses femmes voyageant par le train allait partager son lit ce soir-là.

Ce train particulier était une chose étonnante, composé d'une locomotive, d'un tender, d'un fourgon, d'une voiture de voyageurs et d'une voiture-salon qu'Anne avait achetée à Mr Pullman et fait entièrement redécorer selon son goût. Elle était meublée de canapés et de fauteuils d'acajou et de velours, de lits dissimulés, d'une table de salle à manger, avec des rideaux frangés d'or, une cuisine, un cabinet de toilette et la lumière électrique. La carrosserie était d'un bleu profond et sur les flancs le nom du Lantana s'étalait en lettres de cuivre au-dessus de la couronne d'épines.

Dos n'eut pas à choisir car parmi les voyageurs il y avait une actrice de New York du nom de Nelda Flynn, appartenant à une troupe en tournée qui s'était produite la veille à San Antonio. Elle avait aperçu Dos par la fenêtre et s'était précipitée en bousculant ses camarades pour être la première à lui mettre la main dessus.

Nelda Flynn avait quarante-deux ans, un secret bien gardé et que personne n'aurait cru, d'ailleurs, car elle jouait les ingénues et avait tout à fait le physique de l'emploi avec son visage sans rides encadré de boucles blondes, son corps menu et son teint de lis. Elle se présenta hardiment à Dos et minauda.

— A qui ai-je l'honneur ?

— Je suis Dos Cameron.

Nelda ne put croire à sa chance.

— Le propriétaire du Lantana ! s'écria-t-elle. Je suis ravie de vous connaître.

— Le fils des propriétaires, madame, rectifia Dos, amusé mais flatté.

— L'héritier de la couronne, répliqua-t-elle sans se troubler. Quel superbe cabriolet ! Vous permettez que je monte avec vous ?

— C'est vous que je viens chercher, assura galamment Dos.

— Vous saviez donc que je venais ? demanda Nelda sans douter un instant de ce qu'il disait.

— Ma mère a la liste de tous ceux qui viennent au Lantana. Personne ne franchit la clôture sans sa permission.

— Eh bien, je suis très flattée, déclara l'actrice en montant dans la voiture. Allons. Ne vous souciez pas de mes bagages, quelqu'un s'en occupera.

Dos sourit, claqua les rênes sur le dos du cheval, fit demi-tour et laissa le gouverneur trouver tant bien que mal une place dans un des chariots grinçants.

Il fit un long détour, en profita pour flirter avec Nelda qui ne demandait pas mieux et quand ils arrivèrent enfin les lourds chariots étaient déjà là. Anne et Alex attendaient leurs invités sur le perron. Anne accueillit Nelda avec un sourire chaleureux mais son pied tapant nerveusement le sol avertit Dos de sa colère rentrée et des réprimandes qu'il aurait à subir plus tard.

Alex se força à être poli ; cependant sa colère se devinait à l'éclat sombre de ses yeux. Tandis que Nelda gravissait lestement le perron, Dos fit précipitamment les présentations.

— Nous sommes honorés de recevoir au Lantana une personne aussi célèbre, dit Anne en jetant un regard noir à son fils.

— Tout le plaisir est pour moi, Mrs Cameron, susurra Nelda dans son plus beau style d'ingénue, sans se douter qu'Anne la trouvait grotesque. Et quelle prévenance d'avoir envoyé votre fils me chercher en cabriolet !

— C'est Dos qu'il faut remercier, répliqua Anne avec une douceur feinte. Il serait malséant que Miss Flynn voyage en chariot découvert, n'est-ce pas, Dos ?

— Euh... Je vais conduire Nelda à sa chambre, marmonna-t-il, pressé d'échapper à Anne et à Alex.

Dès qu'ils furent partis, Alex jura et Anne se tourna vivement vers lui.

— Je m'occuperai de ça, Alex.

— Oui, comme toujours !

— Je t'en prie, ne recommence pas, dit-elle entre ses dents.

— Qu'est-ce que je dois faire, Anne ? Garder le silence pendant que tu dorlotes ce garçon chaque fois qu'il fait des sottises ?

— Je sais le remettre au pas.

Pas très bien, à mon avis.

– Ce n'est pas juste, Alex ! protesta-t-elle, retournant contre son mari la colère éveillée par son fils.

— Mais si, c'est juste ! Tu n'es pas aveugle à ce point, tout de même. C'est un vaurien. Il est né mauvais.

— Non !

— Ce n'est pas en fermant les yeux que tu élimineras la vérité, riposta-t-il. sourd à ce cri du cœur.

— C'est peut-être en partie de ta faute, Alex !

— Si tu as bonne mémoire, Anne, je n'y suis strictement pour rien.

Il n'avait pas élevé la voix mais ces mots firent chanceler Anne. A peine eut-il parlé qu'Alex fut pris de remords. Il était injuste ! Il voyait à quel point il l'avait blessée, il tendit la main vers elle mais elle le repoussa.

— Excuse-moi, Anne, je t'en supplie, pardonne-moi.

Elle frissonna comme si un vent froid avait soudainement soufflé sur le paysage ensoleillé ; puis elle haussa les épaules mais sa bouche resta pincée. Ils se dévisagèrent un instant en silence. Au loin, un chariot amenant de nouveaux invités soulevait un nuage de poussière.

— Si tu veux bien accueillir ces braves gens, je vais rentrer, murmura Anne en se retournant vers la porte.

— Anne... je suis sincèrement navré de ce que j'ai dit.

Elle le regarda un instant et hocha la tête.

-- Oui, je le sais.

Elle disparut dans la maison qu'Alex avait fait construire près de vingt ans plus tôt. C'était une énorme bâtisse victorienne de trois étages, en pierre de taille, avec des toits d'ardoise et des pignons et, dans un coin, une tour carrée dépassant l'ensemble d'un étage. C'était là, dans une petite pièce entièrement vitrée, sous les combles, qu'Anne avait son bureau.

« Le bougonnoir de maman », disait sa fille Maggie parce qu'elle s'y retirait chaque fois qu'elle était en colère ou soucieuse. C'était plus que cela, cependant, un sanctuaire, un asile de paix et de silence où elle pouvait réfléchir, échafauder des projets, se souvenir ou oublier, suivant son humeur, d'où elle pouvait contempler avec une lunette d'approche militaire le royaume sur lequel elle régnait.

Elle avait l'intention d'y monter, mais des voix au sommet du grand escalier l'avertirent que des invités descendaient et elle se réfugia dans un petit salon pour les éviter. Son demi-frère Carlos, assis devant la cheminée vide, se leva en la voyant.

— Ah, Carlos, tu es là ! Je me croyais seule.

— Qu'est-ce qui ne va pas ? demanda-t-il vivement en remarquant sa pâleur.

— Rien. Ce doit être l'énervement. La fête ne fait que commencer et j'ai déjà l'impression d'être passé à l'essoreuse. Je ne me rendais pas compte que j'avais invité tant de monde. Ils sont au coude à coude là-haut et il ne cesse d'en arriver. Grâce à Dieu, nous n'avons pas à loger ceux de Joëlsboro.

— Ne te mets pas dans cet état, Anne, tout le monde va beaucoup s'amuser.

— Tout le monde sauf moi, je le crains.

— Toi plus que tous. Attends donc que la musique commence et qu'Alex débouche le champagne.

Elle sourit et se laissa embrasser sur la joue. Carlos savait mieux que personne l'apaiser et déjà sa dispute avec Alex et la conduite scandaleuse de Dos semblaient loin.

Carlos incarnait l'histoire du territoire. Il était de sang mêlé, un mélange d'ancien et de nouveau, un héritage difficile qui faisait de lui une énigme. Sa mère espagnole, la belle Sofia, avait été une aristocrate dont le titre de propriété du Lantana était déjà ancien quand Joël Trevor, le pionnier *gringo*, le père de Carlos et d'Anne, était venu au Texas à la recherche de terres.

Mince, pas plus grand qu'Anne mais solidement bâti, il avait hérité le type espagnol et la beauté de sa mère, un nez aristocratique et fier, des lèvres pleines et délicatement ourlées, d'épais cheveux noirs à reflets bleus. A première vue, il avait tout d'un grand d'Espagne mais ses yeux trahissaient le mélange de sangs ; c'étaient ceux de Joël, gris, argentés comme des éclats de mica au soleil.

A vingt-cinq ans, il était considéré comme le plus beau parti du Texas et bien des filles refusaient d'autres maris, dans l'espoir de l'attirer. Mais Carlos ne s'intéressait à aucune.

Dos et lui avaient grandi ensemble, amis malgré les sept ans d'écart, mais ils étaient aussi différents que le laissait supposer leur aspect. Jamais une seule fois Carlos n'avait été mêlé à une bagarre. Dos, à dix-huit ans, ne comptait plus les siennes. Si Carlos avait séduit quelques filles de la région, personne ne l'avait su; au contraire, Anne et Alex avaient eu bien souvent à apaiser la colère d'un père venant aigrement se plaindre que Dos avait déshonoré sa fille. Tête brûlée, impétueux, Dos subissait de mauvaise grâce les réprimandes d'Anne mais supportait mal celles d'Alex. Cependant, il écoutait Carlos. Peut-être était-ce leur jeune âge à tous deux, ou la voix douce et compatissante de Carlos, ou encore Dos admirait-il son jeune oncle et désirait-il lui ressembler, sans pouvoir y parvenir, toujours est-il qu'il l'écoutait.

— Dos a laissé le gouverneur en plan, expliqua Anne sans cacher son irritation. Note que je me moque éperdument de cette outre gonflée d'air mais, après tout, Jim Hogg est notre foutu gouverneur. Au lieu de l'attendre, Dos ramasse cette vulgaire cabotine qui s'est pour ainsi dire imposée dans le train. Tu devrais la voir, au moins quarante ans et habillée comme Maggie à douze ans, couverte de volants et de petits nœuds de ruban. Grotesque ! Tout à fait le genre de fille avec qui Dos aime s'afficher !

— Je lui parlerai, proposa Carlos.

Anne hésita et soupira.

— J'allais le faire mais il vaut peut-être mieux que ce soit toi. Je le mettrais en pièces.

— Viens, buvons un verre, suggéra Carlos en prenant une carafe de cristal sur la desserte. Rien que tous les deux, bien tranquillement, avant d'avoir à affronter le troupeau.

Anne prit avec reconnaissance le verre de whisky sec.

— Ah ! j'en avais besoin, dit-elle après l'avoir vidé d'un trait, et elle ne protesta pas quand Carlos la resservit.

L'alcool fit immédiatement son effet, calma ses nerfs à vif et elle but le deuxième verre plus lentement. Elle alla se laisser tomber dans un des grands fauteuils à oreilles devant la cheminée et fit signe à Carlos de prendre l'autre.

— Quand est-ce que l'orchestre commence ? demanda-t-il.

— A neuf heures. Naturellement, on dînera avant. Ah ! mon Dieu ! Maggie ! s'écria soudain Anne en se plaquant une main sur la bouche. Je l'ai complètement oubliée. J'ai promis de l'aider à s'habiller !

Elle se leva d'un bond et courut à la porte.

— La pauvre petite ! Tu la connais. Elle redoute son *quinceañera* autant qu'elle l'attend avec impatience !

Anne se hâta dans le vestibule, saluant de la tête les invités mais sans s'arrêter pour bavarder. Rapidement, elle monta à la chambre de Maggie et entra sans frapper.

— Maggie, chérie, excuse-moi, j'ai été retenue. Il faut que tu te dépêches, maintenant. Nous avons des invités entassés jusque dans les combles.

Maggie se détourna de sa coiffeuse en poussant un soupir exaspéré.

— Ah, maman, je ne suis pas comme toi ! Il me faut des heures !
Anne lui sourit tendrement et s'empara du fer à friser.

— Attends, je vais t'aider.

— Je ne sais pas pourquoi j'ai des cheveux raides alors que papa et toi vous êtes bouclés, gémit Maggie d'un air boudeur. Et vous qui êtes si célèbres pour la reproduction !

— Dans la reproduction du bétail, ma fille, répliqua Anne en riant. C'est pour ça que nous sommes connus et pas pour... eh bien, pour ce que tu as l'air de dire.

— Vous savez dire même avant que la vache aille au taureau si le veau sera rouge ou noir, s'il aura les cornes longues ou courtes.

— Tu parles de vaches. Elles sont beaucoup plus prévisibles que les gens. Et, de plus, je te prierai de ne pas courir au bal ce soir en parlant de reproduction ni de vaches qui vont au taureau. Ça va entre nous, c'est notre métier. Mais il va y avoir beaucoup de gens de la ville qui n'ont encore jamais mis le pied dans un ranch et cela les choquerait terriblement.

— Bande de crétins !

— Tu vas te trouver parmi les gens les plus importants du Texas.

— Je croyais que c'étaient nous, les gens les plus importants, taquina Maggie, mais avec une certaine fierté assurée.

— C'est vrai mais tout le monde le sait, alors il est inutile de le rappeler.

Maggie examina sa mère dans la glace. Anne portait une robe de soie verte parfaitement assortie à la couleur de ses yeux. Le corsage sans manches était très décolleté, maintenu par des épaulettes de ruban et de dentelle, un style déjà démodé, même dans cette région perdue, mais Anne ne se souciait guère de la mode et portait ses vêtements avec une telle aisance que personne n'aurait eu l'idée de la trouver surannée. Ses cheveux dorés étaient tirés en arrière et noués en chignon lâche sur la nuque et elle portait au cou un large collier d'or et de grenats qui avait appartenu à sa mère et à sa grand-mère.

— Tu es merveilleuse, maman, déclara Maggie. Jamais on ne te donnerait quarante-cinq ans.

— Tu as vraiment une manière brutale de t'exprimer, protesta Anne en posant le fer pour examiner son œuvre.

— Non, mais c'est vrai ! Nous pourrions presque passer pour des sœurs. Pour des demi-sœurs, si tu veux, comme Carlos et toi.

— Ma foi j'accepte ce compliment et je t'en remercie. Mais tu me ferais grand plaisir en ne criant pas mon âge sur les toits.

— Ne t'inquiète pas. D'ailleurs, personne ne me croirait.

Anne sourit et embrassa Maggie sur le front.

— Toi aussi, tu es ravissante. Maintenant, debout ! Il faut que tu enfiles ta robe.

Un quart d'heure plus tard, Maggie s'assit pour mettre ses petits souliers dorés. Elle était enfin prête.

— Allons, viens, maintenant. Tout le monde doit se demander où nous sommes.

— Mais Maggie s'attarda encore pour s'examiner dans la glace, assez peu satisfaite, en tournant la tête à droite et à gauche. Contrairement à sa mère, elle était vêtue à la dernière mode d'une robe de satin rose thé avec d'énormes manches gigot qui faisaient paraître sa taille encore plus fine. Le décolleté plongeant révélait la naissance de ses seins juvéniles et un collier de chien orné de pierres de lune encerclait son long cou.

— Voyons, Maggie, dépêche-toi ! Descends vite et joue la maîtresse de maison en m'attendant. Je vais voir où est ton père.

Elles se séparèrent sur le palier. Maggie aspira profondément et descendit par le grand escalier tandis qu'Anne se dirigeait vers l'appartement qu'elle partageait avec Alex.

A la porte, elle hésita un instant avant d'ouvrir. Alex s'était changé. Il paraissait plus grand et incroyablement beau dans sa tenue de soirée, un habit de vigogne bleu nuit au col châle de satin et un gilet de brocart ivoire..

Il accueillit Anne avec une certaine méfiance mais elle sourit en s'approchant de lui. Elle avait une longue mémoire mais savait que l'on ne pouvait nourrir longtemps des griefs contre un être que l'on aimait.

— Tu es vraiment splendide, dit-elle. Je vois que tu as su nouer ta cravate sans mon aide.

L'expression d'Alex s'adoucit. Ainsi, elle lui avait tout de même pardonné ! Il maudit son sale emportement écossais. Quand diable apprendrait-il à ne pas le tourner contre elle ?

— Je sais faire beaucoup de choses quand il le faut. Si je te demande de nouer ma cravate, c'est simplement parce que ça te rapproche de moi.

La trêve ! pensa Anne avec reconnaissance. Elle se serra contre lui, il l'embrassa légèrement sur la bouche.

— Mon cow-boy écossais ! murmura-t-elle. Tu es encore plus beau maintenant que lorsque je t'ai connu. Regarde-toi. Pas une ride, à peine quelques cheveux gris, mais cela te donne encore plus de distinction !

Alex rit tout bas, avec bonheur, en serrant Anne contre lui. Fils cadet d'un propriétaire terrien écossais, il avait quitté les brumes des Highlands pour explorer le Nouveau Monde, avec pour tout bagage sa vive intelligence et la vision d'un empire dans ses yeux bleus. Au début, il avait convoité le Lantana plus qu'il n'avait désiré Anne. Ils le savaient tous les deux mais n'éprouvaient pas le besoin d'en parler, car, au fil des ans, Alex avait découvert qu'Anne était le véritable trésor du Lantana ; leur amour mutuel avait mûri, s'était approfondi, et maintenant ils étaient plus que des partenaires, plus que des associés, plus qu'un couple.

Un regard échangé d'un bout à l'autre d'une salle pleine de monde en disait plus long que toute une conversation, une caresse légère plus que les milliers de je t'aime qu'ils s'étaient dits dans leur vie.

Ainsi, maintenant, ils n'éprouvaient pas le besoin de parler. Alex embrassa Anne, ses lèvres glissant pour frôler son oreille délicate, légères comme une aile de papillon. Elle se nicha au creux de son cou, humant profondément son odeur de lotion et de tabac de La Havane.

- Dieu, quand je te tiens dans mes bras je me sens encore tout jeune homme, souffla-t-il, et ces mots firent battre le cœur d'Anne au point qu'elle crut défaillir. Zut ! Dommage que nous soyons déjà habillés.

Sans un mot, elle leva la main et dénoua sa cravate. En souriant, elle déboutonna le gilet puis les boutons de perle du plastron amidonné.

Ils passèrent une heure au lit, s'aimant avec une vigueur qui aurait fait honte à Dos, puis, épuisés et heureux, ils s'assoupirent jusqu'à ce que des ombres violettes recouvrent le ranch.

Anne précéda Alex en bas, et quand elle salua ses invités, chacun remarqua qu'elle n'avait jamais paru aussi radieuse. Anne souriait à part elle, acceptait les compliments et pensait : « Si seulement vous saviez pourquoi... si vous saviez... »

III

La vieille cloche de bronze de la cour annonça le dîner et personne, sauf peut-être les visiteurs de New York, ne s'étonna de ce qu'une foule aussi élégante s'attable dehors à de longues tables de bois blanc pour festoyer de barbecue et de *frijoles.*

Le gouverneur était à la droite d'Anne et elle fit un effort pour être plus qu'aimable avec lui. Alex présidait une autre table d'au moins cinquante couverts, Maggie à côté de lui. Ils étaient entourés de vieux amis pour que la jeune fille se sente moins intimidée.

Carlos attirait les regards de toutes les jeunes filles, et aussi de bien des dames plus âgées. Il était plus espagnol que jamais, ce soir, avec son costume *charro* noir tout brodé d'argent, très cintré, qui faisait ressortir sa grâce élégante. Une large cravate de satin cramoisi tranchait sur la blancheur éblouissante de sa chemise de soie et attirait l'attention sur l'altière beauté de ses traits.

Dos, naturellement, était avec Nelda. Pas de tenue de soirée pour lui. Il portait un pantalon de peau moulant à la braguette fermée par des lacets de cuir et une ample *camisa* de coton blanc ouverte presque jusqu'à la taille pour révéler les muscles d'acier de sa poitrine.

Cette tenue provocante et négligée avait fait hausser bien des sourcils, comme il l'avait prévu, et en s'habillant il s'était douté que ce serait une chose de plus qu'Anne ajouterait à sa liste de réprimandes. Mais il s'en moquait. La soirée ne faisait que commencer, le sermon était loin, si jamais il venait. Anne était connue pour se calmer aussi subitement qu'elle s'emportait.

Cependant, Nelda avait trouvé quelqu'un plus à son goût que Dos. Elle penchait la tête vers lui, non pour l'écouter mais pour mieux voir Carlos, deux tables plus loin.

Ah, j'ai fait une grosse erreur, pensait-elle. Ce jeune prince brun est ce que j'ai vu de plus joli dans ma vie. Soudain, le taurillon doré à côté d'elle ne l'intéressait pas plus qu'un veau qu'on vient de châtrer.

Dos, ignorant qu'il avait perdu la faveur de la dame, acheva son dîner et claqua des doigts pour faire remplir sa chope de bière. Nonchalamment vautré à la table, il mordit le bout d'un cigare et se pencha pour l'allumer à la lampe-tempête vacillante. Nelda en profita pour capter le regard de Carlos. Son sourcil haussé posa la question et Carlos y répondit par un sourire presque imperceptible.

Pourquoi pas ? se dit-il. Elle était beaucoup moins vulgaire qu'Anne voulait bien le dire. Et il ne comprenait pas du tout pourquoi elle lui donnait quarante ans. A la lueur des torches, son teint était frais, son visage aussi lisse et pur que celui des jeunes filles qui l'entouraient; elle avait les lèvres rouges, les joues roses et son décolleté audacieux dévoilait deux seins fermes et satinés. Pourquoi pas ? Dos n'en ferait pas un drame. Il ne se souciait jamais des filles; une de perdue, dix de retrouvées, elles lui couraient toutes après et il n'avait que l'embarras du choix. Non, je prendrai l'actrice ce soir, Dos se débrouillera. Et puis, s'il est toujours intéressé, il pourra l'avoir plus tard. Après tout, la fête allait durer toute la semaine.

S'étant assurée de Carlos par un simple regard, Nelda ne vit aucune raison de ne pas reporter son attention sur Dos. Il était beau également, et si elle avait le temps – et si Carlos la décevait – elle le prendrait à son tour...

Le dîner terminé, la salle de bal commença à s'emplir, mais surtout de la jeunesse. Les personnes plus âgées se promenèrent un moment, savourant la fraîcheur de la nuit, pour mieux digérer. Tout le monde avait trop mangé – et certains trop bu – chacun avait besoin d'un peu de répit avant de danser toute la nuit. Des voisins, qui vivaient parfois à plus de deux cents kilomètres les uns des autres, mais néanmoins voisins dans ce pays aux distances presque inconcevables, se retrouvaient avec joie et en profitaient pour échanger les derniers potins, les nouvelles bonnes et mauvaises.

Dos sentit le changement d'attitude de Nelda. Ses yeux ne flirtaient plus avec lui et elle paraissait préoccupée. Il tenta de lui proposer une promenade, en pensant à un entrepôt derrière une grange où il y avait un vieux lit de camp au matelas de crin et, si ses souvenirs étaient exacts, un *sarape* mexicain comme couverture. Mais Nelda ne voulut pas en entendre parler.

— Le bal va commencer, voyons ! Regardez, voilà l'orchestre.

— Vous aimez tellement danser ?

— J'ai débuté dans ma carrière comme danseuse.

Dos sombra dans un silence maussade mais resta auprès d'elle. Cette proximité ne gênait pas Nelda, du moment qu'elle pouvait distinguer Carlos de l'autre côté de la salle de bal. Il était encore tôt, elle avait tout son temps.

La magnifique salle n'avait pas besoin d'autres ornements que les masses de chrysanthèmes jaunes, crème et bronze qui s'épanouissaient dans tous les vases d'argent qu'Anne possédait. Au plafond, des lustres étincelants satinaient les murs jaune d'or et se reflétaient dans le dallage d'onyx poli. Des palmiers en pots encadraient l'estrade de l'orchestre et des buffets croulaient sous les montagnes de petits fours dans de la vaisselle de Limoges et les seaux à champagne en argent massif.

Les musiciens attaquèrent une polka et Alex, sachant que c'était la danse préférée d'Anne, l'entraîna sur la piste. Ses pieds légers frappèrent le sol en cadence et pendant un moment, tandis qu'ils tournoyaient, elle fut suprêmement heureuse. Puis soudain Alex la sentit se raidir entre ses bras et il l'entendit murmurer avec stupéfaction :

— Bon Dieu ! Comment a-t-il pu entrer ici ?

Elle n'entendait plus la musique, elle manqua une mesure et trébucha contre Alex.

— Qu'est-ce que tu as ? demanda-t-il en la retenant.

Elle avait pâli mais deux taches écarlates brillaient sur ses joues, un signe infaillible de colère chez Anne.

— Un des garçons d'Emma Stark est là, grinça-t-elle entre ses dents, renonçant à danser. Comment diable a-t-il pu passer devant les gardes du portail ? Ils connaissent mes ordres !

Alex suivit le regard de sa femme et trouva facilement celui dont elle parlait. Tous les Stark se ressemblaient, tous grands, massifs et blonds comme leur père allemand.

Alex pâlit à son tour sous son hâle.

— Je vais me débarrasser de lui !

— Non ! Laisse-moi faire !

— Ne t'en mêle pas, Anne. Pourquoi apporter de l'eau à leur moulin ?

Il a raison, pensa-t-elle, bien que rien ne lui eût donné plus de satisfaction que de chasser de chez elle un des Stark. Elle les avait tous connus enfants, car ils étaient nés dans la maison du régisseur à moins d'un kilomètre de l'ancienne hacienda. Mais à présent qu'ils étaient grands elle ne les distinguait plus, à part Davey, son filleul, qu'elle avait contribué à mettre au monde et nommé. Lui seul la saluait encore lorsqu'ils se croisaient par hasard dans les rues poussiéreuses de Joëlsboro. Et Peter. Elle le reconnaissait à son étoile de shérif. Mais les autres... et combien étaient-ils ? Six ? Sept ? Elle ne se souvenait plus. Ils avaient appris sur les genoux d'Emma Stark à traverser la rue s'ils apercevaient Anne. De son côté, elle avait donné l'ordre au pavillon de garde du portail de chasser tous les rejetons de Rudy Stark qui chercheraient à entrer.

Maintenant, l'un d'eux avait réussi à se glisser et elle vit Alex traverser le dallage d'onyx pour avoir une explication avec lui.

Le garçon n'avait pas pensé à mal. Ce n'était qu'une blague, il avait entendu parler de la fête et il avait franchi la grille avec un groupe de jeunes gens dans un chariot de foin de Joëlsboro. Il riait, il goûtait du champagne pour la première fois et s'émerveillait du luxe de cette demeure dans laquelle il n'avait jamais pénétré.

La main d'Alex se referma sur son épaule comme un étau et le fit pivoter.

– Je ne crois pas que tu aies été invité, petit, dit-il à voix basse pour que d'autres n'entendent pas.

– Je croyais que tout le monde l'était, répondit Klaus Stark.

– Pas toi, ni personne de ta famille.

L'orgueil allemand de Klaus s'enflamma comme de l'étoupe.

– Nous vous valons bien !

– Je suis chez moi et nous ne voulons pas de toi ici. Maintenant va-t'en tranquillement, sinon je te ferai jeter dehors.

Le garçon se dégagea de l'étreinte de fer.

– Je sais bien pourquoi je vous gêne !

– La raison importe peu. Va-t'en !

– Vous connaissez la raison ? Sinon je ne demande pas mieux que de vous l'apprendre !

– Ferme ta grande gueule et sors de chez moi !

Klaus soutint le regard d'Alex aussi longtemps qu'il le put. Puis, tournant les talons, il sortit de la salle de bal.

Quelques jeunes gens prenaient l'air sur la véranda qui entourait la maison, d'autres s'embrassaient dans les coins sombres ; un ou deux garçons de la campagne, au cerveau embrumé par le champagne, se cramponnaient à la balustrade dans le vain espoir d'empêcher la véranda de ruer comme un cheval sauvage.

Soudain la porte s'ouvrit à la volée et ils virent un homme dévaler les marches et se retourner pour glapir d'une voix altérée par la rage :

— Salauds de riches ! Je ne vais pas oublier ça !

Personne ne réagit quand il s'empara d'un cheval sans savoir à qui il appartenait, sauta en selle et partit au galop dans la nuit.

Dans la maison, Dos cherchait Nelda. Sous prétexte d'avoir besoin de se poudrer, elle lui avait échappé et avait rejoint Carlos. Dans un souci de discrétion, ils s'étaient esquivés par la cuisine, mais dans l'obscurité ils avaient failli tomber sur Virgil Jones qui lutinait une des jeunes souillons aux yeux vifs.

Carlos entraîna vivement Nelda vers la remise des voitures, attela un cheval au cabriolet neuf d'Anne et partit en direction d'un arroyo planté de cèdres.

Leur arrivée troubla le sommeil de quelques oiseaux et une chouette poussa un cri plaintif.

— Quand j'étais petit, dit Carlos en s'étendant avec Nelda sur une couverture, sous les branches, je croyais que les arbres eux-mêmes faisaient ce bruit. Je trouvais merveilleux que d'autres choses que les animaux aient une voix.

Cela n'intéressait absolument pas Nelda. Elle regrettait seulement qu'il fît si noir qu'elle ne pouvait voir le corps mince de ce beau garçon. Elle lui glissa une main entre les jambes et la surprise le fit taire.

Il lui fallut un moment pour se remettre de ce geste osé mais quand il se ressaisit il ne perdit pas de temps. La robe ornée de dentelles et de fanfreluches semblait avoir mille boutons mais il les défit rapidement, ouvrit le corsage et dénoua les rubans du cache-corset.

Déshabillé en un clin d'œil, il prit Nelda dans ses bras et la serra contre lui. Comme elle ne pouvait le voir elle l'examina avec ses mains, lui caressa le dos, des épaules jusqu'aux reins. Carlos avait le nez dans son cou ; l'odeur et le goût de la poudre de riz l'excitaient singulièrement.

Nelda gémit quand il se coucha sur elle et elle noua autour de ses hanches ses jambes gainées de soie. Glissant ses mains entre leurs deux corps, elle le caressa, les passa sur le ventre dur et plat de Carlos jusqu'à ce qu'elle trouve ce qu'elle cherchait.

Aaaah ! Cela ne ratait jamais ! Toujours les plus menus, les plus minces étaient particulièrement gâtés par la nature. Elle regretta de ne pas y voir. Ce qu'elle tenait dans sa main était si brûlant qu'elle s'étonnait que cela ne fût pas incandescent.

Quelqu'un dit à Dos qu'on avait vu Nelda se diriger vers la cuisine. Saisissant une bouteille de champagne, il sortit en chancelant et surprit Virgil et la petite bonne mexicaine.

— Ah ! zut, grommela Virgil. Je n'arrive à rien, surtout avec cette fichue circulation. Allez-y, Dos, elle est à vous. Un vrai chat sauvage.

— Je cherche quelqu'un d'autre.

— Cette actrice de New York ?

— Tu l'as vue ?

— Si je l'ai vue ? Elle m'a pour ainsi dire marché dessus. Sais pas où ils sont allés. Ils ont attelé un cheval et ils ont filé par là-bas...

— Ils ? Qui était avec elle ?

— Carlos, tiens donc, le sacré gaillard !

Carlos ! Salaud, pensa Dos, tu m'as soufflé la fille !

Dos traversa la cour. Au loin dans la nuit un coyote hurla et un hibou lui répondit, des combles de la remise. Arrivé à la route blanche comme du sel au clair de lune, il s'arrêta pour déboucher sa bouteille. Le bouchon sauta dans un bruit de détonation et le hibou effrayé s'envola lourdement.

Le jeune homme but longuement au goulot puis il repartit d'un pas mal assuré. Il lui fallut une demi-heure pour atteindre l'arroyo où il vit le clair de lune se refléter sur la capote de cuir du cabriolet.

Un râle de passion fit sursauter Dos et, en se penchant au bord de l'arroyo il vit Carlos et Nelda, les bras de l'actrice serrés autour du dos nu de son oncle, ses hanches tressautant en cadence. Dos les observa avec fascination, le cœur battant, puis il battit en retraite silencieusement, les oreilles agressées par leurs gémissements d'extase.

Il retourna à la maison, torturé par cette scène. Il vida la bouteille de champagne et, poussant un juron, il la fracassa contre un arbre. Tout autre que Dos aurait sauté sur le couple, arrachant l'homme à Nelda, il aurait martelé de ses poings la figure de son rival. Mais il n'avait pas le cœur de se battre avec Carlos. Non, pas lui ! C'était le seul homme du Lantana qui prenait sa défense quand il avait des ennuis, la seule personne, à part Anne, qui s'interposait entre lui et la colère ou le dégoût d'Alex ! Non, pas Carlos ! N'importe qui, mais pas lui !

Il se mit à courir vers le corral. Là il choisit un étalon noir, le sella rapidement et le lança au grand galop dans la prairie.

IV

Klaus Stark était allé directement au Liberty Saloon de Joëlsboro, un modeste bâtiment de bois semblable à tous ceux qui bordaient la rue principale défoncée. Ce n'était guère plus qu'un bar où les cow-boys pouvaient chasser avec de l'alcool la poussière qu'ils avaient avalée toute la journée. Près de l'entrée, il y avait quelques tables de jeu recouvertes de feutre vert, pour le faro, le vingt-et-un et le poker. Contre un mur, des banquettes à haut dossier formaient des sortes d'alcôves, et dans le fond une estrade accueillait pendant le week-end un violoneux ou un accordéoniste pour accompagner la demi-douzaine de souillons aux oripeaux voyants qui passaient pour des danseuses.

Ce soir-là, il n'y avait pas de musique et la salle était presque vide, la plupart des habitants ayant sauté sur l'occasion unique d'aller profiter de l'hospitalité du Lantana.

Klaus passa devant la seule table de poker occupée et alla s'accouder au bar d'acajou. Le patron du saloon tarda à le servir. Il n'aimait pas Klaus, il n'aimait d'ailleurs aucun des Stark. Ils tenaient mal l'alcool et leur sale caractère allemand avait été la cause de plus d'une bagarre. Et il était évident que Klaus avait déjà beaucoup bu.

Trop fier pour réclamer, Klaus attendit avec une patience inaccoutumée que le patron vienne placer une bouteille devant lui et passa le temps en observant les filles assises à une table devant l'estrade : la grosse Fanny avec ses cheveux rouges flamboyants et ses dents d'or qui étincelaient comme le trésor de Montzuma; Hester la louchonne au teint terreux; Ethel qui niait obstinément sa grossesse alors que son ventre l'empêchait de s'approcher de la table; Guadalupe dont tout le monde savait qu'elle collait des morpions aux cow-boys imprudents; et l'impétueuse Cora qui avait un stylet dans sa botte et un colt 41 à crosse de nacre dans son réticule.

Il y avait une nouvelle à la table, Klaus la connaissait de vue. Elle s'appelait Lorna Rivers et vivait avec ses parents dans un taudis de pisé, au bout de la petite ville. Son père avait été jadis un monsieur, un courtier en valeurs de Philadelphie avant que la fièvre de l'or l'entraîne vers l'Ouest jusqu'à Denver, où il avait fait fortune grâce à la mine de Lost Smoke, une fortune promptement gaspillée en femmes, chevaux, équipages et parties de poker effrénées. L'alcool apaisait les douleurs de la misère soudaine, et quand il n'était pas ivre il s'abrutissait à l'opium. Il avait épousé une femme à moitié indienne, aussi portée que lui sur la bouteille.

Dès qu'il avait quelques dollars en poche, il mettait le cap sur le saloon du coin, traînant sa famille, et pendant que sa femme buvait à rouler sous la table, il jouait au poker; Lorna, n'ayant rien d'autre à faire, observait la partie. Ainsi, presque à son insu, elle apprit les périls d'une relance sur une paire et les chances que l'on avait de compléter un full. Sans jamais avoir tenu de cartes entre ses mains, elle finit par comprendre pourquoi son père perdait toujours.

Ses parents n'aimaient pas Lorna mais elle leur était précieuse, car sans elle ils seraient morts de faim. Toute petite, elle savait déjà fouiller dans les poubelles, derrière les boucheries ou les épiceries, pour trouver des os avec quelques lambeaux de viande pas encore avariée, des légumes véreux que l'on pouvait gratter et jeter dans la soupe. Et, plus tard, elle apprit à voler, grâce à un sixième sens qui l'avertissait quand le marchand avait les yeux tournés.

Elle haïssait ses parents et rêvait de leur échapper. Elle aurait voulu avoir des amies, aller à l'école, mais le temps de l'école passa et à seize ans elle ne savait ni lire ni écrire. Et maintenant son père commençait à la regarder d'une drôle de façon, il lui arrivait de lui caresser les seins quand sa femme était trop ivre pour le voir.

Finalement, il y avait de cela huit jours, alors que la mère de Lorna gisait ivre morte sur son grabat, le père s'était approché de sa fille avec une lueur encore plus démente dans les yeux.

Il la saisit aux épaules puis ses grosses mains se refermèrent autour de son cou. Elle se débattit mais il était trop fort pour elle. Ses genoux fléchirent, elle tomba à la renverse, fut prise d'un vertige et perdit connaissance.

Quand elle revint à elle, une douleur atroce entre ses jambes lui arracha un cri. Son père ronflait à côté d'elle, son pantalon crasseux autour de ses chevilles.

Lorna porta une main là où la souffrance était la plus vive et la retira ensanglantée. Elle ne pleura pas, elle se se plaignit pas, car elle s'était bien doutée que ce jour viendrait. Simplement, elle se releva tant bien que mal et maudit son ivrogne de père.

— Salaud, souffla-t-elle, les lèvres frémissantes de rage. Qui a besoin de toi ? J'espère que vous mourrez tous les deux et brûlerez en enfer ! Et ce sera encore trop bon pour vous !

Ramassant son châle en loques elle l'enroula autour de ses épaules et quitta pour toujours le taudis de son père.

Il était minuit et elle suivit, souffrant à chaque pas, la ruelle, derrière le Liberty Saloon. Elle connaissait l'endroit, elle savait quel établissement c'était, mais où pouvait se rendre une fille comme elle ? Alors elle frappa à la porte de service et ce fut Ethel qui vint lui ouvrir.

— Oui ? Qu'est-ce que vous voulez, mademoiselle ?

Lorna leva fièrement le menton.

— Je cherche du travail.

Ethel faillit lui claquer la porte au nez car, à première vue, dans l'obscurité de la ruelle, Lorna ne paraissait pas avoir plus de douze ans. Ses cheveux noirs et raides d'Indienne encadraient son visage maigre et retombaient sur ses épaules. Sa bouche en cœur aurait été aussi douce que celle d'un bébé si le menton pointu n'avait été aussi volontaire.

Ce fut l'expression à la fois affamée et hardie et les énormes yeux sombres qui firent hésiter Ethel. Elle s'écarta un peu pour que la lumière du couloir éclaire la visiteuse.

— T'es moins jeune que t'en as l'air, pas vrai ?

— J'ai seize ans, répondit Lorna, et son menton se releva encore un peu.

— Plutôt maigrichonne pour seize ans.

— Rien qu'un bon repas ou deux ne puisse améliorer.

— Tu as faim ?

— J'ai toujours faim, dit la petite avec simplicité.

Le manque total d'apitoiement dans la voix de Lorna éveilla de la compassion dans le cœur d'Ethel.

— Entre, va, on te trouvera bien quelque chose à manger.

Lorna ne bougea pas.

— Je viens chercher du travail, pas la charité.

— Reconnaissante avec ça, hein ?

— Je veux simplement gagner ma vie.

— Oui, eh bien il va falloir te mettre un peu de chair sur ces os avant qu'un homme veuille bien te regarder. Allez, laisse un peu tomber ta fierté et entre.

Lorna entra dans le Liberty Saloon et Ethel referma la porte. Fanny et Hester repoussèrent leurs chaises et s'approchèrent pour examiner Lorna avec curiosité.

— Pour l'amour du ciel, Ethel, s'exclama Fanny en se pinçant délicatement le nez, ne la laisse pas entrer ici ! Elle va faire fuir les clients.

— Si on la laisse dehors, elle va faire peur aux chevaux, rétorqua Hester.

— Je ne resterai pas si on ne veut pas de moi, déclara Lorna, et elle tourna les talons pour repartir.

— Hé là, calme-toi, petite, dit la grosse Fanny en intercalant sa masse entre Hester et Ethel. Faut pas faire attention à nous, on plaisantait. Comment tu t'appelles ?

Lorna Rivers.

— Elle a faim, annonça Ethel.

— M'étonne pas, grogna Fanny. Rien qu'un sac d'os. Bon, conduis-la en haut, je vais chercher quelque chose. Je crois bien qu'il reste du jambon cru.

Les yeux énormes de Lorna s'arrondirent. Du jambon ! Elle ne se rappelait pas la dernière fois où elle en avait goûté.

— Ça te dit, petite ? Un peu de jambon, quelques fèves, peut-être une tortilla avec du beurre ?

— N'importe quoi, murmura Lorna en se demandant si ces femmes mangeaient tout le temps ainsi; à voir l'ampleur de Fanny, il y paraissait bien.

Fais-la monter, Ethel, ordonna Fanny qui commandait manifestement au Liberty Saloon. Et ôte-lui ces frusques !

— Qu'est-ce que je vais lui mettre à la place ?

— N'importe quoi ! Une couverture de cheval serait mieux que ça ! Enlève-lui ces loques et brûle-les. Il ne nous manquerait plus que ça, dans cet établissement, des poux !

— Je n'ai pas de poux ! protesta Lorna en levant le menton si haut que son cou meurtri apparut.

— Ah, mon petit chou ! s'écria Hester en la regardant de ses yeux bigles. Qui t'a fait ça ?

— Mon père, répondit Lorna sans honte.

— J'espère que tu l'as tué pour ça !

— J'aurais dû.

— Bon, faites-la monter, fit Fanny d'une voix adoucie. Je vais chercher son souper.

Pour la première fois depuis des années, Lorna s'endormit ce soir-là le ventre plein.

Les filles du Liberty Saloon, même la dure Cora, furent horrifiées par les marques livides encerclant le cou de Lorna; le pantalon ensanglanté qu'Ethel porta dehors au bout d'un bâton pour le brûler les édifia complètement.

Elles adoptèrent Lorna et la cajolèrent. La sombre et sérieuse Hester s'occupa de la nourrir. Guadalupe lui fit cadeau d'une croix d'argent pour porter au cou et Ethel, maintenant dans son huitième mois, lui donna toutes les robes qu'elle ne pouvait plus mettre. Enfin, l'esprit mordant de Fanny ramena le sourire aux lèvres de la petite.

Elle engraissa comme un chat famélique soudain gavé de crème. Ses joues se remplirent et ses yeux n'eurent plus l'air de dévorer son visage; ses seins menus s'arrondirent, ses hanches osseuses prirent des rondeurs plaisantes sous les robes d'Ethel.

Pour sa première apparition dans la salle du Liberty Saloon, Lorna choisit une robe de satin jaune au corsage volanté et aux manches garnies de dentelle. Puis Guadalupe lui passa sur la figure une houppe de poudre de riz parfumée et souligna au khôl ses grands yeux sombres. Les lèvres lui parurent trop roses naturellement pour l'huile d'amandes douces cramoisie dont les filles se servaient, mais elle lui farda les joues avec un peu de rouge au parfum de rose.

Quand elle s'assit à la table des filles, elle avait plutôt l'air d'une enfant qui joue à la dame que d'une fille exerçant le plus vieux métier du monde, mais elle ne se faisait pas d'illusions. Elle savait qu'au bout d'un moment, quand les hommes se lasseraient de leur poker ou quand l'un des joueurs aurait trop bu, les regards se tourneraient vers elle; elle se demanda lequel de ces grands cow-boys efflanqués l'entraînerait dans la ruelle ou au premier, dans une des petites chambres meublées d'un simple lit de camp.

A ce moment, Klaus entra dans le bar et Lorna espéra que ce serait lui. Elle le connaissait un peu, au moins, et pensait que cela faciliterait les choses.

— Va donc lui mettre le grappin dessus s'il te plaît, conseilla Fanny en suivant son regard. Il n'est pas fameux mais tu ne dois pas l'être non plus. Et puis il n'est pas brutal et on ne peut pas en dire autant de ces vauriens à la table de poker. Et, il faut l'avouer, il est bien plus joli. Probable aussi qu'il sent moins mauvais.

Lorna rit malgré sa nervosité.

— Qu'est-ce que je dois lui dire ?

— Demande-lui de te payer un verre.

— Je n'ai jamais bu d'alcool !

— T'en fais pas ! Le vieux Jack te servira du thé sucré. Allez, va !

Fanny tapota affectueusement la main de Lorna et la renvoya de la table.

Klaus feignit de ne pas la voir venir et attendit pour se retourner et la regarder qu'elle soit à côté de lui, tout intimidée.

— Bonsoir, Klaus, dit-elle en se forçant à sourire, se demandant s'il allait la reconnaître sous ses fards.

— Par exemple, si c'est pas Lorna Rivers, dit-il d'une voix nonchalante.

Il sourit et elle fut déconcertée par le regard de ses yeux d'un bleu si vif.

— Pourquoi est-ce que tu ne me payes pas un verre ? hasarda-t-elle en bredouillant.

— Jamais dit que je t'en offrirais pas ! Hé, Jack, apporte un verre !

Jack Lynch, le patron du Liberty Saloon, en remplit un d'une bouteille spéciale qu'il gardait sous le comptoir et le posa devant Lorna.

— Qui t'a parlé de ça ? protesta Klaus. J'ai dit un verre... vide.

— Mais ça c'est très bien, murmura Lorna.

— Un verre, Jack, insista Klaus, et le patron obéit de mauvaise grâce pour ne pas s'attirer la colère du garçon.

Klaus remplit le verre de whisky et le fit glisser vers Lorna.

— Cul sec, dit-il et il renversa la tête en arrière pour boire le sien d'un trait.

Lorna porta l'autre à ses lèvres et frémit quand l'alcool fort lui brûla la langue.

— Allez, ça te fera du bien, assura Klaus en reprenant la bouteille.

Lorna allait répondre quand un martèlement de sabots retentit dans la rue. Klaus et elle se tournèrent vers la porte au moment où Dos faisait irruption. Ses cheveux blonds étaient en désordre, ses joues congestionnées. Son ample chemise ouverte jusqu'à la taille sortait du pantalon et les talons de ses bottes claquèrent bruyamment sur le plancher quand il s'approcha du bar.

— Donne-moi à boire, Jack, cria-t-il.

Jack lui apporta une bouteille et un verre.

— Comment ça se fait que t'es pas au Lantana pour les festivités ?

— J'en ai eu ma claque des festivités, grommela Dos.

Il remplit son verre et renversa une bonne partie du whisky sur le bar. Ce fut d'une main tremblante qu'il le porta à ses lèvres.

Lorna n'avait vu Dos qu'une seule fois auparavant, le jour où elle était arrivée avec ses parents à Joëlsboro, un mois plus tôt. Pétrifiée d'admiration, elle l'avait vu caracoler sur un pur-sang nerveux, beau comme un prince de conte de fées, le soleil brillant sur ses cils argentés et dans ses yeux verts... ressemblant beaucoup au garçon qui se trouvait auprès d'elle mais en bien plus séduisant... plus fort, plus musclé, plus élégant, avec des hanches étroites serrées, tout comme ce soir, dans un pantalon de peau moulant.

— Qui est-ce ? demanda-t-elle à Klaus, car si elle avait entendu parler du Lantana elle ignorait tout de ses propriétaires.

— Un des foutus Cameron, répliqua Klaus, ses dents serrées révélant la colère qui flambait encore en lui.

Dos l'entendit, comme l'avait voulu Klaus, et il se tourna vers l'autre extrémité du comptoir, la figure plus rouge encore.

— Qu'est-ce que t'as à rouscailler, Klaus ?

La main de Klaus se crispa sur son verre. Le feu de son regard rivalisait avec celui de Dos. Jack Lynch devina ce qui allait se passer.

— Allez, ouste, dehors, tous les deux !

Aucun des deux ne bougea. Ils se dévisagèrent comme des taureaux furieux prêts à charger.

Les joueurs de poker, pressentant l'algarade, posèrent leurs cartes pour mieux regarder. Dans le fond, les filles se levèrent mais restèrent près de leur table.

— Je t'ai posé une question, gronda Dos.

— Si je ne suis pas assez bon pour aller chez toi, alors t'es pas assez bon pour boire près de moi !

Dos ne savait pas du tout ce que Klaus voulait dire mais cela n'avait pas d'importance car il flairait la bagarre et, dans son dépit, il l'accueillait avec joie. Ses poings étaient déjà serrés, ses pieds écartés.

— Je me suis fait éjecter de ton foutu ranch, expliqua Klaus sur un ton menaçant. Vous recevez tout Joëlsboro, mais y a pas de place chez vous pour les Stark !

Il fit un pas vers Dos qui ne broncha pas. Jack Lynch voulut saisir le bras de Klaus mais fut repoussé. Lorna recula en ouvrant de grands yeux, comprenant que rien ne pourrait empêcher ces hommes de se battre.

— Tu sais pourquoi, Dos Cameron ? Tu sais pourquoi ? Tu ne

t'es jamais demandé pourquoi les garçons de Rudy Stark n'avaient pas le droit de mettre les pieds dans le ranch qu'il a aidé à construire ?

Dos se l'était demandé, effectivement, il avait même posé la question et on lui avait simplement répondu que les Stark étaient une sale engeance à ne pas fréquenter. Et maintenant il en avait un devant lui, qui le défiait à un combat qu'il n'avait aucune intention d'esquiver.

– Bougre de con ! hurla Klaus. Tout le monde le sait ! Tout le monde le sait, sauf toi !

– Ta gueule, Klaus, avertit Jack Lynch, car lui aussi, il savait.

Mais sa voix était faible et ni Klaus ni Dos ne l'entendirent. La figure du jeune Stark était noire de haine.

– Le monde entier sait que ta mère était la putain de mon père !

Dos rugit de fureur. Il balança son poing gauche et atteignit Klaus à la tempe mais l'autre lui sauta immédiatement dessus et lui porta à la mâchoire un coup si violent que Dos se mordit la langue. Du sang emplit sa bouche et faillit l'étouffer. Il cracha, éclaboussant de rouge la chemise de son adversaire.

Le genou de Klaus s'enfonça brutalement dans son bas-ventre et il partit à la renverse, le souffle coupé par la douleur. Les filles glapirent et reculèrent contre l'estrade. Les joueurs de poker, ravis, crièrent des encouragements tout en faisant de la place aux combattants tandis que Lorna, pâle d'effroi, regardait Klaus bondir sur Dos et le jeter à terre. Il tomba à genoux sur sa poitrine et lui martela la figure des deux poings, hurlant sa fureur à chaque coup :

– Tu ne vois pas ? ... t'es aveugle ? ... ta mère avec ses grands airs... elle a couché avec mon père... t'es pas un Cameron ! Tu ne vaux pas mieux que moi ! ... t'es mon foutu frère !

Dos clama son horreur et crut qu'un feu d'artifice explosait dans son cerveau. Lui ! Un Stark ! Pas un Cameron ! Pas le fils d'Alex... Ainsi c'était donc cela, la raison de l'animosité ! Il reçut un choc terrible mais pas un instant il ne douta. Et il ne l'avait jamais su ! Il n'était pas le fils d'Alex ! Il n'était que le sale bâtard d'Anne et de Rudy Stark !

D'un coup de reins, il se redressa en envoyant Klaus contre la table de poker. Des cartes et des jetons s'éparpillèrent sur le plancher et une bouteille de whisky débouchée tomba et se brisa. Dos l'empoigna par le goulot et la leva. Klaus ne vit pas son geste. Aveuglé par la rage il se rua sur Dos et les bords aigus de la bouteille s'enfoncèrent dans sa gorge, tranchant la jugulaire aussi nettement qu'un rasoir. Du sang, si foncé qu'il paraissait noir, jaillit en fontaine sur la poitrine de Dos, chaud, épais, poisseux, pour se mêler à son propre sang.

Dos battit précipitamment en retraite, horrifié, comprenant que Klaus allait mourir et que c'était lui qui l'avait tué. Son expression était aussi douleureuse que celle de Klaus, et Lorna se dit que jamais elle n'avait vu de figure aussi tragique. Le beau prince doré s'était changé en argile; ses traits se convulsaient, ses épaules s'affaissaient, comme si par quelque magie le temps s'était accéléré et l'avait vieilli en un instant. L'horrible sang rouge vif coulait de sa bouche et tombait en lourdes gouttes de son menton. Mais c'étaient ses yeux qui hypnotisaient Lorna, ces yeux verts qui avaient scintillé comme des émeraudes la première fois qu'elle l'avait vu. Ils étaient alors vifs, pleins d'assurance et d'aplomb. Maintenant, presque vitreux, ils semblaient s'enfoncer dans le crâne, leur beauté voilée par le chagrin, la répulsion, la pitié et le désespoir.

Dos chancela et se mit à hurler. C'était une plainte infernale, plus effrayante que le cri d'une bête prise au piège, atroce dans sa férocité, qui affola davantage Lorna que l'agonie de Klaus.

Dos n'avait pas lâché la bouteille cassée. Poussant un nouveau cri, il la leva et la lança violemment au hasard. Elle vola à travers le saloon et alla frapper une étagère au-dessus du bar, faisant tomber des verres contre une lampe à pétrole allumée. La lampe vacilla puis tomba et se brisa sur le plancher. Le pétrole se répandit très vite et s'enflamma d'un coup en mettant le feu aux lourds rideaux de velours tirés devant les fenêtres.

Fanny glapit et les autres filles la suivirent quand elle courut en pleine panique vers la porte de service. Les joueurs de poker, après un moment de stupéfaction, se hâtèrent d'étouffer les flammes à l'aide de leurs vestes pendant que Jack Lynch saisissait une bassine d'eau de vaisselle et la jetait sur le feu; mais cela ne fit qu'étaler le pétrole enflammé et bientôt des flammèches se mirent à noircir les murs de sapin.

– Fichons le camp d'ici ! cria quelqu'un, et les hommes abandonnèrent leurs vestes fumantes pour suivre les femmes dans la ruelle.

Voyant que le salon était irrémédiablement condamné, Jack Lynch se précipita derrière eux et personne, dans la peur et l'affolement général, ne remarqua que Dos et Lorna restaient seuls.

Dos était pétrifié, l'air égaré, inconscient des flammes voraces qui léchaient les murs et craquelaient la peinture du plafond.

Lorna, toujours fascinée par les yeux tragiques de Dos, se cramponnait au bar et ne pouvait bouger.

Soudain, tout le plafond s'embrasa et fit pleuvoir de grosses gouttes de peinture incandescente; d'épais nuages de fumée emplissaient la salle. Une étincelle mit le feu à une des manches de Dos, arrachant enfin Lorna à sa léthargie. Elle bondit du comptoir et alla battre les flammes sur la chemise de Dos avec ses seules mains nues, sans se soucier de la douleur, ne pensant qu'à le faire sortir avec elle de cet enfer.

Tout le mur ouest n'était qu'une nappe de feu; des morceaux du plafond se détachaient et tombaient, allumant de nouveaux foyers derrière le bar. La roue de chariot servant de lustre tournait et se balançait dans le tourbillon d'air brûlant et ses grosses bougies fondaient pour former des flaques de cire sur le plancher. La fumée de plus en plus dense suffoquait Lorna, lui brûlait les poumons et une affreuse odeur de roussi lui apprit que ses cheveux et ceux de Dos se consumaient dans la chaleur.

Elle le tira par le bras, de ses mains couvertes de cloques, mais il était aussi inébranlable qu'un bloc de pierre. Elle leva vers lui des yeux suppliants.

— Venez ! Il faut sortir d'ici !

Il resta commotionné, paralysé, regardant sans ciller le cercle de feu entourant le corps inerte de Klaus. Lorna le lâcha d'une main, serra le poing et le frappa aussi fort qu'elle le put à la mâchoire. Dos sursauta et elle vit qu'elle l'avait arraché à sa transe. Il se tourna vers elle, les yeux encore voilés par le chagrin et le désespoir, mais il la regarda et comprit enfin ce qui se passait.

— Il faut sortir d'ici ! cria-t-elle en le reprenant par la main.

Cette fois il bougea. Il chancela avec elle dans la fumée suffocante et les gerbes d'étincelles tombant du plafond qui commençait à s'affaisser. Lorna se mit à tousser, une main crispée sur sa poitrine en feu. La porte de service paraissait atrocement lointaine.

Enfin elle l'atteignit et tous deux se précipitèrent dans la ruelle, encore assourdis par le ronflement de l'incendie, aspirant à grandes goulées de l'air frais dans leurs poumons torturés.

Sur le devant du saloon, les autres survivants se serraient les uns contre les autres, encore trop commotionnés par la catastrophe pour réagir; mais bientôt le tocsin en amena d'autres sur les lieux, les rares habitants qui n'étaient pas allés au Lantana pour la fiesta. Une chaîne s'organisa, des cow-boys, des commerçants, des vagabonds et les filles du saloon en robe de taffetas. Des seaux d'eau passèrent de main en main pour tenter d'éteindre le feu. Ils ne comprenaient pas la vanité de leurs efforts. Ils continuèrent de vider des seaux d'eau sur les murs flambants du saloon bien après que des têtes plus lucides eurent compris que le bâtiment était perdu. Leur préoccupation les empêcha de remarquer les étincelles qui, comme un vol de lucioles, allaient se poser sur le toit de bois du magasin de nouveautés voisin. La plupart se consumaient en vol et retombaient en cendres mais quelques-unes se ranimèrent en touchant le bois sec du toit et il était déjà trop tard quand Fanny leva les yeux et s'écria :

– Mon Dieu ! Regardez !

Les maisons de Main Street se côtoyaient, avec des murs mitoyens, et tout le monde comprit alors que l'incendie allait se propager d'un bout de la ville à l'autre et que rien ne pourrait l'en empêcher.

Très loin de là, sur la véranda de la grande maison du Lantana, deux amoureux s'embrassaient dans l'ombre. Quand leurs lèvres se séparèrent la jeune fille releva ses paupières et distingua une singulière lueur dans le ciel.

– Qu'est-ce que c'est ? demanda-t-elle.

Le garçon se retourna et vit au-dessus de l'horizon un éclat orangé sinistre.

– On dirait Joëlsboro, murmura-t-il. On dirait que toute la ville flambe !

Abandonnant la fille, il se précipita dans la maison pour avertir Anne. Elle revint avec lui en courant et regarda au loin. Le doute n'était pas permis. C'était bien Joëlsboro qui brûlait !

Elle se hâta d'aller chercher Alex et ils coururent vers l'écurie. Ils sellèrent leurs chevaux et galopaient déjà dans la prairie quand la grosse cloche de la cour commença à sonner l'alerte.

Longtemps avant d'arriver, Anne comprit, le cœur lourd, qu'elle et ses hommes ne pourraient pas grand-chose pour maîtriser l'incendie. La lueur dans le ciel évoquait un coucher de soleil d'été, et quand elle fit sauter à son cheval le lit desséché de Sandia Creek, à une bonne lieue de la ville, elle sentit l'odeur de bois brûlé et aperçut le nuage de fumée dérivant vers eux comme une brume matinale. Alex et elle entrèrent en ville au grand galop et arrêtèrent enfin leurs chevaux au milieu de la rue. Anne porta une main à sa bouche et gémit :

– Mon Dieu, Alex ! Toute la ville flambe !

A ce moment même, les murs du magasin de nouveautés s'écroulèrent dans un bruit de tonnerre en faisant jaillir de hautes flammes et une pluie d'étincelles.

– Les maisons vont tomber comme des dominos, dit Anne,

parlant plus pour elle-même que pour Alex.

Le saloon était presque entièrement consumé, un vortex de feu tournoyait au-dessus des ruines du magasin voisin et il était évident que le toit du salon de coiffure allait s'embraser. La boutique d'apothicaire flambait déjà ainsi que la graineterie, le café, le Commercial Hotel et la plupart des autres magasins et bâtiments du côté nord de la rue.

Un cri d'angoisse échappa à Anne quand elle vit les premières bouffées de fumée grise monter de l'école, la dernière construction dans la rangée de bâtiments condamnés. Elle avait fait construire cette école, il lui avait fallu des années pour y attirer une maîtresse. Son cœur saignait à la pensée de sa destruction certaine.

– Ah, Alex ! gémit-elle.

Alex se pencha pour lui prendre la main, sachant que rien de ce qu'il pourrait faire ou dire n'apaiserait sa douleur.

Elle adorait cette petite ville, elle l'avait autorisée à se créer sur ses terres, elle avait encouragé son expansion, construit au moins la moitié des bâtiments dévorés par les flammes et en avait fait don à la ville. De sa propre initiative, elle avait rectifié les limites de son ranch, reculé des clôtures pour que la ville soit en terrain libre, avec assez de terres autour pour n'importe quel pionnier désirant un titre de propriété. Et, dernière preuve de son amour pour cette communauté, elle l'avait baptisée Joëlsboro, en souvenir de son père.

Alex comprenait ses larmes, comme tous les vachers qui l'avaient suivie. A califourchon sur son cheval, elle était à leurs yeux une reine en deuil, son visage fier illuminé par l'incendie révélant un courage et une résolution mêlés de chagrin en assistant à la destruction d'un coin bien-aimé de son royaume. Ils l'entouraient tous, formant consciemment une barrière protectrice, une garde d'honneur. Et, par égard pour sa douleur, ils se taisaient.

Enfin Anne essuya ses larmes d'un revers de main et leur donna des ordres.

– Nous ne pouvons pas faire grand-chose contre l'incendie mais nous pouvons aider à sauver l'autre côté de la rue. Allez relayer ces braves gens qui font la chaîne. Ils doivent être épuisés.

Pendant un moment, Alex et Anne se retrouvèrent seuls. Puis le claquement de sabots sur la terre sèche annonça l'arrivée de Carlos et de Maggie, qui s'arrêta à côté de sa mère, pâle d'effroi et de consternation.

– Ah, maman... c'est affreux !

Anne se mordit la lèvre pour ne pas fondre de nouveau en

larmes.

— Ce n'est pas la fin du monde, Maggie. Ils s'en sortiront. Et je les aiderai.

Carlos ne resta qu'un moment aux côtés de sa demi-sœur. Très vite, il mit pied à terre, attacha son cheval et alla se joindre aux combattants du feu.

— Venez, dit Alex à Anne et Maggie. Nous ne pouvons rien faire de plus ici.

Il parla tout bas à son cheval et tous trois tournèrent bride pour rentrer au ranch.

Après s'être précipités dans la ruelle, Dos et Lorna mirent un moment à se ressaisir, encore suffoqués par la fumée, frappés de terreur, jusqu'à ce que le tocsin les fasse sortir de leur torpeur. Le bâtiment flambait derrière eux et Lorna vit que le toit du magasin voisin prenait feu.

— Nous ne pouvons pas rester là, dit-elle. Venez avec moi. Elle prit machinalement la main de Dos mais une plainte lui échappa; elle sentait enfin la douloureuse brûlure de ses doigts. Dos la suivit dans la ruelle sans savoir où elle le conduisait, sans même s'en soucier. Son cerveau était encore embrumé par le champagne et son état de choc l'empêchait de souffrir de sa langue coupée ni des cloques qui se formaient sur son bras, sous les lambeaux noircis de sa chemise.

Lorna le pressa, agacée par sa lenteur. Des deux, c'était elle qui gardait la tête froide.

– Dépêchez-vous! Vite ! Il faut nous en aller d'ici !

Comme des fantômes épuisés, ils marchèrent dans l'obscurité jusqu'à l'écurie de louage, à l'extrémité de la ville. Elle était déserte, comme Lorna l'avait pensé, car tout le monde luttait contre l'incendie. Elle ouvrit la porte et traîna Dos à l'intérieur. Quatre chevaux soufflèrent et remuèrent la tête, avançant le cou hors des stalles avec curiosité. Lorna souleva le couvercle d'une boîte en fer et prit une poignée de sucre pour calmer les bêtes, les laissant mordiller les morceaux dans le creux de sa main brûlée.

— La sellerie est là-bas, dit-elle à Dos. Sellez les deux noirs, ils seront les plus difficiles à voir la nuit.

Mais Dos ne bougea pas et elle comprit qu'elle devait s'en occuper elle-même. Elle brida les deux hongres noirs et dut faire un effort pour hisser les lourdes selles sur leur dos.

Dos la regardait faire d'un air vague, apathique, et elle vit bien qu'il était inutile de lui demander de l'aider. Quand elle eut serré la deuxième sous-ventrière, elle se glissa dans le bureau du patron et prit deux Winchesters dans le râtelier d'armes. Dans le tiroir du dessous, elle trouva une boîte de munitions et une bouteille de téquila presque pleine. Retournant dans l'écurie, elle glissa les fusils dans les fontes de selle, et l'alcool et les munitions dans un portemanteau de cuir qu'elle fixa avec des courroies sur la croupe de son cheval.

— En selle, ordonna-t-elle, et Dos obéit passivement.

Lorna mit ensuite le pied à l'étrier et se hissa à califourchon. Sa robe de satin jaune l'embarrassait et les étriers lui paraissaient tout drôles, sans bottes. Elle se pencha sur l'encolure et saisit les rênes de la monture de Dos, pour guider le hongre hors de l'écurie et derrière le bâtiment.

— Je sais que vous savez monter, dit-elle. Je vous ai vu une fois caracoler dans Main Street. Mais est-ce que vous pouvez vous débrouiller, maintenant, ou faut-il que je vous conduise ?

— Je peux me débrouiller, répondit-il d'une voix morne, mais Lorna poussa un soupir de soulagement.

Avoir réussi à le faire parler lui semblait une véritable victoire.

— Bon, alors, au galop !

Elle partit la première, imposant une allure régulière qui les amena en une demi-heure au bord d'un ruisseau où ils s'arrêtèrent pour laisser boire les chevaux.

Le galop et l'air vif avaient arraché Dos à sa torpeur et quand ils furent assis côte à côte au bord de l'eau, il se tourna vers Lorna et lui dit :

— Vous feriez bien de retourner, maintenant.

— Je ne retournerai pas.

— Vous ne pouvez pas venir avec moi.

– Dites-moi un peu pourquoi.

— J'ai tué un homme. On va me rechercher.

— Je sais.

— Je suis un fugitif.

— Je sais.

Dos la considéra avec stupéfaction. Son visage poudré était maculé de suie, ses cheveux roussis tombaient en désordre sur ses épaules, sa robe de satin était brûlée par endroits mais ses immenses yeux noirs brillaient au clair de lune comme ceux d'une jeune fille à son premier bal et son menton pointu était fièrement dressé.

— Qui êtes-vous ? demanda Dos.

— Je m'appelle Lorna Rivers.

Il secoua la tête. Ce nom ne lui disait rien.

— Vous feriez mieux de rentrer chez vous.

— Je n'ai pas de chez moi.

Le hongre de Lorna avait assez bu et elle tira sur les rênes.

— Nous devons repartir, dit-elle.

— Vous êtes bien sûre de vouloir venir avec moi ?

— Absolument sûre.

Elle le regarda. C'était peut-être un assassin... peut-être ne valait-il rien... mais tout dépenaillé et ensanglanté qu'il fût, c'était quand même le plus bel homme qu'elle avait jamais vu.

— On va nous traquer. Nous allons être constamment en fuite.

— Je sais, répéta-t-elle avec simplicité, le cœur frémissant d'amour et de surexcitation.

Dos la contempla encore un moment, incapable de comprendre cette fille qu'il ne connaissait pas ni pourquoi elle tenait tant à lier son sort au sien. Enfin, acceptant sa décision, il prit une profonde aspiration.

— Dans ce cas, filons !

Ils traversèrent le ruisseau à gué et après avoir escaladé l'autre berge ils éperonnèrent leurs chevaux et laissèrent derrière eux les flammes de Joëlsboro.

V

En rentrant, Anne s'était réfugiée dans son bureau de la tour, dans son « bougonnoir » où personne, pas même Alex, ne venait jamais sans en être prié.

Il était près de quatre heures du matin. Elle ouvrit son coffret à cigares en acajou et y prit un mince Havane, en mordit le bout et craqua une allumette sur l'accoudoir de son fauteuil à bascule. Le cigare était son vice secret, connu seulement d'Alex et sans doute, pensait-elle, des enfants. Elle ne fumait que dans son bureau, et uniquement quand elle était seule.

Anne dut s'assoupir car lorsqu'elle ouvrit soudain les yeux, le cigare s'était éteint, sa fine cendre longue de deux centimètres à peine dans le cendrier de cuivre.

Dehors, les nuages du matin se dispersaient et couraient vers le sud. Anne se redressa et attendit impatiemment les premiers rayons du soleil. Elle possédait tout ce qu'elle voyait de sa fenêtre de la tour et plus encore, car déjà le soleil brillait sur ses terres de la côte, à l'est, alors que ses vaqueros des collines de l'ouest dormaient encore sous le manteau de la nuit.

Mais ce matin-là, Anne manqua le lever du soleil car elle distingua une ombre dans la cour et reconnut Carlos qui revenait de Joëlsboro. Elle se précipita dans l'escalier en colimaçon pour en savoir davantage sur l'incendie.

Elle le trouva dans la cuisine, buvant à la longue table de chêne le café que lui avait servi la vieille cuisinière, Azucena. Il avait la figure noire de suie, ses cheveux noirs brillants étaient ternes et décoiffés, ses yeux bordés de rouge et bouffis par la fumée. Une fine couche de cendre recouvrait ses vêtements et une barbe de la veille assombrissait ses joues. Il releva la tête, croisa le regard de sa sœur et s'éclaircit la gorge.

– Tout le côté nord a disparu.

– Oui, je pensais bien qu'on ne pourrait pas le sauver.

– L'autre côté a été épargné.

– Dieu soit loué ! murmura Anne. Il y a eu des blessés ?

Quelque chose, dans les yeux de Carlos, fit courir dans son dos un frisson glacé. Elle se jeta sur une chaise à côté de lui et lui prit les mains.

– Dos !

– Non ! Non, pas Dos, dit vivement Carlos, détestant ce qu'il avait à dire car, en voyant le soulagement instantané d'Anne, il craignit que ses révélations la brisent jusqu'à l'âme.

Il en finit le plus vite possible, disant tout avant qu'elle puisse réfléchir à ce qu'elle entendait.

Pendant un moment, elle resta figée, la figure blême, les pupilles contractées, les yeux fixes. Puis, soudain, elle hurla et sa voix se répercuta entre les murs de la cuisine comme si on venait de lui plonger une dague dans le cœur.

Carlos se leva immédiatement pour la prendre dans ses bras mais elle le frappa comme une folle, lui martela la poitrine des deux poings sans cesser de crier de cette voix hideuse :

– Mon fils ! Mon fils ! Non ! C'est un mensonge ! Un foutu mensonge !

Il la secoua, lui saisit les bras et les lui maintint dans le dos et, enfin, elle se laissa aller contre lui, les épaules secouées de sanglots secs.

Il la berça, le cœur serré pour cette femme qu'il aimait plus que tout au monde. Anne l'indomptable, dont les solides épaules avaient porté le fardeau de tant de drames, de chagrins, de douleur... et qui jamais ne s'était laissé accabler... Jusqu'à présent ? Elle paraissait maintenant voûtée et fragile entre ses bras, vulnérable, drainée de toute force...

Cependant, Anne le surprit. Alors qu'il la serrait contre lui, il la sentit frémir, pas de faiblesse tremblante, non, c'était un renouvellement de vitalité, puisée à cette mystérieuse source de son âme qui l'avait toujours secourue en temps de crise. Maintenant, à la stupéfaction de Carlos – mais comment avait-il pu en douter ? – la source n'était pas tarie.

Elle carra les épaules, un geste automatique qu'il lui avait vu faire mille fois, et se dégagea de ses bras pour aller à la porte.

— Il faut que je le dise à Alex... S'il fallait que ce soit quelqu'un, ajouta-t-elle en se retournant vers son frère, pourquoi un des Stark ? Cela ne va causer que des ennuis sans fin.

Le *quinceañera* de Maggie se termina presque avant d'avoir commencé, annulé pour cause de tragédie et de scandale. Alors qu'Alex se tenait sur le perron et regardait les invités quitter la maison en chariot et en voiture, un des vachers arriva au galop avec une affiche qu'il avait trouvée, clouée sur le portail du Lantana.

RECHERCHÉ POUR LE MEURTRE
DE KLAUS STARK
JOEL « DOS » CAMERON
Age : 18 ans. Cheveux blonds,
Quiconque peut donner des renseignements
SUR CE DANGEREUX ASSASSIN
a le devoir de les communiquer à
PETER STARK
Sherif du canton de Zamora

Un curieux état d'esprit s'était emparé des fêtards qui la veille à peine avaient été trop heureux de profiter de l'hospitalité du Lantana. Le crime de Dos libérait un ressentiment longtemps refoulé, l'envie de la richesse et de la puissance des Cameron, et ils étaient satisfaits, et même enchantés, que le destin porte enfin à cette famille un coup aussi terrible.

Sans craindre d'être entendus, en espérant peut-être qu'ils le seraient, les invités exprimaient leur opinion à voix haute avant même de s'éloigner.

— Je me demande bien à quoi va leur servir tout leur argent, maintenant.

— Allez donc ! Ils s'en tireront avec leur or !

— Les Cameron font leurs propres lois, déclara une femme, et sa voix comme les autres monta jusqu'à la fenêtre de la chambre où Anne consolait Maggie.

— Ils vont ramener Dos au ranch en catimini et ils défieront les Rangers de venir le chercher.

Maggie gémit et Anne la reprit dans ses bras.

— Ne les écoute pas, ma chérie.

Mais il était impossible d'ignorer les voix.

— Devrait être abattu comme un coyote !

— Le fusil, c'est trop bon pour ces lascars-là !

Chaque réflexion déchirait Anne et elle se rappelait le commentaire d'Alex quand elle lui avait annoncé l'affreuse nouvelle. Il avait pincé les lèvres avec dégoût et déclaré :

— Ce garçon a un mauvais sang... il est né avec. Nous sommes bien débarrassés de lui.

Débarrassés de lui ! Dos ! Son premier-né qu'elle adorait avec un désespoir qu'elle-même ne pouvait comprendre, dont elle se sentait coupable des frasques, alors qu'il n'avait aucun remords, et pour qui elle trouvait toujours des raisons de pardonner, en se disant qu'elle était sans doute fautive ! Dos était comme il était.

Débarrassés de lui ? *Jamais !* Pas tant qu'elle aurait un souffle de vie !

A quoi serviraient l'argent et la puissance du Lantana sinon à protéger les siens ? Les voix avaient raison ! Elle retrouverait Dos et le ramènerait discrètement au ranch, elle se le jura. Et elle défierait les Rangers de venir le chercher. Non seulement les Rangers mais Peter Stark aussi, car elle savait qu'il serait son plus redoutable adversaire.

La gageure la réjouit presque et, si Maggie n'avait pas eu l'air si accablé, elle aurait souri.

Dos et Lorna chevauchèrent toute la nuit et, à l'aube, alors que la lune s'attardait, blanche et spectrale dans le ciel mauve, ils avaient couvert près de quatre-vingts kilomètres. Mais ils étaient toujours sur les terres du Lantana, dans cette partie appelée l'Ebonal, non loin de la plus lointaine limite du ranch.

L'anesthésie de l'alcool et du choc s'était dissipée et Dos grimaçait de douleur à chaque secousse du hongre noir. Les rênes de Lorna entamaient ses paumes brûlées et se poissaient de sang.

— Il y a une cabane quelque part par ici, annonça Dos en clignant d'un œil dans le petit jour, l'autre étant noir et fermé par l'enflure, les cils argentés collés par le sang.

Il y avait au moins trois ans qu'il n'était pas venu dans cette partie du ranch, mais il croyait se rappeler une cahute où ses vaqueros et lui s'étaient abrités quand une violente tempête avait déferlé sur la prairie.

— Ce n'est pas grand-chose, mais il y a un puits et nous pourrons au moins dormir sous un toit.

Ils continuèrent d'avancer, et comme le soleil devenait chaud Lorna aperçut ce toit à l'horizon. Quand ils s'approchèrent, Dos constata avec satisfaction que la cabane était déserte. Ce n'était qu'une construction délabrée, à demi écroulée, qui ne résisterait certainement pas à la violence d'une nouvelle tempête.

Quand ils eurent mis pied à terre et attaché les chevaux, ils allèrent au puits où Dos jeta une pierre ; ils entendirent avec joie sa chute dans l'eau. Dos trouva un seau percé et remplit une auge pour abreuver les chevaux. Ses mains étaient terriblement enflées, les phalanges à vif, et Lorna dut négliger ses propres brûlures pour l'aider à remonter du puits un seau après l'autre. Ils burent à tour de rôle puis, portant le seau dans la cabane, Lorna déchira une bande de son jupon pour laver le sang séché sur le visage de Dos.

Il avait la mâchoire douloureuse, sa langue mordue lui emplissait presque la bouche et même quand le sang coagulé fut nettoyé de ses cils il ne put ouvrir son œil endolori.

Avec d'autres lambeaux de jupon, Lorna pansa ses propres mains en se demandant pourquoi elle n'y avait pas songé plus tôt.

Enfin ils s'étendirent sur une couverture de cheval et s'endormirent, pour ne se réveiller que lorsque le soleil fut une boule de feu à l'horizon, à l'ouest.

Les souffrances de Dos le harcelèrent, comme si le sommeil n'avait servi qu'à ranimer ses douleurs. Lorna tint sa tête sur ses genoux et caressa ses cheveux blonds.

— Pourquoi as-tu voulu venir avec moi, Lorna ? lui demanda-t-il, plongeant son regard au fond de ses yeux noirs.

Elle contempla son prince en guenilles et répondit avec simplicité :

— Je voulais une vie différente.

Cela parut le satisfaire et elle en fut reconnaissante, car il semblait heureux de l'avoir avec lui et ne lui disait plus qu'elle devait rentrer chez elle.

Ce soir-là, à neuf heures, ils laissèrent le Lantana derrière eux et s'arrêtèrent pour permettre aux chevaux de souffler au sommet d'une éminence couverte de sauge.

— Nous devons avoir un plan, déclara Dos. Il faut voir ce que nous allons faire, où nous irons.

Lorna se tourna vers le sud.

— Nous pourrions aller au Mexique.

— Tu y es déjà allée ?

— Non.

— C'est un pays dangereux, plein de bandits et de *desperados*.

— Eh bien, nous sommes des *desperados*, n'est-ce pas ?

Dos la regarda, l'air surpris, comme si elle venait de lui faire une révélation.

— Ma foi, oui, sans doute.

— Alors, allons au Mexique où nous nous sentirons chez nous. Personne ne nous cherchera là-bas.

Il en fut décidé ainsi. Ils talonnèrent leurs chevaux et repartirent en direction du sud.

VI

Anne ne cessait d'espérer des nouvelles de Dos. Trop inquiète et bouleversée pour s'occuper du ranch elle en laissa la direction à Alex tandis qu'avec Carlos elle partait pour les plus lointaines marches de son empire afin d'interroger ses vaqueros, de savoir si l'un d'eux avait entendu parler de son fils. Ils passèrent une nuit à l'Ebonal et poussèrent ensuite vers le sud, à l'Hallelujah et au Cenizo. Au Lovelace, ils campèrent dehors et s'abritèrent dans un *jacal* abandonné à Piedras Blancas. Partout où ils allèrent – jusqu'au Casa Rosa et au Trevor – l'histoire était la même. Personne n'avait vu Dos. Personne n'avait entendu parler de lui.

Las et découragés, après plus de quinze jours à cheval dans la brasada, Anne et Carlos revinrent enfin à la grande maison dans les premiers jours d'octobre.

Alex les accueillit dans le vestibule et à son regard interrogateur Anne secoua la tête et soupira.

– Rien à signaler.

Elle se tourna vers le grand escalier, dans l'intention de monter à son bureau de la tour où elle pourrait être seule et s'absorber dans ses pensées, puis elle s'arrêta et demanda des nouvelles de Maggie.

– Elle va bien, répondit Alex. Elle est là-haut dans sa chambre.

Anne fronça les sourcils.

– Pourquoi n'est-elle pas à l'école ?

– Tu devrais peut-être la voir et le lui demander toi-même.

— C'est ce que je vais faire, murmura Anne, et elle monta à la chambre de sa fille.

Elle la trouva assise près de la fenêtre, plongée dans la lecture des *Misérables*. En la voyant, Maggie abandonna son livre pour venir se jeter dans ses bras.

— Ah, maman ! Je suis si heureuse que tu sois rentrée !

— Qu'est-ce qui se passe, ma chérie ? Qu'est-ce qui ne va pas ? s'exclama Anne en la voyant fondre en larmes. Pourquoi n'es-tu pas à l'école ?

— Jamais je n'y retournerai, sanglota Maggie.

— A cause de Dos ? demanda sa mère en devinant déjà la réponse.

— Oui. On ne parle que de ça. On l'appelle un assassin, on dit que je suis la sœur d'un assassin.

— Ma pauvre chérie !

— Je t'en supplie, maman, ne m'oblige pas à y retourner ! Je ne peux pas le supporter, je les déteste tous !

— Ça leur passera, Maggie.

— Non ! Non, je sais bien que non !

Anne resta un long moment silencieuse, sa fille dans ses bras. Enfin elle murmura :

— C'est bon, ma chérie. Je ne t'y obligerai pas si tu ne le veux pas. Il faut bien pourtant que tu poursuives tes études.

— Nous pourrions faire venir un précepteur ici ?

— Peut-être. Nous verrons. Maintenant je dois monter dans mon bureau.

— Ton bougonnoir, dit Maggie en souriant à travers ses larmes.

Anne sourit aussi et l'embrassa tendrement.

— A mon bougonnoir. J'ai besoin de réfléchir.

Soulagée qu'Anne ait été si compréhensive, Maggie sécha ses pleurs et reprit son livre ; elle l'avait déjà lu plusieurs fois, mais à présent, à cause de Dos, la fuite de Jean Valjean implacablement poursuivi par Javert prenait pour elle une signification particulière.

Anne grimpa par l'escalier en colimaçon et s'enferma dans son domaine privé. Assise dans son fauteuil à bascule, elle alluma un cigare. Pour la première fois depuis des semaines, elle se sentait plus ou moins en paix. Ce début d'automne était doux et une brise légère soufflant du lointain golfe du Mexique entrait par la fenêtre ouverte. Anne resta là, à réfléchir en se balançant, jusqu'à ce que la cloche du dîner l'appelle.

Azucena, la vieille cuisinière qui apparaissait rarement dans la salle à manger, servit le repas elle-même en l'honneur d'Anne.

— Soyez la bienvenue, señora, dit-elle. Vous êtes restée trop longtemps loin de nous. Vous nous avez manqué.

— *Gracias*, Azucena, répondit Anne en serrant avec reconnaissance la main de la Mexicaine.

Alex versa du vin à tout le monde, y compris à Maggie, mais le dîner ne fut pas gai et ils mangèrent en silence. Au moment du dessert, Anne s'éclaircit la gorge et s'adressa à Alex.

— J'ai bien réfléchi. Maggie ne veut pas retourner à l'école de Joëlsboro et je la comprends. Mais il faut bien qu'elle étudie. Ce ne serait peut-être pas mauvais pour elle de partir.

— Oh, maman, non ! s'écria Maggie en regardant sa mère avec consternation.

— Ma chérie, tu ne connais absolument rien en dehors du Lantana...

— Mais je l'adore !

— Moi aussi. Et nous tous. Mais ce n'est tout de même qu'une toute petite partie du monde.

— C'est assez grand pour moi.

— Ce le sera... plus tard, quand tu seras grande, quand tu seras mariée. Mais une jeune femme doit en savoir plus sur le monde que ce que tu peux apprendre ici au ranch.

— Tu n'en as pas eu besoin, toi, protesta Maggie qui redoutait de quitter le Lantana pour quelque ville lointaine.

— Je n'avais pas le choix, répliqua Anne. Demande à ton père combien il lui a été utile de connaître d'autres pays, l'Ecosse, l'Angleterre, l'Italie, toutes les grandes villes des Etats-Unis.

— C'est vrai, Maggie chérie, intervint Alex. Ta mère sait de quoi elle parle.

— Et toi, Carlos ? demanda la jeune fille en cherchant du soutien auprès de son oncle. Tu n'es jamais allé étudier ailleurs.

— Non... et je le regrette.

Anne le regarda avec étonnement.

— Je ne savais pas, Carlos. Tu ne me l'as jamais dit.

— Je pensais qu'on avait besoin de moi ici... pour vous aider, Alex et toi.

— Certes, et tu nous as été fort précieux, dit affectueusement Alex. Mais j'ose dire que nous aurions pu nous débrouiller sans toi, au moins un moment.

— Si seulement nous l'avions su ! murmura Anne en étreignant la main de son frère.

Maggie gardait le silence, espérant que la conversation ne reviendrait pas sur elle.

— Cela ne vaut plus la peine d'en parler, assura Carlos. Pour moi, le temps des études est bien révolu. J'aimerais bien pourtant avoir connu d'autres endroits que le Lantana et San Antonio.

— Tu vois, Maggie, dit Anne. Ecoute ton oncle.

Mais la jeune fille s'obstina.

— Je ne veux pas partir.

— Ce ne serait pas pour longtemps, promit Anne. Un an, deux ans peut-être. Tu devrais vraiment apprendre la peinture et la musique, les arts, toutes ces choses qui te donneraient le même vernis qu'aux autres jeunes filles de ton âge. Les bonnes manières, la littérature, comment recevoir. Tu as besoin de connaître tout cela. Le temps de la frontière est révolu, disparu aussi sûrement que le bétail à longues cornes est en voie de disparition. Nous allons bientôt entrer dans le XXe siècle et nous devons nous adapter aux changements de la vie moderne.

— Mais rien ne change jamais au Lantana !

— Comment peux-tu affirmer une chose pareille ? Nous sommes aussi modernes qu'il est possible de l'être. Nous avons le chemin de fer, l'éclairage au gaz et le chauffage central, et il paraît que bientôt nous aurons le téléphone. Pas de changement ! Tu aurais dû voir le pays quand j'y suis arrivée !

— Et puis tu reviendrais, dit Alex. Tu aurais des vacances, tu viendrais passer tout l'été. Nous enverrions le train te chercher. N'est-ce pas, Anne ?

— Naturellement. Et nous irions te voir le plus souvent possible.

Maggie comprit que toute résistance serait vaine. Son dessert était pratiquement intact mais elle avait perdu tout appétit.

— Où ? demanda-t-elle tristement. Où devrais-je aller ?

— Voyons... San Antonio est trop près, jugea Anne. Tu aurais les mêmes ennuis qu'à Joëlsboro. Il y a bien Galveston. Il y a là-bas une excellente institution. Et même la Nouvelle-Orléans ne serait pas trop loin.

— C'est bien assez loin, marmonna Maggie.

— Allons, rien ne presse, déclara Anne en repliant sa serviette pour mettre fin à cette discussion. Pour le moment, oublions l'école. Tu n'auras pas à retourner à Joëlsboro.

Les servantes commencèrent à desservir. Anne se leva et s'approcha de Maggie, lui caressa les cheveux et la prit par les épaules.

— Ne sois pas si affligée, ma chérie. Tu vas t'habituer à cette idée et bientôt tu penseras avec joie à ta nouvelle aventure. Mais si je t'assure.

Maggie en doutait. Ce soir-là elle s'endormit en pleurant, et cela dura pendant des semaines. Alex s'inquiétait pour elle. En voyant sa fille si malheureuse, sa résolution faiblissait et, un soir, couché dans le grand lit à côté d'Anne, il hasarda :

— Nous avons peut-être tort de vouloir envoyer Maggie au loin. Cette idée lui fait horreur... et elle est encore bien jeune.

— Elle est presque adulte. A son âge, quand papa était parti se battre contre les Yankees, je dirigeais notre ranch toute seule.

— Oui, mais tout était différent. Tu as dit toi-même que tu n'avais pas le choix.

— Justement, Alex ! Tout a changé. Maintenant nous avons les moyens de donner à Maggie les meilleures choses de la vie, et c'est notre devoir de le faire.

— Nous pourrions faire venir un précepteur, cela la rendrait heureuse.

— Je suis sûre que nous trouverions quelqu'un mais je crois qu'il vaut mieux qu'elle nous quitte un peu. Elle ignore tout du monde extérieur, et il y a tant à apprendre !

Alex comprit qu'il ne pourrait faire fléchir Anne.

— Alors, ne l'envoyons pas trop loin, au moins.

— Je pensais à la Nouvelle-Orléans. Il y a l'Académie des Ursulines et le Sacré Cœur. Et il y a naturellement la famille Laforêt. Ils l'accueilleraient chez eux et la présenteraient dans le monde, dans les milieux les plus distingués.

— Certes... elle y serait bien traitée, reconnut Alex.

— Alors, c'est décidé ?

Il hocha la tête et murmura :

— Je suppose que c'est pour le mieux mais... mais cela me fait de la peine de la perdre si vite.

— Nous ne la perdrons pas. Elle reviendra. Le Lantana est son foyer, assura Anne.

L'automne passa vite, bien trop vite pour Maggie qui voyait s'approcher le jour où ses malles seraient chargées dans la luxueuse voiture-salon et où Alex l'accompagnerait par le train jusqu'à la Nouvelle-Orléans. Les Ursulines et l'Institution du Sacré Cœur l'avaient acceptée et un échange de correspondance avec la famille Laforêt avait persuadé Anne de confier sa fille aux religieuses du Sacré Cœur.

— Elles vont essayer de me convertir, protesta Maggie.

— Mais non. Et puis ce n'est pas si mal d'être catholique. Ton oncle Carlos l'est bien.

— Seulement parce que sa mère l'était.

— C'est l'unique raison pour laquelle on est quelque chose, déclara Anne.

Maggie soupira. Elle savait depuis longtemps qu'il était impossible de faire changer Anne d'idée quand elle avait pris une décision. Que cela lui plaise ou non, elle irait dans une école religieuse de la Nouvelle-Orléans, et à mesure que la date du départ approchait elle se surprit même à l'attendre avec une certaine impatience. Depuis quelque temps, en secret, elle fouillait dans la bibliothèque de son père, à la recherche des livres et des encyclopédies décrivant la Nouvelle-Orléans. Elle était intriguée par tous ces noms qui lui semblaient exotiques, le Vieux Carré, la place d'Armes, le faubourg Marigny. Elle se penchait sur des plans de la vieille ville, suivait du doigt la courbe des avenues longeant la boucle du Mississippi, cherchait les limites du Garden District et du Quartier Français, imaginant le premier comme une sorte d'Eden civilisé et le second comme une petite réplique de Paris.

Le dernier jour de l'année, Anne, qui n'avait toujours pas eu de nouvelles de Dos, se sépara de Maggie, le cœur lourd.

Elle resta là longtemps après que le train emmenant Maggie et Alex eut disparu et que sa fumée se fut fondue dans la brume voilant l'horizon. Puis elle remonta dans son cabriolet et rentra à la maison. Carlos la vit entrer, mais devina à son expression qu'elle voulait être seule. Plus tard, en traversant la cour pour aller d'un corral à un autre, il leva les yeux et l'aperçut à la fenêtre de la tour, là-haut sous les combles. Immobile, elle contemplait l'immense paysage vide.

1894

VII

Fuyant Joëlsboro, Dos et Lorna pénétrèrent au Mexique, à Mier, où ils demeurèrent jusqu'à la fin de l'année dans une chambre qu'ils avaient louée, derrière une cantina bruyante. Pour Lorna, les quelque cent dollars que Dos avait dans sa poche étaient une fortune ahurissante qui devrait à son avis les faire vivre pendant au moins un an. Mais ils avaient besoin de vêtements, un pantalon et des bottes pour Lorna, des chapeaux et des vestes pour eux deux, et en quelques jours la fortune diminua de moitié.

— Mais où est passé l'argent ? demanda-t-elle, sincèrement étonnée, en comptant le petit tas de pièces sur la commode bancale.

— A payer de méchants sombreros comme celui-là, répliqua Dos en montrant le cuir intérieur qui se détachait déjà. Je dois avoir une douzaine de chapeaux à la maison, et tous des Stetson !

— Donne, je vais te le recoudre.

Dos la regarda travailler, tirer la langue en même temps que l'aiguille, fronçant les sourcils avec application. Il savait qu'elle était amoureuse de lui, même si elle ne l'avait jamais dit. Il le voyait dans ses yeux, chaque fois qu'il relevait brusquement la tête et la surprenait en train de le contempler. Elle en était alors gênée car elle se détournait vivement pour masquer sa rougeur subite.

Ils étaient devenus plus intimes. Il l'avait prise, la première nuit passée à Mier. Son inexpérience était évidente et quand Dos lui demanda si elle était vierge elle répondit oui, sachant que si ce n'était pas vrai physiquement, dans son cœur elle n'avait jamais couché avec un homme.

L'amour était pour elle plaisant et joyeux, il lui apportait une sensation de don de soi et de partage et elle était heureuse dans la chaleur des bras de Dos, mais jamais elle ne ressentait la passion qui s'emparait du garçon quand ils s'étreignaient.

Elle se demandait pourquoi, mais cela ne la troublait pas outre mesure car elle imaginait que les femmes ne pouvaient avoir les mêmes sensations que les hommes. Et, surtout, elle trouvait son bonheur en le voyant satisfait.

Au début de janvier, il ne leur restait presque plus d'argent et Mier commençait à les ennuyer. Sans aucun projet défini, ils firent leurs paquets et repartirent à cheval vers le sud, cherchant surtout un climat plus chaud.

Ils errèrent au hasard, passant la nuit serrés l'un contre l'autre à la belle étoile, les sommets déchiquetés de la Sierra Madre dressés comme de sombres sentinelles dans le ciel, les hurlements des coyotes rompant le silence presque palpable qui les entourait, sorte d'écho à la tristesse croissante de Dos.

– Nous devrions peut-être nous en retourner, dit-il un soir, alors qu'ils étaient couchés à côté de leur petit feu de camp.

– Ils te trouveront et t'arrêteront, souffla Lorna, le cœur glacé à l'idée de le perdre.

Les pensées de Dos se tournèrent vers l'avenir. Allait-il être un fugitif jusqu'à la fin de ses jours ? Ne jamais rentrer chez lui ? Ne jamais revoir le Lantana ?

Lorna sentit sa nostalgie et avança une main hésitante pour tracer du bout des doigts le contour de sa bouche.

– Nous nous arrangerons, promit-elle.

– Il ne me reste que dix pesos. Nous n'aurions pas dû tant dépenser à Mier.

– Il fallait bien que l'argent s'épuise tôt ou tard. Nous allons devoir chercher du travail.

– Où ça ? demanda Dos. Tout ce que je sais faire, c'est m'occuper de bétail et aucun *hacendado* mexicain ne va embaucher un gringo.

– Nous trouverons quelque chose, assura Lorna. N'y pense pas maintenant. Attendons le matin.

Quand le soleil se leva au-dessus des montagnes, ils mangèrent leurs dernières tortillas froides et sellèrent les chevaux.

– Je me demande où nous sommes, demanda Lorna.

– A environ cent cinquante kilomètres au sud du Rio Grande. Monterey ne doit pas être bien loin.

— C'est là que nous allons ?

— Ça ne vaut rien d'arriver les poches vides dans une ville inconnue.

Lorna feignit de réfléchir mais elle savait déjà ce qu'elle allait dire. Longtemps après que Dos se fut endormi, elle resta éveillée, tournant et retournant toutes sortes de solutions dans sa tête.

— Dos, dit-elle enfin, si nous avons besoin d'argent nous devrons le voler.

— Tu es folle !

— Non, pas du tout. Je parle très sérieusement. C'est ça ou crever de faim. Ou retourner au Texas.

Dos ferma les yeux et s'appuya contre son cheval.

— Dieu, Lorna ! Tu n'aurais pas dû me suivre. Vois un peu dans quel pétrin je t'ai fourrée !

Elle ne dit rien mais son cœur lui soufflait qu'elle préférait être avec lui, perdue dans les montagnes sauvages du Mexique, que n'importe où dans le monde.

Il ouvrit les yeux et la regarda.

— Je te demande pardon.

— Mais non. Il n'y a pas de quoi. J'ai pris ma décision moi-même, j'aurais pu partir si je l'avais désiré. Maintenant, en selle. Nous ferons des projets en marchant.

Par ce terrain difficile leur progression fut lente, et pendant les quelques premiers kilomètres, ils gardèrent le silence. De temps en temps Dos jetait un coup d'œil à Lorna et son cœur se gonflait de respect et d'admiration.

Où puisait-elle sa force ? Son calme ? Sa réserve ? Comment pouvait-elle être aussi sûre que tout s'arrangerait ? Et pourquoi l'aimait-elle tant ?

Il se sentait pénétré de reconnaissance et cherchait un moyen de l'en remercier. Elle lui avait sauvé la vie, elle avait pansé ses blessures et aujourd'hui, au matin le plus sombre de sa vie, elle le soutenait. Il comprit soudain qu'il ferait n'importe quoi pour elle, n'importe quoi, même...

— D'accord, dit-il. Nous attaquerons une banque.

Il surprit le bref regard de Lorna et crut voir dans ses yeux une lueur d'espoir... de joie, même.

— Une de ces petites banques mexicaines... ça ne devrait pas être trop difficile, ajouta-t-il.

Elle ne dit rien et se remit à regarder droit devant elle, mais un léger sourire frémit au coin de ses lèvres et son petit menton pointu se redressa.

Ils voyagèrent toute la journée, grimpant de plus en plus haut pour franchir un col et quand le soir tomba ils avaient à peine échangé quelques mots. Alors qu'ils cherchaient un endroit pour camper, ils aperçurent les lumières d'une ville clignotant dans la vallée.

– C'est Monterey ? demanda Lorna.

– Sûrement pas. C'est bien trop petit.

Dos retomba dans son silence et Lorna prépara un feu de camp avant d'étaler leurs couvertures sur le sol rocailleux.

Dos se réveilla avant le jour, et quand Lorna ouvrit les yeux elle le vit accroupi près du feu. Le froid était vif, même si loin au sud où le vent du nord qui balayait les montagnes les faisait claquer des dents.

– Je ne sais pas ce que je donnerais pour une bonne tasse de café, dit-elle en serrant la couverture autour d'elle. Je ne veux même pas penser à des œufs au bacon.

– Nous aurons du café, assura Dos. Et des œufs. Un grand plat de *huevos rancheros*. Nous allons descendre vers cette ville et nous commanderons tout ce que nous voudrons, car si les choses marchent bien, nous n'aurons pas de souci d'argent.

Il se tourna vers elle en souriant et vit pétiller dans ses yeux le plaisir qu'elle ressentait à imaginer l'aventure.

Ils descendirent dans la vallée. Dos craignait un instant que la ville soit trop petite pour posséder une banque mais quand ils firent le tour de la place il aperçut en face de l'église un bâtiment de pierre jaune aux fenêtres garnies de barreaux, portant une enseigne : BANCO DE COAHUILA.

Ils mirent pied à terre devant une *loncheria* à l'autre coin de la place. Le petit café était déjà ouvert et Dos et Lorna s'installèrent à l'une des trois tables disposées sur le trottoir. En attendant qu'on les serve, Dos laissa cirer ses bottes par un gamin et lui lança un de ses derniers pesos.

Lorna nettoya son assiette et réclama une nouvelle portion mais Dos était trop nerveux et inquiet; ce qu'il s'apprêtait à faire lui coupait l'appétit.

Il observait attentivement la rue, tout en projetant son action. La place commençait à s'animer, des commerçants installaient leurs éventaires en plein vent, des vieux qui n'avaient rien de mieux à faire retrouvaient leur place sur leurs bancs préférés et des femmes en mantille, sortant de la première messe, échangeaient des potins tout en faisant leur marché.

Un imposant cabriolet arriva et déposa devant la banque un homme élégant au costume foncé et sombrero noir. Tirant de sa poche un trousseau de clefs, il ouvrit et replia les grilles, puis la porte. Deux clients qui attendaient entrèrent avec lui.

— C'est maintenant ou jamais, marmonna Dos en posant ses dernières pièces sur la table.

Ils se levèrent et conduisirent leurs chevaux de l'autre côté de la rue.

— Laisse-moi faire, dit Dos. Je te demande simplement de me couvrir.

Il respira un grand coup dans l'espoir de calmer ses nerfs. Puis il arracha une Winchester des fontes de sa selle et bondit dans la banque, Lorna sur ses talons.

Le banquier se retourna avec un sourire aimable, sans remarquer tout de suite le fusil dans les mains de Dos.

— Haut les mains ! Vous, là-bas, ordonna-t-il aux clients, contre le mur !

La peur fit ouvrir des yeux ronds au banquier ; il poussa un petit cri et pâlit.

— L'argent ! rugit Dos. Par ici !

La terreur paralysait le directeur de la banque. Dos enfonça le canon de son arme entre les barreaux de la caisse et commanda :

— *Dinero ! Pronto !*

Le banquier se précipita. Avec des mains tremblantes il prit un petit sac de toile et le remplit avec l'argent de la caisse.

— *Más !* cria Dos.

L'homme écarta les mains.

— *No hay más.*

— Bien sûr que si, il y en a encore ! gronda Dos en désignant avec son arme le coffre-fort.

Il avait les mains moites à présent, et le fusil glissait entre ses mains. Terrifié, le banquier se signa brusquement, ce qui alarma Dos et son doigt se crispa sur la détente. La balle alla ricocher contre le coffre d'acier et briser une lampe accrochée au plafond. Les clients plaqués contre le mur hurlèrent et se couvrirent la tête de leurs bras.

Un cri retentit dans la rue et Dos glissa son bras par le guichet pour s'emparer du sac d'argent. Lorna tourna les talons et sortit en courant avant lui. Sur le seuil elle s'arrêta pour brandir sa Winchester et menacer la foule. A cette vue, tout le monde se jeta à plat ventre. Dos se précipita dehors à son tour et tous deux sautèrent en selle.

Avant que la foule sur la place ait le temps de réagir, ils éperonnèrent leurs montures et s'enfuirent au grand galop pour ne ralentir qu'une fois, sûrs de s'être perdus dans les contreforts des montagnes, au sud.

Leurs chevaux chancelaient de fatigue quand ils s'arrêtèrent au pied d'un rempart de rochers déchiquetés. Dos resta tassé sur sa selle mais Lorna sauta à terre et courut vers lui.

— Dos ! Dos ! Nous avons réussi !

Son rire joyeux éveilla les échos de la montagne, clair comme celui d'un enfant au matin de Noël.

— Fais voir, Dos ! Montre-moi !

Il plongea une main sous sa chemise et en retira le sac de toile. Lorna le lui arracha pour dénouer fébrilement les cordons.

— Ah, Dos, regarde ! s'exclama-t-elle, surexcitée. Il y a de l'or ! Des pesos d'or et d'argent !

Dos descendit de cheval et la rejoignit. Lorna plongeait la main dans le sac, faisait tinter les pièces.

— Comptons-les ! J'ai hâte de savoir combien nous avons !

Comme Dos ne répondait pas, elle le regarda et surprit dans ses yeux une lueur sauvage, presque féroce.

— Ça ne va pas, Dos ? Tu as l'air tout drôle.

Il secoua la tête et se mit à sourire. Accroupi à côté d'elle, il plongea à son tour les deux mains dans le sac,. Des pièces d'or et d'argent ruisselèrent entre ses doigts. Elles brillaient au soleil et sonnaient sur la pierre comme mille petites clochettes.

— C'était merveilleux, Lorna, murmura-t-il d'une voix presque angoissée. Une sensation merveilleuse ! C'était amusant !

Etonnée, elle contempla son expression extasiée.

— Ça t'a plu, Lorna ?

— Oh oui ! Je me sentais forte...

— C'est une des choses les plus formidables que j'aie jamais faites. J'ai l'impression d'avoir attendu toute ma vie d'éprouver cette sensation. J'avais peur, vraiment peur. Mes mains étaient moites, mon cœur battait, mais crois-moi, Lorna, c'était fantastique !

Elle le dévisagea, elle vit qu'il était excité et elle sentit s'embraser en elle les feux de la passion. Le danger et l'audace les avaient électrisés tous les deux, et sans un mot Dos la prit dans ses bras et la coucha sur la pierre, il déboutonna sa chemise et lui ôta son pantalon. Le rocher brûlé de soleil lui chauffa le dos et les fesses. Dos l'embrassa follement, comme s'il voulait la dévorer. Haletante, elle se tordit sous lui, rougissant de plaisir quand la barbe soyeuse de Dos lui caressa les joues. Elle l'enlaça, se serra contre lui.

Il la prit avec violence, la monta comme si elle était un cheval rétif, l'écrasa de tout son poids et enfin Lorna poussa un grand cri.

Elle crut perdre connaissance quand un grand frisson la parcourut, la secoua des pieds à la tête en faisant battre son cœur à se rompre et son âme frémir de joie et d'extase.

Enfin ! Oui, c'était cela ! C'était cela qu'il éprouvait chaque fois qu'ils s'aimaient ! Et maintenant elle ressentait aussi cette passion, ce plaisir jusque-là inconnu ! Ils le savouraient ensemble, ils le partageaient... Elle et Dos ! Son cœur déborda d'amour et des larmes de bonheur perlèrent à ses yeux.

Pendant un long moment ils restèrent immobiles, côte à côte, laissant l'air pur de la montagne sécher leur corps en sueur. Lorna s'assoupit, la tête sur l'épaule de Dos. Plus tard, quand elle se réveilla, elle vit qu'il s'était rhabillé et que le soleil déclinait vers l'ouest.

— Est-ce que nous allons passer la nuit ici ? demanda-t-elle.

Sans répondre, Dos se redressa et regarda au loin. Lorna enfila son pantalon et boutonna sa chemise.

— Dos ?... Est-ce que nous allons...

— Chut, souffla-t-il, la plaquant tout doucement au sol.

— Qu'est-ce qu'il y a ?

— Ils nous ont suivis, chuchota-t-il. Je les ai entendus, ils sont au bas de la pente.

Lorna sentit la peur lui glacer le dos. Elle tourna la tête et leva les yeux vers le sommet rocheux qui se dressait à pic derrière eux. « Mon Dieu, pensa-t-elle, ils vont nous prendre au piège ici. Jamais nous ne pourrons leur échapper. »

Dos rampa vers les chevaux et tira les fusils des fontes. Revenant vers Lorna, il jeta entre eux une poignée de cartouches et lui tendit une arme.

— Ne tire pas avant que je te le dise.

Ils attendirent en silence ; ils n'entendaient que le sifflement du vent au-dessus d'eux, sur les hauteurs.

— Dos, murmura Lorna. Tu en es sûr ? Je ne vois personne.

— Ils sont là, assura-t-il assez calmement. Ils attendent que le soleil se couche, le moment où nous l'aurons dans les yeux.

Il observait attentivement. Rien ne bougeait sur les pentes arides, et dans le ciel un aigle planait très haut en décrivant lentement des cercles. Lentement, le soleil baissait vers l'horizon.

Soudain un cri retentit, la voix d'un homme invisible ordonna :

— Rendez-vous, amigos ! Vous êtes cernés.

Aussitôt, comme pour le démontrer, deux douzaines de fusils tirèrent l'un après l'autre, les détonations sèches régulièrement espacées, claquant et se répercutant entre les rochers, formant un cercle pour remonter d'un côté de la montagne, passer derrière Dos et Lorna et redescendre vers le rocher où elles avaient commencé.

Quand les échos se turent, la même voix reprit :

— Vous voyez, amigos ? Nous sommes tout autour de vous.

Nous vous avons dans notre ligne de mire. Jetez vos armes !

Lorna regarda Dos. Il était crispé, la figure congestionnée.

— Ils nous tiennent, Lorna, souffla-t-il.

Puis, d'un geste résigné, il jeta son fusil au bas de la pente. Quand Lorna l'eut limité, il la prit par la main et ils se levèrent tous les deux.

Ils étaient exposés, vulnérables. La campagne paraissait toujours aussi déserte et sans vie mais au bout d'un moment, leurs adversaires se révélèrent, surgissant de derrière les rochers et les buissons.

— Vous avez bien fait de ne pas combattre, dit un homme.

Dos et Lorna se tournèrent dans sa direction et virent un grand individu vêtu de noir, une carabine à la main et une paire de Peacemaker 45 sur les hanches. Ce devait être le chef mais il resta éloigné, laissant ses hommes quitter leurs postes et converger vers leurs prisonniers. Comme lui, ils étaient vêtus de noir et gardaient leurs fusils braqués sur Dos et Lorna; deux d'entre eux s'avancèrent et leur lièrent les poignets dans le dos avec des courroies.

Quand ils furent solidement ligotés, le chef abaissa sa carabine et donna un ordre :

— *Vámanos !*

— Tu crois qu'ils vont nous pendre ? chuchota Lorna en trébuchant derrière Dos sur la pente jonchée de pierres.

— Je ne sais pas. Je ne comprends pas. Ils nous avaient cernés. S'ils avaient voulu nous tuer, pourquoi n'ont-ils pas simplement tiré ?

— Notre tête doit être mise à prix. Nous allons nous retrouver dans une prison mexicaine !

Dos ne répondit pas. Ils avaient atteint le pied de la montagne où le terrain s'aplanissait et s'étendait vers l'ouest. Le soleil se couchait et de longues ombres violettes s'allongeaient dans la plaine.

Le chef s'arrêta et siffla. Dans le flamboiement du couchant, un autre homme surgit, conduisant plusieurs chevaux.

— Mettez-les en selle, dit le chef, et Dos et Lorna furent hissés sur leurs propres hongres.

Quand tout le monde fut monté, le chef donna le signal du départ. Toute la troupe partit au trot en s'éloignant de la montagne.

Avant Lorna, Dos remarqua qu'au lieu de les ramener en ville, les hommes les conduisaient vers l'ouest, à travers la plaine.

— Tu as peur ? demanda-t-il.

— Je ne crois pas. Non... je sais ce que c'est que la peur. Ça c'est différent... C'est drôle, Dos, dit-elle, les joues rouges et le cœur battant. Je devrais avoir peur mais... mais non. Tu vas croire que je suis folle mais ce que j'éprouve c'est... c'est de l'excitation !

Elle le regarda vivement. Dos mit un moment à réagir puis il renversa la tête en arrière et partit d'un grand éclat de rire.

Leur ravisseurs, surpris, se retournèrent.

Ni Dos ni Lorna ne le remarquèrent. Ils se regardaient dans les yeux. Dos riait toujours et bientôt Lorna fut prise de fou rire à son tour. Leurs éclats montèrent dans le soir tombant, les soulageant de leur tension.

Absolument ahuri, un des Mexicains se tourna vers un de ses compagnons et se frappa le front.

— *Locos... muy locos !*

Ils trottèrent pendant une heure. Le ciel devint violet, puis étincelant d'étoiles. Enfin Dos et Lorna aperçurent des lumières au loin.

— Une hacienda, murmura-t-il.

On les conduisit jusqu'à la maison où on les aida assez brutalement à descendre de leurs montures. Le chef avait déjà mis pied à terre et les attendait sur la véranda, une étroite galerie au toit de tuiles rouges soutenu par des poutres grossièrement équarries dépassant du mur de pisé. La porte d'entrée était ouverte malgré le froid de la nuit et Dos put voir une petite pièce illuminée par le feu de bois dans la cheminée.

D'un geste courtois, presque aristocratique, le chef les invita à entrer. Il avait un corps mince et musclé mais ses cheveux argentés trahissaient son âge. Sa figure était tannée comme du vieux cuir et Lorna remarqua en passant devant lui qu'il avait les yeux voilés, presque tristes, comme si durant ses soixante années il avait vu trop de douleur et de chagrin.

Il ferma la porte et Lorna se retourna vers lui. Elle avait mal aux épaules et la courroie blessait ses poignets liés derrière son dos.

— Señor, dit-elle hardiment, est-ce un exemple de l'hospitalité mexicaine ?

Il haussa les sourcils sans comprendre.

— Vous pourriez au moins libérer nos mains !

Dos la regarda avec admiration, fier de son cran.

— Certainement, répondit l'homme.

Il tira un couteau de sa botte et, d'un geste prompt, il trancha le cuir qui les liait. Ils massèrent leurs poignets endoloris et en sang, en remuant les épaules pour soulager leurs muscles crispés.

— L'homme leur désigna des chaises autour d'une table et resta debout, un coude sur la cheminée.

— Maintenant, dites-moi un peu. Qui êtes-vous et pourquoi êtes-vous ici à Coahuila ?

Dos ne vit pas la nécessité de mentir.
— Je suis Dos Cameron. Nous avons eu des ennuis au Texas et nous avons jugé utile de nous terrer un moment au Mexique.
Le nom de Cameron ne parut rien dire au chef de la bande.
— Moi, je suis Miguel Escobar, dit-il. Vous avez entendu parler de moi ?
— Non.
Escobar sourit ironiquement.
— Ainsi va la gloire. Par ici, même les nouveau-nés connaissent mon nom et le craignent.
Lorna se tourna vers Dos, et d'un regard lui conseilla la prudence. Il lui prit la main.
— Mais peut-être n'avez-vous jamais entendu parler de moi parce que je ne tiens pas à m'aventurer au nord du Rio Bravo.
— Quelle est votre profession ? demanda Dos.
— La même que la vôtre, señor. Je pille les banques... et aussi les voyageurs imprudents qui se hasardent dans ma région. C'est une vie précaire. Ce territoire est pauvre, et tout comme le chasseur quand le gibier est rare, on doit faire attention de ne pas prendre plus que la terre peut donner.
— Je crois comprendre. Nous avons empiété sur votre territoire... comme des braconniers.
Escobar sourit.
— Vous êtes un homme compréhensif, señor Cameron. La petite banque que vous avez attaquée est pauvre et il faut en prendre soin. Nous ne la volons qu'une ou deux fois par an. Si nous le faisions plus souvent, nous détruirions la confiance de la population et les gens iraient cacher leur argent dans des lieux plus sûrs. Pas d'argent, pas de banque... et notre vie serait encore plus difficile qu'elle ne l'est.
— Alors, quand vous avez appris que nous l'avions attaquée, vous nous avez pris en chasse.
Escobar hocha la tête.
— Comment avez-vous su où nous nous cachions ? demanda Dos.
— Où seriez-vous allés, sinon dans les montagnes, et où sinon au pied du Chipinque ? C'est la plus grande distance qu'un cheval peut couvrir au galop sans être fourbu et c'est aussi un excellent abri pour se cacher. Vous n'êtes pas les premiers, vous savez. Il y en a eu d'autres qui ont volé la banque de Coahuila, un nom bien pompeux pour un aussi petit établissement ! Et ils se sont toujours réfugiés au pied du Chipinque. Mais vous avez eu plus de chance qu'eux.

— Pourquoi ?

— Nous vous avons surpris pendant votre sommeil et nous avons pu vous cerner sans combat. Les autres, malheureusement pour eux, étaient sur le qui-vive.

Un silence tomba. Escobar soupira et Dos crut reconnaître sur son visage une expression de contrition réelle.

— Pourquoi ne nous avez-vous pas tiré dessus ? demanda Lorna.

Escobar parut surpris.

— Ce n'était pas nécessaire. Je suis un bandit, pas un assassin.

— Et qu'allez-vous faire de nous ? voulut savoir Dos.

— Vous laisser partir.

— Tout de suite ?

— Si vous voulez. Mais je vous conseille de passer la nuit ici et de partir dans la matinée, quand vos chevaux et vous serez reposés.

Dos considéra l'homme avec méfiance.

— Ça ne peut pas être aussi simple, señor. Vous devez avoir des conditions à poser.

Escobar poussa un nouveau soupir et sourit.

— Hélas, la vie n'est jamais simple. Il y a toujours des conditions.

— Quelles sont-elles ?

— Il n'y en a que deux. Premièrement, vous devez me laisser l'argent. Je le ferai rendre à la banque. Il serait imprudent de mettre le puits à sec.

— Et l'autre ?

— Vous devez quitter Coahuila. C'est mon territoire et il n'est pas assez riche pour nous deux.

— C'est tout ?

— C'est tout.

— Vous êtes un brave homme, Escobar.

Le compliment le fit sourire.

— Maintenant, si vous voulez venir avec moi, nous allons voir à la cuisine ce que ma femme a préparé pour souper.

Le lendemain matin, Escobar fit ses adieux aux jeunes gens.

— Voilà un peu d'argent, dit-il en glissant une pièce d'or dans la main de Dos. Ce n'est pas beaucoup mais ça vous permettra de vivre pendant quelques jours.

— *Gracias, señor.*

— Savez-vous où vous allez maintenant ?

— Non... Nous allons partir au hasard. Mais nous quittons le territoire de Coahuila. Nous vous devons bien ça.

— Retournez chez vous, conseilla Escobar. Ce n'est pas bon d'être un intrus dans un pays étranger.

Dos et Lorna le remercièrent et lui dirent adieu. Ils talonnèrent leurs chevaux et, au bout de quelques instants, Dos se retourna. Escobar était encore sur le perron et les regardait partir. Dos le salua en portant une main à son chapeau. Escobar répondit par un geste du bras.

VIII

Alex resta une quinzaine de jours à la Nouvelle-Orléans pour veiller à l'installation de Maggie, puis Jeanette Laforêt Drouet et sa fille les accompagnèrent toutes deux à la gare pour lui dire au revoir.

Les jeunes filles avaient à peu près le même âge mais Maggie désespérait déjà de jamais atteindre le degré d'aisance et de sophistication d'Elise Drouet. Depuis son arrivée, il y avait eu des réceptions presque tous les soirs et elle n'avait cessé d'admirer Elise qui flirtait si facilement avec les garçons. Elle avait le don d'attirer un cercle d'admirateurs, de les séduire, de donner à chacun l'impression qu'elle le distinguait de la foule, alors que Maggie était prise de panique en leur présence. Ces beaux jeunes gens élégants dont la voix traînante dissimulait leur nature de feu l'intimidaient terriblement. Elise savait bavarder avec eux et les garder sous le charme; Maggie bredouillait lamentablement, en espérant qu'ils prendraient sa rougeur pour un signe de vivacité plutôt que d'embarras.

Maggie soupira et se demanda si elle s'y habituerait jamais. Jeanette et Elise respectaient son silence, pensant que son esprit accompagnait Alex vers le Lantana.

Leur voiture longea St. Charles Avenue dans le Garden District, qui n'était pas l'Eden civilisé que Maggie avait imaginé, mais un quartier de belles demeures nichées sous les magnolias, les chênes immenses, le lierre et les azalées. Le cocher s'arrêta enfin devant la grande maison de Jeanette, entourée d'un portique à colonnes avec une tour ronde qui rappelait à Maggie le bougonnoir de sa mère.

Sa chambre était au premier étage, en face de celle d'Elise. Les murs étaient tendus de soie jaune citron, un feu de bois pétillait dans la cheminée de bois de rose et, entre les deux hautes fenêtres donnant sur le jardin, trônait un grand lit à colonnes drapé d'organdi jaune qui traînait jusque sur le tapis d'Aubusson. Lavella, la femme de chambre, avait rabattu la courtepointe et Maggie allait se mettre au lit pour la sieste quand Elise frappa et entra dans la chambre.

Comme Maggie, elle ne portait qu'une camisole garnie de dentelles et un jupon à volants.

– Tu es trop fatiguée pour bavarder ?

– Non, répondit Maggie, mais à la vérité elle avait plutôt envie de dormir.

La ronde presque incessante de réceptions l'avait épuisée et elle croyait voir des cernes sombres sous ses yeux. Elise se blottit dans un fauteuil près du feu.

– J'étais en train de penser... Si nous allons être des sœurs, vraiment des sœurs, nous devrions mieux nous connaître.

– Il n'y a pas grand-chose à connaître de moi.

– Je n'en crois rien ! Je sais ! Si je te confie un secret, un vrai secret terrible, alors tu pourras m'en confier un. Comme ça, nous serons obligées de nous fier l'une à l'autre, comme de vraies sœurs.

Maggie ne savait pas si elle tenait à une telle intimité mais Elise était déjà lancée.

– C'était l'été dernier, à Bay St.Louis, nous allons toujours à Bay St.Louis pour les vacances, et je me baignais dans le golfe. Le temps était couvert, il avait plu, alors tout le monde était rentré. Mais j'adore la mer plus que tout, alors j'étais allée me baigner seule. Et puis au bout d'un moment mon cousin Gérard est descendu sur la plage. Il a quatre ans de plus que moi et c'est le plus beau garçon que tu puisses imaginer. Enfin bref, nous avons joué un moment dans les vagues et puis il m'a regardée d'une drôle de façon et m'a prise dans ses bras...

Maggie écoutait, fascinée.

– Et brusquement, sans que je m'y attende, il m'a embrassée sur la bouche et il m'a touchée !

– Où ça ? souffla Maggie.

– Je te l'ai dit. A Bay St.Louis.

– Non, je veux dire où est-ce qu'il t'a touchée ?

— Tu ne devines pas !
— Elise !
Elise pouffa.
— C'est pas terrible ?
— Tu l'as giflé ?
— Je n'en ai même pas eu l'idée.
Maggie ouvrit la bouche, scandalisée.
— Voilà, déclara Elise, très contente d'elle. C'est une chose que je n'ai jamais dite à personne, sauf à toi.
— Gérard le sait.
— Oh, il ne compte pas. D'ailleurs je ne l'ai pas revu. Il est parti pour Harvard et il ne reviendra pas avant l'été prochain.
— Et tu le laisseras recommencer ?
Elise haussa les épaules.
— Je ne sais pas. J'aurai peut-être un autre amoureux. Mais là n'est pas la question. A ton tour.
— Mon tour ?
— Oui, dis-moi ton secret.
— Mais... Je n'en ai pas... Pas comme ça, en tout cas.
Elise parut déçue et même irritée.
— Ce n'est pas juste, Maggie. Si j'avais su ça, je ne t'aurais pas parlé de Gérard.
Maggie se sentit coupable, comme si elle avait obtenu quelque chose sans rien donner en échange. Et elle voulait désespérément être l'amie d'Elise. Elle fouilla sa mémoire, sans rien trouver qui puisse rivaliser avec la confession d'Elise.
— Il ne m'est pas arrivé grand-chose, avoua-t-elle. Mais je pourrais te parler de mon frère.
— Quelqu'un d'autre le sait ?
— Au Texas, tout le monde, mais personne ici.
— Bon, alors ça ira, dit Elise en se penchant en avant, pleine de curiosité.
Maggie se mordit la lèvre, s'excusa par la pensée auprès de Dos de cette trahison, et révéla :
— Il... il est recherché.
— Recherché ? Par la police ?
— Oui, enfin par le shérif, au moins.
— Pourquoi ?
— Il... il a tué un homme.
— Non !
— Et ce n'est pas tout. Il a incendié la moitié d'une ville.
Elise bondit de son fauteuil et vint s'asseoir sur le lit aux pieds de Maggie.

— Ouh, il doit être terriblement mauvais !

Maggie fronça les sourcils.

— Peut-être, oui, mais il a toujours été très gentil avec moi. Et je l'aime quand même encore.

— Ah, Maggie ! C'est passionnant ! s'écria Elise, éperdue d'admiration.

Cette réaction ahurit Maggie mais lui fit un plaisir immense. Et elle remerciait presque Dos d'avoir haussé son prestige aux yeux de son amie.

— Tu as de la chance d'avoir une famille aussi redoutable !

— Seulement Dos. Mes parents et Carlos n'ont jamais rien fait de mal.

— Je connais tes parents... mais Carlos, comment est-il ?

— Très beau, très doux, calme...

— Alors je préfère Dos. Ah, comme je voudrais le connaître !

— Aucune chance, je le crains. Personne n'a plus eu de ses nouvelles. Je suppose qu'on pourrait l'appeler un desperado.

Elise poussa un soupir rêveur et serra ses genoux entre ses bras.

— Un desperado ! Je donnerais tous les Laforêt pour avoir un desperado dans la famille ! Seul un grand-oncle de ma mère qui a étranglé une femme s'en rapproche le plus.

— Eh bien, c'est tout de même quelque chose ! dit Maggie dans l'intention de faire un compliment.

— Bah, ça ne compte pas. Ce n'était qu'une quarteronne et on a dit qu'il ne savait pas ce qu'il faisait. Il était fou à lier et on l'a enfermé dans un asile où il a fini par mourir.

— Je suis navrée.

— Moi aussi.

— Elise...

— Quoi ?

— Tu n'en parleras pas, dis ?

— De Dos ?

— Oui... C'est pour ça que j'ai dû quitter le Texas.

— Ne t'inquiète pas. Je garderai le secret dans mon cœur. Et nos deux secrets vont nous lier, comme de vraies sœurs.

Elle se leva et embrassa Maggie sur la joue.

— Merci, Elise.

— Je te promets de ne pas parler de Dos... mais je vais rêver de lui !

Quand Elise fut partie, Maggie tira les lourds rideaux et se mit au lit. Bientôt elle s'endormit dans la lueur rougeoyante du feu de bois qui faisait danser au plafond des ombres spectrales.

Deux heures plus tard, Lavella vint la réveiller et lui annonça que son bain était déjà prêt. Maggie reprit conscience lentement, à peine reposée.

— Il faut vous dépêcher, Miss Maggie, insista Lavella. Il est temps de vous habiller. N'oubliez pas le dîner chez M. Emile, ce soir.

Maggie gémit. Elle l'avait effectivement oublié. Encore une réception ! Elle se dit qu'elle serait heureuse quand l'école reprendrait, qu'elle aurait au moins un peu de repos. Elle se traîna hors du lit et alla prendre son bain. Quand elle revint, enveloppée dans un peignoir, elle trouva son linge déjà disposé sur le lit refait.

A peine s'était-elle assise à sa coiffeuse, en corset, chemise et jupon qu'on gratta à la porte. Elise entra, déjà habillée et coiffée.

— Je ne sais pas pourquoi je n'arrive jamais à être à l'heure, s'excusa Maggie en jetant un coup d'œil à la pendule sur la cheminée. Il me faut des heures pour me préparer.

— Je vais t'aider. Qu'est-ce que tu vas mettre ?

— La mauve, je crois.

Elise la retira de l'armoire et la considéra d'un œil critique.

— Elle ne te plaît pas ? demanda Maggie.

— Ma foi, elle t'ira très bien quand tu auras quarante ans... Voyons un peu ce que tu as d'autre... Hum, pas mal. Ah ! En voilà une qui sera idéale, le bleu est parfaitement assorti à tes yeux.

Elise plaqua la robe contre elle et se tourna à droite et à gauche devant la glace.

— Elle est affreusement décolletée, murmura Maggie tout en se battant contre une mèche rebelle.

— C'est justement ce qu'elle a de mieux ! affirma Elise.

— Si j'avais une silhouette comme la tienne, Elise, je n'hésiterais pas, mais j'ai bien peur de ne pas avoir assez de poitrine pour la retenir.

— Nous allons facilement arranger ça.

— Comment ?

— Avec des bas, bien sûr. Ils ne sont pas uniquement faits pour porter sur les jambes !

D'un pas décidé, elle alla ouvrir un tiroir de la commode et y prit une paire de bas de soie.

— Tu vois, dit-elle en les roulant en deux petites boules. Fourre ça dans ton corset.

Maggie obéit et s'examina dans la glace.

— Alors ? dit Elise. Maintenant tu es aussi grosse que moi !

— Elise ! Tu veux dire... C'est comme ça que tu...
— Bien sûr, grosse bête ! Toutes les filles le font !
Maggie continua d'étudier son reflet.
— Tu ne trouves pas que les miens font des bosses ?
— Mais non, une fois que tu auras ta robe.
Elise reprit la toilette bleue sur le lit et aida Maggie à l'enfiler.
— Là... Comme ça... Tu vois ? Ça te va très bien. Et c'est délicieusement audacieux ! Maintenant, attends...
Elle alla fouiller dans son petit sac du soir perlé et brandit un flacon de cristal à bouchon d'argent.
— Tu t'en mets une goutte derrière chaque oreille et sur les poignets.
— Je ne me suis jamais parfumée ! protesta Maggie.
— Eh bien, il est grand temps. Tout le monde se parfume, à la Nouvelle-Orléans... Voilà, c'est bien. Et puis encore une goutte entre tes seins.
Maggie essaya de ne pas paraître trop choquée.
— Mais qui va le sentir là, en bas ?
— On ne sait jamais, ma chérie, pouffa Elise.
Se sentant très scandaleuse et terriblement femme, Maggie humecta son doigt de parfum et le frotta dans l'échancrure de son décolleté.
— Maintenant, tu es magnifique et tu sens divinement bon, déclara Elise. Et tu t'en féliciteras parce que Victor sera là ce soir.
— Victor ? Je ne me souviens pas... Mais j'ai fait la connaissance de tant de monde depuis quinze jours !
— Tu ne l'as pas encore rencontré, sinon tu ne l'aurais pas oublié, je t'assure. C'est l'homme le plus excitant de la Nouvelle-Orléans. Il s'appelle Victor Durand et c'est un artiste. Un grand peintre qui vit à Paris. Mais il vient ici tous les ans pour exécuter des portraits.
— C'est lui qui a peint le tien, celui du salon ?
— Oui, et celui de maman au-dessus de la cheminée. Ah, Maggie, tu ne peux pas savoir ce que c'était, de poser pour lui et de le regarder peindre ! Mon cœur battait si fort que je suis sûre qu'il l'entendait !
— Tu es amoureuse de lui ?
— Tout le monde l'est, assura Elise en soupirant et elle baissa la voix pour confier: Je rêve de lui, Maggie. Je rêve qu'un jour il me serrera dans ses bras et m'embrassera.
— Elise !

— C'est vrai, Maggie ! Tu me comprendras quand tu le verras.

Jeanette appela les jeunes filles, d'en bas, en les priant de se dépêcher car la voiture attendait devant la porte.

Elles se regardèrent une dernière fois dans la glace et dévalèrent l'escalier.

Emile Laforêt habitait le Vieux Carré, dans un vaste hôtel particulier de Royal Street, juste derrière la cathédrale. C'était un petit homme presque chauve aux yeux perçants et à l'ample bedaine qui révélait son faible pour la bonne cuisine. Sa femme Catherine contrastait avec lui; grande, blonde, pâle, elle était « saxonne » et non créole. Ils accueillirent affectueusement Jeanette et les deux jeunes filles et les firent entrer dans le grand salon où une dizaine d'autres invités étaient déjà réunis.

Maggie connaissait tout le monde, car c'étaient toujours les mêmes qui se rendaient aux soirées. Elle suivit Elise autour de la pièce mais fut bientôt harponnée par une tante douairière qui tenait absolument à savoir tout ce qu'elle pensait de la Nouvelle-Orléans en général et de la famille Laforêt en particulier.

Maggie avait à peine commencé à s'extasier sur les beautés de la ville, au grand plaisir de la vieille dame, quand Elise vint les interrompre.

— Pardonnez-nous, tante Virginie, mais il faut que je dise quelque chose à Maggie.

La tante Virginie toisa sa petite-nièce d'un air fâché, mais heureusement Jeanette apparut avec une coupe d'amandes fumées et un potin qu'elle venait d'apprendre et jugeait trop épicé pour les oreilles des jeunes filles. Elise put donc entraîner son amie dans un coin.

— Qu'est-ce qu'il y a ? demanda Maggie.

— C'est lui ! chuchota Elise. Victor ! Il est là !

Maggie se tourna vers la porte. Victor Durand leur tournait le dos et remettait au valet de chambre sa canne et son huit-reflets.

— Ne sois pas surprise si je m'évanouis, souffla Elise, et Maggie ne put réprimer un sourire amusé car elle était bien certaine que son amie, hardie comme elle l'était, n'était jamais tombée en pâmoison pour un homme.

A ce moment, Victor se retourna et Maggie fut déçue. Il était assez beau, dans un genre pâle et romantique, mais depuis son arrivée à la Nouvelle-Orléans elle avait vu des hommes beaucoup plus séduisants. Elle ne voyait pas du tout ce qui pouvait enthousiasmer Elise à ce point. Ses yeux ? Ils étaient profondément enfoncés et lumineux sous des sourcils fins et droits. Il avait un large front lisse, mais si blanc qu'elle était sûre qu'il ne l'exposait jamais au soleil. Sa bouche était rouge avec une lèvre inférieure sensuelle qui lui donnait un air boudeur. Peut-être était-ce cela, pensa-t-elle. Il ressemblait un peu à Lord Byron, avec un petit aspect bohème. Ce devait être son attrait.

Au bout d'un moment, il lui fut présenté. Il lui prit la main et l'effleura de ses lèvres, ce qui ne se faisait pas avec une jeune fille. Maggie rougit violemment mais il avait accompli ce geste avec tant de grâce que personne ne pouvait s'en offusquer. Elle sentit ses doigts presser les siens et quand il lâcha sa main elle eut l'impression gênante qu'il lui avait dérobé quelque chose.

Il s'éloigna, entouré d'un essaim de jeunes femmes, mais à partir de ce moment et jusqu'à ce que le dîner soit annoncé, Maggie crut sentir sur le dos de sa main la chaleur de ses lèvres.

A table, il fut placé en face d'elle, avec Elise à sa droite. A peine étaient-ils assis qu'il déplaça un grand vase de roses de serre qui l'empêchait de voir Maggie.

— Les fleurs sont belles, dit-il, mais vous êtes plus intéressante à regarder.

Maggie rougit de nouveau et Elise intercéda pour elle.

— Voyons, Victor ! Vous gênez Maggie. Les filles de la campagne ne sont pas habituées aux flatteries des beaux esprits.

Maggie comprit qu'Elise voulait simplement l'aider mais s'irrita d'être traitée de fille de la campagne, même si elle l'était, et elle regretta de ne pas avoir l'aplomb de remettre le vase en place. Elle dit simplement :

— Oh, vous savez, là d'où je viens, les cow-boys ont la langue bien pendue. J'ai l'habitude de ce genre de choses.

Puis, s'apercevant de l'effet que pourrait faire cette dernière déclaration, elle essaya de se rattraper.

— Je veux dire... Je n'en ai pas vraiment l'habitude... ils ne me font pas sans arrêt des compliments de ce genre mais je... ils...

Elle pataugea lamentablement, s'embrouilla et ne fut sauvée que par le premier service. Elle attaqua son consommé avec rage, en concentrant toute son attention sur son assiette et en s'efforçant de ne pas trembler. Elle était sûre que Victor la dévisageait, riait et devait la prendre pour une idiote.

Mais quand elle eut enfin le courage de lever les yeux elle vit qu'il la contemplait avec grand intérêt et une certaine admiration, sans aucune ironie.

Elle lui adressa un sourire hésitant, reconnaissante qu'il ne se moque pas d'elle et il répondit par un autre sourire chaleureux et sincère.

Le repas se poursuivit. Victor fut entraîné dans une longue

conversation avec Jeanette et la tante Virginie, et Maggie put se détendre un peu. Mais elle sentait constamment les yeux de Victor qui revenaient vers elle. A chaque fois qu'elle le surprenait en train de la regarder, son cœur faisait un petit bond et elle s'en voulut de se laisser attirer par son charme. Enfin le café remplaça la glace au citron, on servit les liqueurs au salon et, bien après minuit, les invités prirent congé.

Jeanette vint chercher Elise et Maggie.

Allons, mes enfants, il est temps de rentrer.

Victor se leva et les suivit jusqu'à la porte. Il retint un moment Jeanette et lui murmura quelques mots. Elise, qui se trouvait près de sa mère, entendit sa réponse :

— Ma foi, je ne sais pas, Victor. C'est elle que cela regarde.

— Voudriez-vous lui en parler ?

— Je ne vois aucun mal à cela.

— Je vous en prie !

— Nous verrons. Bonsoir, Victor.

— Bonsoir, Jeanette.

Tandis que leur voiture roulait dans les rues obscures, Elise ne put contenir plus longtemps sa curiosité.

— Maman, qu'est-ce que Victor t'a dit, au moment où nous partions ?

— Il me parlait de Maggie.

— De moi ? s'exclama la jeune fille.

— Il t'a trouvée ravissante, ma chérie, ce qui est bien vrai. Et il m'a demandé s'il pourrait faire ton portrait.

— Qu'est-ce que vous avez répondu ?

— Je lui ai dit que c'était toi que cela regardait. Qu'en penses-tu ? Aimerais-tu avoir ton portrait ?

— Euh... je ne sais pas... Il faudrait demander à papa et maman. Ça doit être affreusement cher.

· Sûrement pas au-dessus de leurs moyens. Et puis ils en seraient peut-être heureux ?

— Il faudra que je réfléchisse.

— Prends ton temps, ma petite fille, rien ne presse.

Le reste du trajet se fit en silence. Maggie se sentait curieusement troublée, Elise avait hâte d'être seule avec elle et Jeanette ne pensait qu'à son lit.

Dès leur arrivée, les filles montèrent et Elise suivit Maggie dans sa chambre.

— Il est fou de toi ! chuchota-t-elle.

— Tu es folle, Elise ! Il a deux fois mon âge.

Elise rit et se jeta dans le fauteuil près de la cheminée.

— Ah, je devrais être jalouse mais je ne le suis pas. C'est trop amusant à observer !

— Je croyais que tu étais amoureuse de lui.

— Bien sûr, mais tout le monde l'est. On ne peut pas prendre ça au sérieux. Mais toi, Maggie ! Ça, c'est une autre histoire. Il ne pouvait pas te quitter des yeux. Je l'ai bien observé.

Maggie s'allongea sur son lit.

— Il m'intimide affreusement. J'ai l'impression que ses yeux me transpercent.

— Tu vas le laisser faire ton portrait ?

— Je ne sais pas.

— Tu devrais. Après tout, il l'a demandé. Et Victor ne demande *jamais !* Il a des commandes à ne savoir que faire.

— Ça doit être terriblement ennuyeux de poser.

— Non, non, pas du tout ! Du moins, pas pour Victor. Tu restes simplement assise là en regardant au fond de ses yeux rêveurs. C'est divin !

— Tu sais, Elise, je ne le trouve pas si séduisant.

Elise haussa les épaules d'un air exaspéré et se leva. Sur le seuil, elle se retourna.

— Tu dois bien te douter qu'il va tenter de te séduire.

Maggie parut horrifiée.

— Comment peux-tu dire une chose pareille ?

— Ça se voit. Tu le laisseras faire ?

— Jamais de la vie !

— Bon, mais si ça arrive, tu me raconteras ?

— Elise !

Elise sourit malicieusement.

— Ah, que tu en as de la chance !

Maggie empoigna son oreiller mais Elise s'esquiva alors qu'il volait vers la porte.

IX

Alex avait télégraphié de la Nouvelle-Orléans qu'il arriverait au Lantana au milieu de la semaine. Aussi, quand Anne entendit un cheval s'approcher de la maison dans l'après-midi du mercredi, elle quitta son bureau et ouvrit une des fenêtres de la tour pour l'accueillir. Mais, au lieu d'Alex, elle reconnut Peter Stark; le pâle soleil de janvier se reflétait sur son étoile de shérif. Anne recula vivement, certaine de ne pas avoir été vue, et se mit à arpenter nerveusement son bureau.

Depuis la mort de Klaus, elle s'attendait à la visite de Peter Stark; c'était inévitable et elle avait donné des ordres au portail pour qu'on le laisse passer. Mais pourquoi fallait-il qu'il vienne justement quand Alex était absent ? Elle ne voulait pas le voir seule, et son sang se glaça quand elle pensa à ce qu'il pourrait avoir à dire.

Au bout d'un moment, elle entendit frapper à sa porte.

— Qui est là ?

— Dolores, señora, répondit une des femmes de chambre. Il y a là un homme qui veut vous voir.

— Dis-lui que je ne suis pas là.

— Il dit que c'est important. Il a des nouvelles du señor Dos.

Anne retint sa respiration et se dit : « Je dois savoir ! » Elle ouvrit la porte.

— Je descends, dit-elle à la bonne.

Quand elle entra dans le salon, elle trouva Peter Stark à la fenêtre, qui lui tournait le dos.

— Bonjour, Peter.

Il se retourna et le cœur d'Anne fit un bond puis se mit à battre follement. Si la lumière avait été moins vive, elle aurait juré que c'était Dos. Comme ils se ressemblaient ! Comme ils ressemblaient à Rudy !

— Bonjour, Mrs Cameron.

Mon Dieu, pensa-t-elle, même la voix !

— Le ranch a l'air superbe, reprit-il sans paraître remarquer sa pâleur. Bien sûr, j'ai un peu oublié comment il était autrefois. J'étais encore petit quand papa est mort et que maman nous a emmenés.

— Naturellement, dit sèchement Anne qui voulait plus que tout au monde éviter de parler de Rudy et d'Emma.

— Je n'étais pas sûr que vos hommes me laissent franchir le portail. Mais ils ne m'ont pas fait d'ennuis.

— Ils avaient l'ordre de vous laisser entrer. Je vous attendais, mais je dois avouer que je pensais vous voir plus tôt.

— J'ai jugé qu'il valait mieux nous donner le temps, à tous les deux, de... de nous habituer à ce qui s'est passé.

Anne lui tendit une main, de l'autre côté de la pièce, dans un geste dont il reconnut la sincérité et il sentit sa tension se dissiper un peu.

— Ah, Peter, croyez-moi, s'il était en mon pouvoir de défaire...

— Je sais, madame. C'est ce que j'éprouve aussi.

Un long silence s'établit, qu'Anne rompit enfin :

— Dolores me dit que vous avez des nouvelles de Dos.

— Rien qu'une rumeur. Je suis venu voir si vous en aviez eu des échos. Ou... si vous en saviez plus.

— Je ne sais rien de lui. Je n'ai eu aucune nouvelle depuis...

Elle s'interrompit, incapable d'évoquer le drame. Peter comprit.

— On m'a dit qu'il pourrait revenir par ici.

— Par ici ? D'où ?

— Du Mexique, madame. D'après ce que j'ai entendu dire, un homme qui ressemble beaucoup à Dos a attaqué une banque à Coahuila.

— Dos est incapable d'une pareille action !

— Il y a des gens qui pensaient qu'il ne tuerait jamais un homme.

Ces mots chuchotés cinglèrent Anne comme un fouet et elle dut se cramponner au dossier d'une chaise pour ne pas chanceler.

Il l'observa sans pitié. Il ne haïssait pas les Cameron, comme sa mère, il avait été trop jeune pour connaître sur le moment les raisons de l'hostilité entre les deux familles. Mais Emma avait soigneusement élevé ses enfants dans la méfiance de cette puissante famille et dans le ressentiment de la puissance et de la richesse du Lantana. Cela l'humiliait de savoir que son autorité de shérif s'arrêtait à ses frontières de barbelés et que, sans l'autorisation d'Anne, il n'y aurait pas assez de fusils à Joëlsboro pour lui faire franchir le portail.

Anne se remit vite. Elle carra ses épaules, redressa son menton et dit :

— Je suis navrée, Peter. Je pense à Dos comme le ferait n'importe quelle mère. Et bien entendu, vous pensez à Klaus et à ce que vous devez faire.

— C'est la raison de ma visite, madame. C'est mon travail... et j'espérais que vous m'aideriez.

— Vous aider ? En quel sens ?

— Si vous aviez des nouvelles de Dos, vous pourriez lui donner un petit conseil.

— Lequel ?

— Lui dire qu'il ferait mieux de se constituer prisonnier.

— Vous croyez sincèrement que je dirais à mon propre fils de se constituer prisonnier ?

— Oui, madame, parce que vous êtes une femme intelligente. Et vous savez que si Dos est bien dans le Lantana, il est à l'abri d'une arrestation. Le Lantana est vaste, c'est certain, mais pas assez grand pour garder éternellement Dos. Tôt ou tard, il aspirera aux plaisirs de la ville et il s'en ira vagabonder. Et alors ce ne sera qu'une question de temps avant que je le rattrape.

Il vit la peur flamber dans les yeux d'Anne et se demanda si c'était la première fois de sa vie qu'elle tremblait.

— Ne vous inquiétez pas, Mrs Cameron. Je ne l'abattrai pas. Je veillerai à ce qu'il soit jugé en toute justice.

— Vous avez une grande confiance en la justice.

— Oui, madame, très grande.

Il boutonna sa veste et se dirigea vers la porte.

— Peter ! cria Anne. Me donnez-vous votre parole ?

— A quel sujet ?

— Que vous ne l'abattrez pas.

— Ma parole d'honneur.

Anne le regarda dans les yeux et vit qu'il ne mentait pas.

— Alors je vous donne la mienne. Si Dos revient ici, je vous le remettrai.

Peter sortit dans le froid. Le soleil venait de se coucher, l'horizon était gris et triste. Il se mit en selle et repartit pour Joëlsboro.

Une femme remarquable, pensait-il. Dommage que nous ne

puissions être amis... Et rien de ce que sa mère lui avait raconté sur Anne ne put étouffer l'étincelle d'admiration qui s'avivait en lui.

Dos et Lorna étaient bien dans le ranch, terrés dans la partie du domaine appelée Casa Rosa à cause de la petite maison de pisé où ils s'abritaient. Elle avait été jadis peinte en rose mais les années de soleil et de vent l'avaient décapée, et maintenant les briques de torchis avaient la couleur d'os blanchis.

Ils grelottaient mais évitaient de faire du feu, de peur que la fumée attire l'attention d'un vaquero errant.

– Est-ce qu'ils te dénonceraient ? demanda Lorna.

– Non. Mais ils le diraient à ma mère et elle voudrait me retrouver. Je ne veux pas lui imposer ça.

Ce sentiment surprit Lorna. C'était la première fois qu'il révélait quelque chose qui ressemblait à du remords.

– Tu dois beaucoup aimer ta mère.

Dos se détourna et ne répondit pas.

Dis-le, Dos ! Dis-le tout haut ! Aimer ! Qu'est ce qui t'empêche de prononcer ce mot ? pensa-t-elle en se mordant la lèvre, serrant plus étroitement son manteau autour d'elle. Elle aimait Dos plus que jamais et elle le plaignait parce qu'il avait peur de lui rendre cet amour.

Le soleil était bas sur l'horizon, le ciel cuivré, strié de nuages flamboyants. La nuit précédente un vent du nord violent avait soufflé, laissant l'air clair et glacé.

– Nous ne pouvons pas rester ici éternellement, dit enfin Dos. Quelqu'un va fatalement passer et voir les chevaux.

– Où irons-nous ?

Il haussa les épaules avec indifférence.

– Nous pourrions aller vers l'ouest, suggéra Lorna.

– En Californie ?

– Pourquoi pas ? C'est loin.

Il réfléchit un moment. Elle l'observa attentivement, mourant d'envie de tendre les mains vers lui, de caresser son visage, de passer les doigts dans ses cheveux, de le serrer contre elle.

Mais comme elle levait les bras il se dressa et enfila ses gants.

– Eh bien, si nous devons partir, autant y aller maintenant. Nous aurons froid, mais au moins la nuit nous couvrira.

– Est-ce que nous pouvons quitter le ranch avant le lever du jour ?

– Sans doute pas. Mais nous ne serons pas loin des limites.

Ils voyagèrent toute la nuit, laissant la Casa Rosa et traversant les trois quarts de l'Ebonal avant que le soleil qui se levait derrière eux projette sur la brasada leurs ombres démesurées.

Vers le milieu de la matinée, ils franchirent la limite la plus lointaine. Dos tira sur les rênes et se retourna. Cette partie de l'Ebonal était un vaste plateau moutonnant, parsemé de sauge et de touffes hérissées d'herbe sèche. Le vent du nord s'était heurté à l'air chaud venant du golfe du Mexique et il était repoussé, divisant le ciel par une ligne de nuages traînant leurs lambeaux gris le long de l'horizon. Ils apporteraient peut-être la pluie. Dos espéra que non, car il faisait un froid abominable et il savait qu'ils ne trouveraient pas d'abri dans cette région désolée.

Cependant il s'attarda tandis que les nuages se déployaient, frôlaient le soleil et couvraient d'ombre la brasada.

Lorna l'observait et devinait ses pensées. Leur fuite au Mexique ne lui avait pas paru définitive, cela avait été une impulsion, une retraite précipitée avec Lorna pour le guider. Mais à présent, en quittant le Lantana pour la seconde fois, il comprenait que ce serait sans doute pour toujours. Jamais plus il ne dormirait dans son lit de la grande maison, il ne conduirait le cabriolet d'Anne, il ne s'attablerait devant un repas préparé par Azucena. Jamais il n'irait de nouveau nager à Bitter Creek, il ne monterait plus de mustangs dans un rodéo du Lantana.

C'était fini désormais... ou cela le serait s'il ne rebroussait pas chemin.

Il songea à Anne. Il ne la reverrait jamais, ni elle, ni Carlos.

Ni... Alex !

Cela le décida. Il fit face à l'ouest et éperonna son cheval. Lorna ouvrit la bouche, s'apprêta à crier : « Dos, attends ! Retournons. Tout s'arrangera ! »

Mais elle savait que ce n'était pas vrai; et elle savait aussi que s'il repartait elle le perdrait à jamais. Alors elle garda le silence et le suivit dans la prairie immense sous les nuages amoncelés.

Ils progressaient lentement. A chaque pas des chevaux, le terrain s'élevait et il se passa plus de cinq jours avant que les sommets poudrés de neige des monts Davis apparussent à l'horizon.

— Où sommes-nous maintenant, Dos ? demanda Lorna.

— Je ne sais pas.

— C'est beau. Je ne savais pas qu'il y avait des montagnes comme ça au texas.

Ils faisaient alors reposer les chevaux sous un éperon rocheux au bord d'un escarpement. Le premier soleil qu'ils voyaient depuis une semaine perça les nuages et emplit la vallée à leurs pieds. Un vent froid, annonciateur de neige, hurlait autour d'eux et transperçait leurs vêtements. Ils étaient épuisés, ils avaient les cuisses et les reins meurtris et le cuir de leurs bottes était devenu dur comme du fer en se desséchant.

Ils se levèrent et restèrent un moment debout, admirant le panorama grandiose avant de se remettre en selle pour descendre dans la vallée.

Le soir tombait quand ils entrèrent dans la petite ville d'Alpine.

– Ce n'est qu'une méchante bourgade, dit Lorna.

– Oui, mais il y a un hôtel. Ça va nous sembler bon de dormir à l'abri.

– Ah ! Un lit ! Et un bain !

L'hôtelier ne broncha pas quand ils lui demandèrent une chambre. Il avait vu des voyageurs plus dépenaillés mais il se fit judicieusement payer d'avance. Lorna se prélassa avec bonheur dans l'unique baignoire de l'hôtel pendant que Dos conduisait les chevaux à l'écurie municipale, en face. Quand il remonta, il la trouva assise devant la coiffeuse en train de s'examiner dans la glace.

– Les voyages ne sont pas tendres pour une fille, dit-elle en caressant ses joues creuses. J'aurais bien besoin d'un peu du rouge parfumé de Guadalupe.

Dos la contempla en silence. Sans rien pour la soutenir que de la viande séchée et de l'eau de pluie, elle avait tellement maigri que sa figure était pincée et son corps aussi décharné que le soir de son arrivée au Liberty Saloon.

Il éprouva pour elle comme une bouffée de tendresse et, s'approchant derrière elle, il glissa ses bras autour de ses épaules. Un frisson parcourut Lorna quand il posa les lèvres sur ses cheveux encore humides.

Il huma le léger parfum de la savonnette au lilas et murmura :

– Mmmm, tu sens bon.

– Oui, eh bien pas toi, taquina-t-elle.

– Tu crois que l'eau est encore chaude ?

– Tiède, au moins.

Dos s'empara de la serviette et sortit de la chambre.

Une heure plus tard, aussi soignés qu'ils pouvaient l'être dans leur tenue de voyage défraîchie, ils traversèrent la rue et entrèrent au Bighorn Saloon. Un groupe de cow-boys les avisa et, trouvant Lorna trop jolie pour passer inaperçue, ils commencèrent à rivaliser pour l'honneur d'offrir un verre à Dos et à elle.

— Personnellement, je ne touche à rien de plus fort que le cidre doux, minauda-t-elle, mais mon ami apprécierait sans doute quelque chose de plus alcoolisé.

— Sers-nous une tournée, Tom, dit un des hommes en plaquant une pièce d'or de cinq dollars sur le comptoir de cuivre avant de se tourner vers les nouveaux venus. Moi, je m'appelle John Stoney. Ce vilain coco, c'est Jake. Et ceux-là c'est Willy, Gene, Buster et Nick.

— Enchantée de vous connaître, dit aimablement Lorna. Et moi je suis Belle Starr.

Les hommes éclatèrent de rire et Stoney demanda :

— Et le monsieur avec vous ? Je parie que c'est Jim July en personne.

— En chair et en os, assura Lorna, ravie de ce jeu.

— Allez, ah, vous n'êtes pas Belle Starr, dit Buster. Tout le monde sait que July l'Indien lui a réglé son compte voilà quatre, cinq ans.

— Eh bien, est-ce que je ne suis pas le plus joli cadavre que vous ayez jamais vu ?

Leurs rires rendirent Lorna expansive et très gaie.

— Nous sommes des fugitifs, avoua-t-elle dans un chuchotement complice qui alarma Dos, mais avant qu'il puisse la faire taire elle poursuivit : Mon ami que voici a tué un homme pour sauver mon honneur et ensuite nous avons été mêlés à une petite histoire au Mexique.

Les hommes sourirent largement, ne croyant pas un mot de son bavardage.

— On peut dire que vous êtes un numéro, madame, déclara Jake en prenant la bouteille pour remplir le verre de Dos. Une sacrée joueuse.

— On a parlé de jeu ? demanda innocemment Lorna en battant des cils. J'adore jouer aux cartes. Qui connaît le mistigri ?

Un jeu de cartes graisseux apparut et Lorna les battit avec une habile maladresse.

— Attendez une minute, messieurs ! dit-elle en le reposant. Nous n'avons même pas commencé et j'ai déjà tout perdu. Mon ami et moi nous sommes tellement fauchés que nous sommes sur le point de vendre nos selles.

— Je serais plus qu'heureux de vous faire une avance, madame, proposa Buster, follement séduit par Lorna.

— Oh non, je ne pourrais accepter. Nous payons toujours, nous avons toujours payé rubis sur l'ongle, affirma-t-elle en se redressant fièrement. Mais nous avons deux chevaux que nous serions prêts à vendre si quelqu'un avait envie de deux beaux étalons noirs.

— Permettez que j'aille les voir, dit Buster. J'aurais besoin de deux chevaux de plus.

— Lorna ! Tu deviens folle ? protesta Dos.

— Allez donc, déclara Lorna à Buster sans se soucier de Dos. Ils sont juste à côté, à l'écurie.

Dos l'entraîna à l'écart et lui gronda à l'oreille :

— Bon Dieu, qu'est-ce que tu fabriques ?

Elle le fit taire d'un regard éloquent: *Ne t'en mêle pas, Dos ! laisse-moi faire*.

Il la lâcha et recula. Lorna se tourna vers les autres et reprit le jeu de cartes.

— J'adore le mistigri, mais si vous voulez m'enseigner un nouveau jeu, je serais ravie de l'apprendre.

Dos la contemplait avec stupéfaction. Jamais il ne l'avait vue minauder ainsi. Elle jouait en même temps la coquette et l'ingénue, et les cow-boys buvaient du petit lait. Dos remarqua aussi qu'elle avait pris un accent du Sud roucoulant, évocateur du clair de lune et des magnolias.

— Nous, nous jouons plutôt au poker, dit Jake.

— Eh bien, vous allez m'apprendre.

Buster revint dans le saloon.

— C'est pas des étalons, ces chevaux, c'est des hongres !

Lorna ouvrit ses yeux immenses et battit des paupières.

— Ma foi, je ne puis certainement pas être au courant de questions aussi délicates.

— Allez, ah, ça n'a pas d'importance. C'est des belles bêtes. Tenez, je vous en donne vingt dollars chacun, ça va ?

— Marché conclu ! déclara Lorna en tendant un bras sur la table pour sceller l'affaire d'une poignée de mains.

— Lorna ! avertit Dos.

— Donnez vingt dollars à mon ami Jim July, et à moi les vingt autres en jetons. Maintenant, quelqu'un aurait-il l'amabilité de m'expliquer les règles de ce jeu ?

Dos se laissa tomber sur une chaise avec un soupir résigné, persuadé que Lorna avait perdu la raison. Elle venait de vendre leurs seuls chevaux et s'apprêtait à rendre l'argent à ces hommes.

— Souhaite-moi bonne chance, Dos ! lança-t-elle gaiement, et elle ramassa ses cartes.

A minuit, ses vingt dollars étaient devenus plus de cent. Elle bluffait les autres joueurs à chaque coup et elle gagnait avec une telle surprise apparente, une telle grâce que les cow-boys finissaient par être ravis de perdre. Dos la regarda avec ahurissement, et non sans admiration, triompher avec une paire de six en forçant Buster, le nouveau propriétaire des hongres, à renoncer avec un brelan de valets.

— Full, mentit Lorna en glissant ses cartes dans le jeu qu'elle battit toujours aussi maladroitement.

Les cow-boys regardèrent Dos qui s'arrangea pour paraître coupable.

— Continuez sans moi, dit enfin Buster.

— Je prendrai les chevaux comme garantie, proposa Lorna.

— Ma foi, je veux bien en jouer un.

Lorna sourit délicieusement et poussa vers lui vingt dollars de jetons.

— Vous êtes sûr que vous ne voulez pas plutôt jouer au mistigri ?

Le lendemain matin, Dos et Lorna quittèrent Alpine sur leurs deux chevaux et dans le bagage de Lorna il y avait de l'or et des billets de la valeur de plus de deux cents dollars.

— Tu m'as flanqué une peur bleue, tu sais, dit Dos. C'était un sacré risque. Comment est-ce que tu savais que tu gagnerais ?

— Ils avaient bu, et pas moi. Je me suis dit qu'ils allaient boire encore et commettre des fautes. Et j'ai pensé aussi qu'en jouant contre une fille, ils perdraient très gentiment leurs moyens.

— Mais le poker, ce n'est pas facile... et tu savais ce que tu faisais. Comment est-ce que tu as appris ?

Un amer souvenir voila le regard de Lorna.

— En regardant mon père perdre, j'ai appris à gagner, murmura-t-elle.

X

A la fin de l'année scolaire, quand Maggie retourna au Lantana, elle fut bouleversée d'apprendre qu'Alex avait eu une très grave pneumonie au printemps et que sa convalescence évoluait très lentement.

– Tu aurais dû me prévenir ! dit-elle à sa mère.

– Cela n'aurait servi qu'à t'inquiéter, et tu ne pouvais rien y faire.

– Je serais revenue.

– Ton père ne le voulait pas. Maintenant, va vite le voir, il t'attend.

Le retour de sa fille fit des merveilles sur Alex et il parut se remettre miraculeusement. Il fallut toutes les supplications et les cajoleries d'Anne pour l'empêcher de reprendre son travail exténuant. Néanmoins, il avait maintenant assez de force pour soulager Carlos d'une partie du fardeau qu'il avait assumé pendant la maladie de son beau-frère.

Le travail de deux hommes avait fatigué Carlos et cela se voyait. Il avait mauvaise mine, dormait mal et ses épaules se voûtaient comme si la charge avait été trop lourde.

Maggie s'en aperçut et voulut l'aider mais les vaqueros n'aimaient guère qu'une jeune fille leur donnât des ordres, et au bout de quelques jours, elle y renonça et resta à la maison.

De jour en jour, elle se sentait plus seule. Anne travaillait presque toute la journée dans son bureau à la tour. Alex retrouva des couleurs et de la vigueur, et à mesure que sa santé s'améliorait il passait de plus en plus de temps éloigné de la maison. Et lorsque Carlos rentrait le soir, il était si fatigué qu'il mangeait à peine, sans prendre garde à ce qu'on lui servait, et montait immédiatement se coucher.

Tout le monde était si occupé que personne ne remarquait l'ennui de Maggie. Elle commença à attendre impatiemment la lettre hebdomadaire d'Elise qui lui racontait tous les événements de l'été. Gérard était de retour de Harvard et Elise écrivait : « J'espère que tu auras un secret pour moi parce que j'ai une confession à te faire qui te fera dresser les cheveux sur la tête ! »

Maggie se dit que cela devait sûrement être passionnant et regretta que ses lettres à elle soient si ternes et monotones. Un orage soudain qui avait emporté un pont de Bitter Creek était la nouvelle la plus importante qu'elle avait trouvée à ce jour.

En voyant Alex se remettre tout à fait, la résolution de Maggie de rester au Lantana s'estompa et elle se mit à compter les jours qui la séparaient de l'automne et de son retour à la Nouvelle-Orléans.

Au fond, je ne suis pas une fille de la campagne, s'avoua-t-elle, un jour qu'elle était assise sur le perron de la grande maison et regardait du côté d'un corral où Carlos et une bande de vaqueros dressaient une pouliche pommelée. Les cris des hommes se répercutaient dans l'air lourd de l'été et le martèlement des sabots de la jument rétive évoquait un tam-tam obsédant.

Maggie sourit ironiquement, reconnaissant que l'incessante ronde de réceptions des Laforêt lui manquait, de même que le Sacré Cœur, aussi étonnant que cela parût ! Elle se promit vertueusement de ne plus grommeler contre le catéchisme et de ne plus imiter la démarche de canard de la mère Mathilde.

Carlos sortit du corral et Maggie l'appela. Il traversa la cour en ôtant ses gants et vint s'accouder à la balustrade du perron. Une fine poussière, blanche comme de la farine, poudrait ses cils noirs et il était pâle de fatigue sous son hâle.

– Ce n'est pas ton travail préféré, on dirait. N'est-ce pas, Carlos ?

– J'aimerais mieux faire n'importe quoi plutôt que de dresser des chevaux, avoua-t-il avec un soupir de lassitude.

– Dos adorait ça.

– Je regrette bien qu'il ne soit pas là en ce moment. Cette petite pouliche deviendrait docile en un rien de temps.

– Tu crois qu'il reviendra ?

– Je l'espère. Nous avons besoin de lui.

– A cause de papa ?

— Oui...

Un des vaqueros appela Carlos du corral et il soupira en remettant ses gants.

— Il faut que je retourne travailler.

— Carlos...

— Oui ?

— Pourquoi est-ce que tu ne viendrais pas avec moi ?

— A la Nouvelle-Orléans ?

— Oui. Une semaine... Quinze jours. Tu t'amuserais follement. Et tu auras bien besoin de vacances un jour ou l'autre.

— J'en ai besoin tout de suite.

— Alors c'est décidé ?

— Laisse-moi y réfléchir.

— Non, ne réfléchis pas ! insista Maggie. Dis simplement que tu viendras. Nous prendrons le train, tu feras la connaissance de mes amis, nous nous amuserons bien. Et pendant une quinzaine de jours tu n'auras plus à penser au ranch, ni au bétail, ni... ni au dressage des pouliches.

Carlos sourit.

— C'est rudement tentant.

— Promets que tu viendras avec moi !

Carlos cligna de l'œil.

— C'est d'accord.

Maggie dévala les marches pour lui sauter au cou.

— Ah Carlos ! Comme j'ai hâte de te montrer la Nouvelle-Orléans !

A la fin du mois d'août Alex avait repris presque toutes ses anciennes responsabilités; Carlos et Maggie purent quitter le Lantana, la conscience tranquille.

Ils avaient averti de leur arrivée par télégramme et Jeanette Drouet les attendait à la gare.

— Je suis si heureuse de vous connaître enfin, Carlos, dit-elle en les conduisant à sa voiture. Anne et Alex m'ont tellement parlé de vous !

— Où est Elise ? demanda Maggie.

— Toujours à Bay St Louis, répondit Jeanette avec un soupir exaspéré. Je n'arrive pas à faire rentrer cette petite. Tu sais comme elle aime la plage !

Hum, pensa Maggie en se rappelant Gérard, je n'en doute pas.

— Mais je lui ai écrit que tu revenais aujourd'hui et je suis sûre qu'elle va se précipiter.

La voiture roula lentement et Carlos contempla la ville avec émerveillement. Jamais il n'avait vu autant de monde, une telle circulation. St Charles Avenue était embouteillée de cabriolets, de fiacres, de landaus, de tramways bruyants bringuebalant le long des trottoirs. Des arbres immenses ombrageaient la chaussée et les hôtels particuliers lui paraissaient plus grandioses que toutes les demeures qu'il avait pu voir à San Antonio.

Maggie ne cessa de bavarder gaiement pendant le trajet, en indiquant des monuments, les demeures d'amis, l'académie où elle faisait ses études, ravie de voir Carlos si impressionné.

Le tourbillon des soirées commença le soir même par un grand dîner chez Emile et Catherine dans le Vieux Carré. Dès son arrivée, Carlos fit battre tous les cœurs féminins et Maggie nota avec fierté qu'il n'avait rien d'un campagnard. Il causa et flirta avec autant d'aisance que s'il était né à Audubon Place, et la vieille tante Virginie fut si charmée qu'elle changea subrepticement les cartons de la table pour être auprès de Carlos.

Le dîner fut gai et animé et Maggie écouta avidement toutes les nouvelles de l'été. Soudain elle entendit Catherine Laforêt, au bout de la table, prononcer le nom de Victor Durand. Elle feignit d'écouter l'histoire que racontait Emile sur une cousine vieille fille qui avait fait scandale en s'enfuyant avec un prêtre défroqué, mais elle tendit une oreille vers ce que disait Catherine :

— ... arrivé la semaine dernière. Je l'ai invité ce soir mais il était pris. Si j'ai bien compris, sa visite sera brève cette année, deux mois au plus. Il a dû refuser je ne sais combien de commandes.

A quoi Jeanette répondit :

— J'ai eu plus de chance que toi, Catherine. Je l'ai harponné pour samedi.

Samedi ! pensa Maggie. Victor et elle allaient se retrouver et elle ne savait pas si cela lui faisait plaisir où non.

Elise arriva le samedi après-midi, une heure à peine avant la réception de Jeanette. Elle fit irruption dans la chambre de Maggie et elles poussèrent des cris de joie en s'embrassant et parlèrent en même temps jusqu'à ce que Maggie fasse taire son amie et exige :

— Parle-moi de Gérard !

Elise se jeta sur le lit et serra l'oreiller dans ses bras. Sa figure devint grave ; elle semblait regarder au loin et sa pose affectée aurait fait honneur à Sarah Bernhardt.

— Je ne suis plus une jeune fille. Je suis une femme et... et en fait, je vais sans doute être bientôt mère.

— Elise !

— Oui, affirma Elise en levant une main pour imposer silence J'ai laissé Gérard faire ce qu'il voulait de moi.

— Tu n'as pas fait ça !

— Hélas, si. Ce sera le prochain scandale de la famille.

— Ta famille en a pourtant eu son compte !

— Ce doit être dans notre sang.

— Bon, alors raconte, supplia Maggie, dévorée de curiosité, bien que choquée.

— C'était une nuit, tard. J'ai entendu du bruit sur la véranda et je suis allée voir. J'ai trouvé Gérard qui était sorti pour fumer une cigarette. Il y avait un beau clair de lune et... Ah, Maggie, jamais il ne m'était apparu aussi beau ! Bref, une chose en a amené une autre et avant que je comprenne ce qui se passait, j'étais dans ses bras. Et alors... Alors il a commencé à m'embrasser et je ne sais pas ce qui m'a pris, j'ai ouvert la bouche et nos langues se sont touchées.

— Et après... ? souffla Maggie.

— Après, *quoi* ? demanda Elise, interloquée.

— Et après, qu'est-ce qui s'est passé ?

— J'ai pleuré toute la nuit, naturellement.

— Tu ne comprends pas ? s'exclama Elise avec impatience. J'avais la visite de tante Jeanne.

Maggie fut complètement déroutée.

— Qui est tante Jeanne ? La mère de Gérard ?

— Dieu, c'est fou ce que tu peux être ignorante, Maggie ! Tante Jeanne ! Mes affaires ! Mes règles ! J'avais mes règles. Et tout le monde sait que si on touche avec sa langue celle d'un garçon, si on se laisse embrasser comme ça pendant la visite de tante Jeanne, on tombe fatalement enceinte !

Maggie fut prise de fou rire. Elle serra ses bras autour d'elle, tomba dans un fauteuil et rit à en pleurer.

— Oh Elise ! Excuse-moi mais c'est vraiment trop ! Et moi qui te croyais si avertie, tellement plus que moi !

— Qu'est-ce qu'il y a de drôle, Maggie ? demanda Elise en se redressant sur le lit. Me voilà dans la plus effroyable des situations, et ça te fait rire ?

— Tu n'es dans aucune situation, assura Maggie entre deux hoquets. Tu ne peux pas être enceinte comme ça, voyons !

— Bien sûr que si !

— Mais non... Non, c'est impossible. Crois-moi. J'ai été élevée parmi des animaux et je sais comment ça se passe.

— Les animaux ne sont pas des gens.

— Oui, mais ça se fait de la même façon.

Elise s'assit sur le bord du lit, l'air sceptique et déçu. Maggie se leva et s'approcha d'elle.

— Mais qu'est-ce que tu as ? On dirait que ça ne te fait pas plaisir. Tu voulais être enceinte ?

— Non, jamais de la vie. J'étais morte d'inquiétude. Mais... mais tu es sûre que les gens ont des bébés de la même manière que les animaux ?

— Sûre et certaine.

Elise réfléchit un moment à cette révélation, puis son nez se fronça.

— Je trouve ça dégoûtant !

Maggie fut reprise de fou rire et serra son amie dans ses bras.

— Alors, même si Gérard t'a embrassée pendant que tu avais la visite de tante Jeanne, tu n'es pas encore une femme, Elise.

Elle se tourna vers Maggie et sourit malicieusement.

— Si j'avais su, je l'aurais laissé m'embrasser encore !

La réception de Jeanette était commencée depuis plus d'une demi-heure quand Maggie fut enfin habillée et prête à descendre. Elise l'attendait impatiemment.

— Dieu, je suis tellement énervée, marmonna Maggie en passant un sautoir de perles à son cou et en s'examinant une dernière fois dans la glace. Un de ces jours, je vais apprendre à me préparer aussi vite que toi.

— Tu fais déjà des progrès, assura Elise en la prenant par le bras pour descendre. Si tu vis assez longtemps, tu arriveras peut-être à assister au début d'une soirée.

Elles étaient en haut de l'escalier quand Maggie entendit Elise pousser un cri étouffé et sentit sa main se crisper sur son bras et la tirer en arrière.

— Mon Dieu, qui est-ce ? souffla-t-elle entre ses dents.

Maggie suivit son regard et aperçut Carlos en grande conversation avec Virginie et Catherine.

— Tu veux parler de mon oncle ?

— Ton oncle ? C'est lui, Carlos ?

— Mais oui. Pourquoi ?

Maggie regarda Elise et devina aussitôt la réponse. Son amie était pâle comme de l'ivoire. Elle portait une main à sa poitrine comme si elle avait du mal à respirer et ses pupilles s'étaient tellement dilatées que ses yeux ressemblaient à des agates noires étincelantes.

— Elise ! Tu ne te sens pas bien ? demanda-t-elle, très alarmée.

– Non... Remontons vite !

Elle chancela contre Maggie qui dut la soutenir sur les marches.

– Elise, chérie ! Tu as une tête épouvantable !

– Je sais, gémit Elise. Je ne peux pas descendre comme ça ! Vite ! Maggie ! Aide-moi à me changer. J'ai une robe neuve, en satin rose pâle que je n'ai encore jamais mise. Elle m'ira beaucoup mieux. Et... Ah, mes cheveux ! Mais pourquoi est-ce que je suis restée au soleil tout l'été ? J'aurais dû écouter maman !

Elle ne cessa de s'agiter et de se tourmenter jusqu'à sa chambre, où elle serait sans doute restée toute la soirée si Jeanette ne s'était inquiétée et n'était montée pour savoir ce qui la retenait.

– Mais enfin, qu'est-ce que tu fais ? s'écria-t-elle.

– Tu veux que ta fille apparaisse à ta soirée comme le cadavre de Marie Laveau ? répliqua Elise.

– Je n'arrête pas de lui dire qu'elle est belle, dit Maggie.

– Vous l'êtes toutes les deux. Allons, venez. Si vous ne descendez pas tout de suite, vous manquerez complètement la soirée.

– Oooh, gémit Elise en s'aspergeant généreusement d'eau de Lubin à la rose.

– Et si tu remets encore de ce parfum, avertit Jeanette, tu vas attirer les mouches !

Le rire de Maggie lui valut un regard noir de son amie.

Ah, c'est trop drôle ! pensait Maggie. Elise la coquette, réduite à l'état de loque ! Et à cause de Carlos !

Mais une surprise plus grande encore attendait la jeune fille, car lorsqu'elles descendirent elle vit sur le visage de Carlos une expression qu'elle ne lui avait jamais connue.

Il était au fond du salon, entouré de jeunes femmes ; il leva les yeux, les détourna et regarda encore une fois. Sa bouche s'ouvrit comme si on venait de le frapper et Maggie crut entendre sa rapide inspiration en voyant sa poitrine se soulever. Il s'excusa auprès des dames et traversa le salon sans quitter Elise des yeux.

– Voici mon oncle, Carlos Trevor, dit Maggie d'une voix qui parut bizarre à ses propres oreilles ; elle comprenait qu'il se passait quelque chose de capital, un événement échappant totalement à son contrôle, comme la collision de deux étoiles. Mon amie Elise Drouet.

Carlos s'inclina avec grâce, et quand il se redressa, sa nièce vit briller des flammes dans ses yeux.

– *Encantado, señorita.*

– Enchantée, monsieur.

Carlos tendit la main et entraîna Elise, laissant Maggie et Jeanette se regarder, médusées. La jeune fille fut la première à se ressaisir.

– Maman dit que le coup de foudre n'existe pas.
Jeanette secoua la tête.
– Je crois bien que nous pouvons témoigner du contraire.

XI

Victor observait Maggie depuis cinq minutes. Il vit Carlos et Elise partir ensemble et s'étonna du curieux regard échangé par Jeanette et Maggie. Puis, quand un invité vint accaparer la maîtresse de maison, il quitta brusquement les personnes qui l'entouraient pour traverser le salon.

— Ah, Victor, bonsoir. On m'avait dit que vous étiez de retour à la Nouvelle-Orléans.

— C'est merveilleux de vous revoir, Maggie, murmura-t-il d'une voix sourde, intime, comme s'ils étaient seuls tous les deux.

Il était évident qu'il avait découvert le soleil pendant l'été car sa pâleur avait fait place à un hâle sain. Ses lèvres paraissaient plus rouges et ses boucles en désordre tombaient élégamment sur son front romantique.

A-t-il embelli ? se demanda Maggie. Ou bien ma mémoire me joue-t-elle des tours ?

Victor se tourna vers un valet muni d'un plateau et offrit à Maggie une flûte de champagne.

— Il paraît que vous n'allez pas rester longtemps, dit-elle.

— Deux mois.

— Cela semble à peine valoir le voyage.

Il ne répondit pas mais glissa une main sous le coude de Maggie et l'entraîna à l'écart des invités, sur le balcon. La nuit était chaude malgré la brise qui faisait bruisser le feuillage, et dans le silence la sonnette d'un tramway passant au bas de l'avenue parut incongrue.

Victor fit face à Maggie, si près d'elle qu'elle sentait le parfum de sa lotion.

— Maggie, je ne suis revenu que pour une seule raison. Je prépare une exposition à Paris, mais il a fallu que je revienne.

— Pourquoi, Victor ? demanda-t-elle mais elle connaissait, elle devinait la réponse.

— Je veux absolument que vous posiez pour moi. L'hiver dernier vous n'avez pu vous décider, mais cette fois j'y tiens.

Elle soupira et tenta de lui échapper mais il la ramena vers lui et la regarda au fond des yeux. Gênée, mal à l'aise, elle se détourna.

— Je crois que nous devrions rentrer.

— Certainement, dit-il en poussant la porte-fenêtre, mais quand Maggie passa devant lui il lui prit la main. Dites que vous acceptez, Maggie. Promettez-moi de poser pour moi. Je veux présenter votre portrait à mon exposition de Paris. Cela ne vous coûtera rien.

— Non... Je ne crois pas, Victor.

Il la regarda d'un air absolument désolé et ses épaules s'affaissèrent.

— Alors j'aurai fait ce voyage pour rien, murmura-t-il.

Maggie s'en voulut de se sentir coupable. Elle savait que c'était déraisonnable, elle ne devait rien à Victor, et cependant elle ne pouvait s'en défendre. Il demandait si peu, après tout... quelques heures de son temps, rien de plus.

— J'y réfléchirai, concéda-t-elle.

C'était plus un apaisement qu'une promesse mais elle vit l'espoir illuminer ses yeux.

En se retournant, elle aperçut alors Carlos et Elise dans le jardin. Elise s'arrêta sous un chêne et laissa Carlos l'enlacer. Leurs deux silhouettes se fondirent en une seule ombre; Carlos pencha la tête et embrassa Elise.

Maggie, le cœur serré, les envia. Victor semblait attendre qu'elle parle. Elle tourna les talons et, sans le regarder en face, elle lui dit :

— D'accord, Victor, j'accepte.

Tard dans la nuit, Maggie était couchée mais sa lampe restait allumée car elle attendait une visite. Elise traverserait sûrement le couloir pour venir lui faire part de son dernier secret.

Bientôt elle entendit des pas puis un léger grattement à la porte.

— Tu peux entrer, Elise ! s'écria-t-elle en se redressant vivement dans son lit.

Mais ce fut Carlos qui apparut. Il était encore en tenue de soirée, le col de sa chemise ouvert et sa cravate dénouée.

— Tu dormais ? murmura-t-il.

Surprise de le voir, Maggie secoua la tête.

— Tu t'es bien amusée ?

— Oui, et toi ?

Il ne répondit pas tout de suite mais traîna un fauteuil crapaud près du lit et s'y laissa tomber. Prenant un mince cigare dans son étui d'argent, il l'alluma et tandis que la fumée s'élevait autour de sa tête il ferma les yeux.

Pendant un instant, Maggie crut qu'il s'assoupissait mais elle vit un sourire errer sur ses lèvres. Elle se pencha vers lui, en souriant à son tour.

— Tu es amoureux, n'est-ce pas, Carlos ?

Il ouvrit les yeux, ces prunelles d'un gris surprenant qui brillaient plus que jamais.

— Tu es amoureux d'Elise !

— Tu me connais bien... Et elle, la connais-tu ?

— Elle est comme une sœur pour moi.

— Alors tu aimerais qu'elle fasse partie de la famille ?

Maggie rejeta les couvertures et se jeta au cou de son oncle.

— Ah Carlos ! C'est bien vrai ? Est-ce qu'elle t'aime aussi ?

— Elle le dit, répondit-il en riant de bonheur.

Maggie se percha sur l'accoudoir du fauteuil, le cœur battant si vite qu'elle en avait le souffle coupé.

— Je savais bien que le coup de foudre existait ! Maman se trompait !

— Anne... Tu crois qu'elle m'approuvera ?

— Bien sûr ! Et papa aussi ! Ah, Carlos, raconte ! Comment as-tu compris que c'était de l'amour ?

— Je ne sais pas. Je l'ai su tout de suite, avoua-t-il, encore tout émerveillé. Quand je me suis tourné vers l'entrée du salon, quand j'ai vu Elise, j'ai eu l'impression que je l'avais cherchée toute ma vie. Je l'aurais reconnue n'importe où. Tu sais ce que c'est quand on a fait un rêve qu'on a oublié... et puis dans la journée quelque chose que l'on perçoit, que l'on entend vous le remet soudainement en mémoire ?

— Oui ! Je vois très bien ce que tu veux dire.

— C'était comme si j'avais aimé Elise dans une autre vie et que je la retrouvais brusquement dans celle-ci.

Ils restèrent assis un moment en silence, puis Maggie demanda :

— Tu lui as fait ta déclaration ?

— Ce ne fut pas nécessaire.
— Tu veux dire que tous les deux, vous *saviez* ?
— Nous nous sommes mis à parler de nos enfants... aussi naturellement que si nous étions déjà mariés.
— Ah, Carlos ! Je suis si heureuse pour toi, pour elle ! Et tu veux que je te dise ?
— Quoi donc ?
— Vous aurez des enfants superbes !

Trop amoureux d'Elise pour s'arracher à la Nouvelle-Orléans, Carlos renvoya le train au Lantana sans lui. A l'arrivée, un des convoyeurs monta à la grande maison avec une lettre. Anne la lut et alla voir Alex.
— Carlos ne le dit pas, mais je crois qu'il est tombé amoureux.
— Est-ce que tu n'es pas un peu trop romanesque ? Un jeune homme peut avoir envie de s'attarder à la Nouvelle-Orléans pour mille raisons.
— C'est possible, mais j'en doute. Ecoute un peu...
Elle déplia la lettre et la lut à haute voix:
« Il y a eu une merveilleuse garden-party à la Rivière dimanche dernier. Elise Drouet et moi nous sommes promenés sur les berges d'un bayou... »
— C'est bien normal qu'une jeune fille fasse visiter à un invité la plantation de ses parents.
— Attends, ce n'est pas tout... « Elise m'a promené dans le Quartier français et nous avons déjeuné dans le jardin d'un restaurant, sous des arbres enguirlandés de mousse... »
— Il faut bien qu'ils se nourrissent.
Anne leva les yeux au ciel.
— Alex ! Tu ne sais donc pas lire entre les lignes ? Tiens ! Lis cette lettre. Elise a dit, Elise a fait, Elise et moi sommes allés ici et là... A chaque phrase, il est question d'Elise !
Alex jeta un coup d'œil sur les feuillets.
— Il ne parle pas de Maggie ?
— Pas un mot ! Alors si cela ne te semble pas révélateur, je ne sais vraiment pas ce qu'il te faut.
Alex sourit.
— Ainsi, Carlos a enfin trouvé quelqu'un.
Anne s'assit contre lui sur le canapé.
— Je l'espère. Il est grand temps qu'il se marie.
— Et Elise est une fille merveilleuse.
— Hum, murmura Anne, soudain songeuse. Je me demande

comment elle supportera la vie au Lantana. Ça va lui paraître bien rustique, après la Nouvelle-Orléans.

— Certes, reconnut Alex. Elle aimerait bien mieux San Antonio.

Anne regarda son mari.

— Tu envisages toujours d'y ouvrir un bureau, n'est-ce pas ?

— Nous le devrions. Beaucoup de nos affaires se traitent là-bas. Ce serait beaucoup plus commode... et plus efficace. Et Carlos pourrait le diriger.

— Ce serait idéal. Je suis sûre qu'Elise se plairait immédiatement à San Antonio.

— En somme, tu les as déjà mariés.

— Anne se mit à rire.

— Tu as raison, je suis romanesque. Enfin... attendons et voyons ce qui va se passer. Ce n'est peut-être qu'un engouement passager.

Mais à la Nouvelle-Orléans Maggie et Jeanette étaient bien persuadées du contraire. Carlos reculait sans cesse son départ et bientôt il devint évident pour tout le monde que les intentions du jeune homme étaient très sérieuses.

Jeanette était assez avisée pour accepter l'inévitable. Elle commença déjà à projeter le mariage de sa fille.

Au cours des semaines affairées qui suivirent, en apprenant à mieux connaître Carlos, elle accepta non seulement l'idée de ce mariage mais l'accueillit avec joie.

Elle n'avait que deux regrets. Elle redoutait de voir Elise quitter la maison et aller vivre si loin. Et elle souhaitait, vainement, que les jeunes gens attendent au moins la Noël. Mais Carlos était pressé. On avait besoin de lui au Texas et Elise ne pouvait supporter de le voir partir sans elle.

Les bans furent donc rapidement publiés et, après un échange de télégrammes, Anne et Alex firent leurs bagages et partirent pour la Nouvelle-Orléans.

Quand le grand jour arriva, il sembla que toute la ville prenait la route de la grande plantation des Laforêt. La Rivière n'avait jamais paru plus belle. La belle maison à colonnes étincelait au soleil de l'après-midi et la roseraie était encore en fleur. Un orchestre alternait avec un quatuor à cordes pour donner un concert ininterrompu, et les bouchons de champagne sautaient comme les pétards d'un feu d'artifice.

Dans sa longue robe de satin blanc, radieuse, Elise allait et venait parmi les invités, s'arrêtant ici et là pour accepter un toast, et si elle était parfois séparée de Carlos elle ne le perdait jamais des yeux.

Maggie ne quittait pas ses parents et, en apercevant Victor, elle le leur présenta. Il s'inclina galamment pour baiser la main d'Anne.

— J'ai persuadé Maggie de poser pour moi, dit-il. Nous aurions déjà dû commencer, mais le mariage nous a retardés. Cependant... A partir de demain, ajouta-t-il en se tournant vers Maggie, vous n'aurez plus d'excuse.

— Vous avez fini par me prendre au piège, Victor, répondit-elle avec un manque d'enthousiasme bien visible.

Victor se contenta de sourire.

Juste avant le coucher du soleil, Carlos et Elise se préparèrent à quitter La Rivière. Anne embrassa sa nouvelle belle-sœur et se tourna vers Carlos.

— Je suis si heureuse pour toi, mon chéri.

Il glissa un bras autour de la taille de sa jeune femme.

— Notre bonheur ne fait que commencer.

Ils montèrent en voiture sous les acclamations et les bons vœux des invités et s'éloignèrent par la longue allée en fer à cheval.

Les joues ruisselantes de larmes, Maggie les suivit des yeux en agitant la main et en envoyant des baisers jusqu'à ce qu'ils eussent disparu sous les arbres.

Alex se tourna vers Jeanette qui pleurait aussi de joie et de tristesse à la fois.

— J'aurai voulu que votre père puisse vivre pour voir ce jour. Il aurait été comblé par cette union de deux dynasties, comme il l'aurait dit.

— Dynastie... Oui. C'était un mot qu'il aimait. Un concept auquel il croyait. Il aurait été extrêmement heureux.

— Il ne reste plus que toi, Maggie, dit Alex en prenant la main de sa fille. Mais ne va pas te faire des idées folles. Nous voulons te garder encore un peu.

Maggie renifla et s'essuya les yeux.

— Ne t'inquiète pas, papa.

Malgré tous les efforts de Maggie pour persuader ses parents de prolonger leur séjour, Anne avait assez vu la Nouvelle-Orléans et Alex était impatient de retrouver le Lantana. Le lendemain à midi ils reprirent leur train.

Au cours de ces jours d'activité fébrile, avant le mariage, Maggie n'avait guère eu le temps de penser à elle-même. Mais quand elle rentra de la gare et monta dans sa chambre, elle s'aperçut soudain qu'elle allait être bien seule, sans Elise de l'autre côté du couloir pour l'aider à choisir une robe ou un chapeau, la conseiller sur sa coiffure... Et c'en était fini des soirées de confidences et de secrets !

Les secrets !

Maggie soupira. Maintenant c'était à Carlos qu'Elise confierait ses secrets. Et moi, pensa-t-elle, je n'ai personne !

Elle se jeta sur son lit, enfouit sa tête dans son oreiller et sanglota.

XII

Le lendemain après-midi, chaperonnée par Clarisse, une des femmes de chambre de Jeanette, Maggie prit le tramway pour se rendre à l'atelier de Victor, dans le Quartier français.

Elles entrèrent dans une cour et furent accueillies par l'artiste, au sommet d'un charmant escalier de fer forgé.

— Je ne savais pas que nous aurions un public, dit-il en voyant Clarisse.

— Vous ne pensiez tout de même pas que j'allais venir seule !

Il ne répondit pas mais les fit entrer et referma la porte.

— Ainsi, c'est là que vous travaillez, murmura Maggie.

— Et que je vis. J'ai renoncé à mon appartement la dernière fois que je suis reparti pour Paris.

— Où faites-vous la cuisine ?

— J'en fais rarement. Mes amis sont plus qu'hospitaliers. Mais si cela m'arrive, je me sers de ce vieux fourneau que vous voyez dans le fond, répondit-il en indiquant un poêle à bois tout rouillé dont le tuyau disparaissait dans le plafond.

Les yeux de Maggie firent le tour de l'atelier. C'était une grande salle rectangulaire avec six portes-fenêtres donnant sur un balcon dominant Chartres Street. L'atmosphère était imprégnée d'une agréable odeur d'huile de lin, de térébenthine et de peinture. Des dizaines de toiles reposaient l'une contre l'autre, tournées contre les murs qui s'ornaient d'une multitude de dessins à l'encre, au crayon, au fusain ou au pastel. Au centre, une longue table était jonchée de carnets de croquis, de tubes tordus et de vases pleins de brosses et de pinceaux.

Elle s'arrêta un instant devant un rideau de peluche fanée qui fermait le fond de l'atelier.

– Qu'est-ce qu'il y a là, derrière ?

– Mon lit.

Elle se détourna en rougissant.

Victor plaça une grande toile sur son chevalet.

– J'ai déjà fait des esquisses, de mémoire. Le temps presse, alors nous allons commencer tout de suite. Votre bonne peut s'asseoir sur cette chaise contre le mur.

– Et où voulez-vous que je me mette ?

– Sur ce canapé, dit-il en désignant une méridienne Récamier recouverte d'un tissu élimé. Ne faites pas attention à son éclat. Sur le tableau, il sera recouvert d'un splendide brocart d'or. Etendez-vous... Je vais arranger votre pose.

Il se pencha sur Maggie en se demandant si son expression trahissait le plaisir qu'il avait à la toucher. Quand il lui leva le bras pour l'étendre le long du dossier incurvé, il laissa sa main s'attarder sur le poignet pour prolonger le contact de la peau tiède et satinée. Il lui souleva les jambes, sentant au creux de ses mains les muscles souples des mollets à travers la soie de la robe, lui croisa les chevilles et lui plaça son autre main sur ses cuisses, détendue, dans une pose abandonnée.

– La tête, maintenant. Tournez-la vers moi et regardez-moi. Je veux vous peindre de face... Voilà. Vous êtes confortable ?

– Oui.

– Parfait. Nous pouvons commencer.

Il prit un pinceau et le frotta sur sa palette.

La séance dura trois heures. Clarisse, sur sa chaise de bois, bâillait d'ennui et plaignait Maggie de devoir rester parfaitement immobile; elle se demandait comment l'enchevêtrement confus de lignes de peinture rougeâtre que Victor traçait sur la toile pourrait devenir un portrait de la jeune fille.

Il semblait y avoir une sorte de tête mais ce n'était qu'une tache attachée à une forme vague qui devait figurer, pensait-elle, le corps de Maggie.

Clarisse sourit à part elle. Sainte Vierge, se dit-elle, si une personne était comme ça, elle ferait peur au diable !

Maggie ne s'ennuyait pas moins. Victor ne lui permettait pas de bouger ni même de parler, sauf pendant les rares instants de repos qu'il lui accordait pour s'étirer.

Enfin il jeta son pinceau sur la table et déclara :

— Ça suffit pour aujourd'hui. Je vous attends demain à la même heure.

— Vous n'allez pas me montrer ce que vous avez fait ?

— Pas avant que ce soit fini.

Maggie mit son chapeau, prit ses gants et son réticule.

— Venez, Clarisse, partons. J'espère que nous dînerons de bonne heure, ce soir. Je meurs de faim.

Elles s'en allèrent et Victor attendit un instant avant de passer sur son balcon. Il l'avait regardée sans arrêt pendant trois heures et pourtant son cœur fit un bond quand il la vit apparaître dans la rue.

Je dois être fou de ne pas laisser cette enfant tranquille, se dit-il. Mais sa beauté... son innocence ! A côté d'elle, toutes celles qui sont venues ici sont des laiderons...

Il la suivit des yeux avec passion tandis qu'elle longeait le trottoir, jusqu'à ce qu'elle tourne au coin de Canal Street.

Puis il rentra dans l'atelier et contempla la toile. Là, au moins, il pouvait préserver Maggie au moment le plus parfait de sa vie, l'enfant au bord de la féminité... l'innocente au seuil de la révélation. Sous ses yeux, le tableau parut s'achever et l'image fit courir dans son dos un frisson d'extase.

Ah Maggie ! Pardonne-moi. Mais il le faut, il le faut...

Vers la fin de la deuxième semaine, alors que Maggie et Clarisse descendaient du tramway pour pénétrer dans le Quartier français, la femme de chambre s'éclaircit la gorge et s'enhardit:

— Excusez-moi, Miss Maggie, je ne devrais peut-être pas juger, mais ce tableau que Mr Victor fait de vous... Je ne sais pas...

— Que voulez-vous dire, Clarisse ?

— Eh bien, au début je ne pouvais rien dire, ça ne ressemblait à rien. Mais maintenant, je vois bien ce qu'il fait, et...

— Et quoi ?

— Eh bien... on dirait qu'il vous peint toute nue.

Maggie se mit à rire.

— Je crois que c'est comme ça que les peintres travaillent, Clarisse. Ils doivent d'abord dessiner le corps, pour avoir la forme. Et puis ils peignent les vêtements par-dessus. Un peu comme on habille une poupée.

— Hum, fit Clarisse, pas du tout convaincue. Ma foi, je dois dire qu'il s'en donne à cœur joie avec votre corps.

Curieusement, Victor, qui refusait catégoriquement de montrer la toile à Maggie, ne semblait pas se soucier de la présence de la bonne derrière lui, qui suivait ses moindres coups de pinceau.

— Allons, Clarisse, dépêchons-nous, dit Maggie en riant encore. Vous savez comme il se fâche quand nous avons seulement une minute de retard.

Elle leva les yeux et aperçut Victor au balcon. Leurs yeux se croisèrent dans de longs regards, et elle éprouva une sensation bizarre dans la poitrine, une sorte d'essoufflement.

— Ouf ! s'exclama-t-elle en ralentissant le pas. Je crois que j'ai lacé mon corset trop serré.

Dès leur arrivée, Victor se mit au travail, sans un mot à Maggie ou presque. Mais au bout de vingt minutes, il posa son pinceau et la laissa se reposer.

— J'ai besoin de diverses choses, dit-il. Croyez-vous que Clarisse pourrait aller les acheter ? Cela m'ennuierait d'écourter la séance.

— Oui, certainement, assura Maggie.

Il se tourna vers la bonne.

— Savez-vous lire ?

— Oui, monsieur.

Il arracha une feuille d'un carnet de croquis et griffonna une longue liste, qu'il tendit à Clarisse avec de l'argent.

— Inutile de vous presser, dit-il comme elle allait à la porte. Nous serons ici tout l'après-midi.

Clarisse partie, il retourna à son chevalet et travailla pendant quelques minutes encore. Puis, posant de nouveau le pinceau, il sourit à Maggie.

— Vous voulez voir le portrait ?

— Il est fini ?

— Oh non, il s'en faut de beaucoup !

— Mais je croyais... Vous disiez que jamais vous ne montriez...

— En général, non. Mais j'ai besoin de savoir ce que vous en pensez.

Maggie se leva vivement et contourna le chevalet. Elle fut trop suffoquée pour chercher la ressemblance des traits, car tout ce qu'elle pouvait voir était son corps nu, langoureusement étendu en travers de la toile.

— Oh, Victor ! s'écria-t-elle et elle rit, croyant à une plaisanterie. Dépêchez-vous de me peindre une robe !

— Il n'y en aura pas !

— Quoi !

Elle se tourna vers lui, choquée.

— C'est un nu, Maggie, murmura-t-il.

— Mais... mais...

— Et je ne peux pas aller plus loin sans que vous... que vous posiez correctement pour moi.

— Correc... Vous voulez dire... Sans mes vêtements ?
Il hocha la tête.
— Vous êtes fou !
— Non, Maggie ! Ecoutez ! Cela se fait tout le temps. Les plus grands, les plus beaux tableaux du monde sont des nus. Il n'y a rien de plus merveilleux que le corps humain.
— Mais, Victor ! Ce sont des peintures de dieux et de déesses, pas de vraies personnes !
— Les modèles étaient bien réels. Allons, Maggie, faites ça pour moi.
Elle faillit lui rire au nez mais il la prit par les bras et elle ressentit cette même sensation curieuse qu'elle avait éprouvée en le voyant sur le balcon. Elle haleta et son cœur lui parut battre irrégulièrement.
Elle tenta de se libérer mais ses jambes étaient molles et elle vacilla contre lui. Aussitôt il l'enlaça, la soutint, la serra fortement. Et puis sa bouche s'avança et se posa sur celle de Maggie.
Un vertige la saisit, ses idées se brouillèrent. Elle voulait s'arracher à cet homme, sentant qu'elle flanchait, mais son corps semblait paralysé. La peur et l'étonnement la glaçaient, et tout en voulant le repousser elle se cramponnait à lui tandis que des vagues d'un plaisir inconnu déferlaient sur elle.
De nouveau les lèvres chaudes cherchèrent sa bouche. Elle détourna la tête mais la langue de Victor caressa son oreille et elle eut l'impression que son sang se changeait en feu liquide dans ses veines.
Elle eut un sursaut de terreur, tout en se sentant étrangement en sécurité entre ses bras. Sa tête tournait et dans le chaos de ses pensées Victor lui apparaissait à la fois comme une menace et une protection.
Il la souleva et la porta jusqu'au lit derrière le rideau. Elle tomba sur les coussins et il se pencha sur elle, si près que sa figure devenait indistincte. Elle sentit son haleine contre son cou et puis ses lèvres sur sa gorge. Elle voulait se débattre mais elle était sans force. D'une main, il traça le contour de sa joue pendant que l'autre glissait sur la gorge et se posait sur les seins.
Maggie sentit quelque chose céder en elle et son corps s'embrasa de passion. Elle noua ses bras autour de lui et poussa un cri. Il la réduisit au silence d'un baiser brûlant.
Victor la souleva et déboutonna prestement sa robe dans le dos, la déshabilla et jeta ses vêtements par terre.
Tremblant d'excitation, il contempla le corps nubile, la peau

sans défaut, les épaules rondes, les petits seins juvéniles, pâles comme de l'ivoire.

Il gémit presque douloureusement, et la reposa sur les coussins. Un coup de tonnerre retentit et la pluie d'orage crépita brusquement sur les carreaux.

Une heure plus tard, Clarisse rentra, complètement trempée, son sac à provisions bourré à craquer de tout ce que Victor l'avait envoyée acheter.

— Je serais rentrée plus tôt, maugréa-t-elle, mais j'ai été surprise par la pluie. J'ai trouvé tout ce que vous vouliez.

— C'est bien, dit Victor.

Maggie était à la fenêtre, le dos tourné. L'orage passé, le ciel d'automne était redevenu à nouveau clair et bleu.

— Venez, Clarisse, dit-elle vivement. Il est temps de rentrer.

Victor la retint à la porte, ses yeux sombres cherchant à capter son regard.

— Demain ?

Maggie frémit et ne répondit pas.

En marchant vers l'arrêt du tramway, Clarisse examina Maggie.

— Ça ne va pas, Miss Maggie ? Vous êtes pâle comme du petit lait.

— C'est l'orage, prétendit la jeune fille. Le tonnerre me fait peur.

— Moi aussi, dit Clarisse mais elle ne crut pas un instant au mensonge de Maggie.

Plus le tramway se rapprochait de la maison, plus Maggie était nerveuse et incapable de maîtriser son agitation. Ses yeux allaient-ils révéler ce qu'elle avait fait ? Est-ce que Jeanette le verrait ? Les religieuses et ses camarades de classe... allaient-elles deviner rien qu'en la regardant ?

Mais pourquoi est-ce que je n'ai pas pu me retenir ? se demandait-elle piteusement. Pourquoi n'ai-je pas simplement dit non et quitté cet atelier à jamais ? Pourquoi a-t-il fallu que je m'abandonne et que je laisse faire à Victor ce qu'il voulait ?

Elle avait toujours cru qu'elle resterait vierge jusqu'à son mariage. Et maintenant, en un bref après-midi, elle avait jeté tout cela. Elle avait changé... elle était tremblante de remords et de regret.

Quand elle arriva, elle apprit avec soulagement que Jeanette était sortie pour la soirée. Dieu soit loué ! pensa-t-elle, je n'ai pas besoin de la voir tout de suite ! Je fondrais en larmes, certainement, et alors elle saurait tout !

Maggie monta directement dans sa chambre en prétextant un malaise. Quand Jeanette rentra et alla voir comment elle allait, elle tira les couvertures sur elle et feignit de dormir.

Mais elle passa toute la nuit sans trouver le sommeil, à pleurer et à se lamenter sur ce qu'elle avait fait. Le lendemain matin ses yeux rouges, sa figure pâle et ses traits tirés persuadèrent Jeanette qu'elle était vraiment malade et il fut décidé qu'elle n'irait pas en classe.

Maggie passa cette journée au lit, et la suivante. Elle resta couchée pendant tout le week-end et tandis que s'écoulaient les heures solitaires, la terreur et la détresse de cet après-midi avec Victor s'estompèrent et elle ne garda plus que le souvenir d'un plaisir qu'elle n'avait jamais connu, dont elle n'avait même jamais soupçonné l'existence. Elle découvrit que ce simple souvenir était assez fort pour chasser les démons du remords qui la visitaient quand la maison était sombre et silencieuse.

Le lundi, elle se leva et s'habilla. Elle vit Jeanette au petit déjeuner et déclara qu'elle se sentait mieux. Elle alla au cours dans la matinée et, l'après-midi, elle prit le tramway avec Clarisse et retourna au Quartier français.

Victor parut reconnaissant en la voyant mais elle discerna chez lui une expression différente, qui semblait indiquer quelque chagrin secret ou des regrets.

Comme l'autre fois, Victor griffonna une liste d'achats et la tendit à Clarisse. La femme de chambre parut butée et méfiante mais elle obéit et dès que la porte se fut refermée sur elle, Victor prit Maggie dans ses bras.

— J'avais peur que tu ne reviennes jamais !

— Ah, Victor ! gémit Maggie.

Sa voix frémissait et, comme l'autre fois, ses jambes se dérobaient.

Puis il l'entraîna vers le lit. Après, alanguie et satisfaite, Maggie voulut s'attarder entre les bras de Victor mais il paraissait déborder d'énergie. Il la cajola, la fit lever et lui fit prendre la pose, nue, sur la méridienne. Ensuite, il se mit à la peindre, avec une intensité nouvelle.

Il travailla avec frénésie et ne s'interrompit qu'en entendant les pas de Clarisse dans l'escalier de fer.

— Mon Dieu ! s'exclama Maggie en bondissant du canapé.

— Tiens, dit Victor en lui lançant sa robe de chambre.

Elle eut tout juste le temps de l'enfiler à la hâte avant que

Clarisse entre. La femme de chambre lui jeta un simple coup d'œil et comprit tout. Sans un mot, elle posa le sac à provisions sur la table en désordre et resta debout, les bras croisés.

Maggie disparut derrière le rideau de peluche et se rhabilla précipitamment. Elle s'arrangea tant bien que mal, en faisant un effort surhumain pour paraître aussi naturelle que possible.

— Je suis prête, Clarisse, annonça-t-elle en allant à la porte.

Dans la rue, Clarisse marcha derrière elle. Elles étaient presque arrivées à Canal Street quand Maggie s'arrêta et se retourna.

— Vous allez le dire ?

La figure de Clarisse était fermée, glacée, mais elle regarda Maggie dans les yeux.

— Non, Miss Maggie. J'ai appris depuis longtemps à me taire.

Maggie poussa un soupir de soulagement. Elle voulut effleurer le bras de la bonne, par gratitude, mais l'autre s'écarta.

— J'ai dit que je me tairai, Miss Maggie. Je n'ai pas dit que j'approuvais.

Plus tard, quand elles descendirent du tramway et traversèrent l'avenue devant la maison de Jeanette, Clarisse proposa :

— Ma sœur habite Rampart Street. Désormais, si vous voulez, j'irai la voir pendant que vous serez chez M. Victor.

Maggie hocha simplement la tête.

Un mois s'écoula et les premiers froids de la saison firent grelotter la ville. Quand Maggie pénétra dans la cour de Victor et commença à monter par l'escalier de fer, elle sentit l'odeur de peinture et d'huile de lin, des senteurs qu'elle en était venue à associer à Victor car elles imprégnaient sa peau et ses cheveux et étaient aussi douces pour elle qu'un parfum. Et quand il lui ouvrit, elle savoura l'atmosphère de l'atelier et la lumière du nord se reflétant sur les murs et sur le plancher ciré.

Victor la prit dans ses bras et elle goûta le vin sur ses lèvres avant qu'il lui en serve un verre. Puis ils se déshabillèrent et se jetèrent sur le lit.

Victor lui avait appris l'amour, tendrement et avec prévenance, au début, en la guidant lentement et habilement jusqu'à ce qu'elle devienne une partenaire avide, joyeuse et ardente qui le satisfaisait plus que toute autre femme.

Ensuite il se leva et s'habilla pendant qu'elle allait prendre la pose en frissonnant.

— Je vais faire du feu, dit-il.

— Oh oui, ce sera bon !

Déjà la chaleur du corps de Victor contre le sien lui manquait. Il bourra le vieux poêle de petit bois et de journaux et craqua une allumette. Maggie poussa un cri.

Des étincelles venaient de jaillir par la porte mal jointe du poêle et grésillaient sur le plancher. Il les éteignit avec les pieds et se servit du tisonnier pour taper sur la porte et la fermer solidement.

— Ce vieux fourneau est dangereux, mon chéri, dit-elle. Il risque de provoquer un incendie.

— Je n'aurais pas besoin de l'allumer si tu n'étais pas si frileuse.

— Tu exagères ! Tu es tout habillé, mais moi je dois poser nue comme un ver !

Il lui sourit.

Il n'y en a plus pour longtemps. Encore deux ou trois séances et le tableau sera fini. Et puis je partirai pour Paris.

Il avait déjà retenu son passage pour la France et quitterait la Nouvelle-Orléans avant huit jours.

Cette nouvelle glaça Maggie. Elle courut se jeter dans ses bras et pressa sa joue contre sa poitrine.

— Ah, Victor ! Je ne veux pas que tu partes !

Il embrassa son épaule nue.

— Il le faut, ma chérie. J'ai déjà remis mon départ deux fois. J'ai beaucoup de travail en perspective à Paris. Il y a l'exposition. Si je ne pars pas tout de suite, il sera trop tard.

— Mais nous ?

— Je reviendrai.

— Je vais être si seule, sans toi !

Il la contempla, de cet air curieusement triste qu'il avait parfois et qu'elle ne comprenait pas.

— Je t'aime, Victor.

Il lui baisa le front et chassa une larme, comme le ferait un père disant bonsoir à une enfant malheureuse. Puis il la ramena vers la méridienne pour la faire poser. Elle s'allongea, silencieuse et désolée, soutenue par un monceau de coussins et ne portant rien d'autre qu'un rang de perles.

Passant rapidement derrière son chevalet, Victor reprit son pinceau et commença à retoucher le portrait à petites touches légères mais sûres, travaillant fébrilement pour capter l'expression de son modèle avant qu'elle change d'humeur. Un infime point blanc, là, pour faire briller les yeux. Une légère modification de la ligne des lèvres, et soudain la bouche fut à la fois résolue et boudeuse... un peu de couleur plus sombre aux sourcils, à peine deux ou trois coups de pinceau transformèrent le visage et le rendirent mystérieux et envoûtant.

Il recula brusquement, jeta le pinceau sur la table et déclara:
— C'est tout pour aujourd'hui.

Maggie se redressa, perplexe. Il n'avait pas travaillé cinq minutes et elle avait l'habitude de poser tout l'après-midi.

— Mais tu viens à peine de commencer !

— J'ai quand même fini pour aujourd'hui.

Il vint s'agenouiller à côté d'elle et posa sa tête sur les coussins.

— Ça n'a pas bien marché ? demanda Maggie.

Il lui enlaça la taille et frotta son nez contre ses seins.

— Si. Si, admirablement.

Maggie soupira de bonheur, sachant qu'il était satisfait d'elle, heureuse de faire partie de sa vie et de son art.

Avec le reste de l'après-midi devant eux, ils retournèrent au lit puis ils s'allongèrent, enlacés, sur un édredon devant le poêle rougi, en buvant du vin dans le même verre et en regardant tomber le soir.

Jamais Maggie n'avait éprouvé un tel bonheur. Elle se disait qu'elle voulait vivre avec lui éternellement, être sa femme, partager son travail, avoir ses enfants. Ils voyageraient, ils feraient la navette entre Paris et la Nouvelle-Orléans, elle l'emmènerait au Lantana où il ferait le portrait d'Anne et d'Alex. Et on les accrocherait au-dessus de la grande cheminée pour qu'il y ait toujours au ranch une partie de Victor...

Soudain, elle pouffa.

— Qu'est-ce que tu as ? s'étonna Victor.

— Rien.

Mais elle venait d'imaginer le grand salon du Lantana avec son portrait d'elle entièrement nue, au-dessus de la cheminée.

Elle serait restée longtemps encore dans les bras de Victor—elle en rêvait — mais les cloches de la cathédrale sonnèrent cinq heures et elle se leva à contrecœur pour se rhabiller.

— J'espère, dit-elle en partant, qu'Elise est aussi heureuse avec Carlos que je le suis avec toi.

Il se pencha pour l'embrasser et elle remarqua à nouveau cette singulière expression troublée.

Ce soir-là, au dîner, Jeanette reposa brusquement sa fourchette et déclara:

— Maggie, ça ne me plaît pas beaucoup que tu passes tellement de temps chez Victor. Je sais que Clarisse est avec toi, mais je ne crois pas que ce soit bon pour une jeune fille de ton âge. Il y a tant d'autres choses que tu devrais faire. Tu vas oublier toute la musique que tu as étudiée si tu ne reprends pas tes leçons de piano, et puis il y a ce cours de danse où tu voulais aller.

Maggie baissa les yeux. Elle avait horreur de mentir à Jeanette mais elle savait bien qu'elle ne pouvait se confier à elle.

— J'apprends merveilleusement le français. Victor et moi, nous causons tout le temps.

— Je suis sûre que tu l'apprendrais aussi bien avec les religieuses... sans l'aide de Victor.

Maggie releva les paupières, essayant de paraître nonchalante. Jeanette avait-elle des soupçons ? Clarisse avait-elle manqué à sa promesse et parlé ?

Mais l'expression de Jeanette était paisible et Maggie se sentit soulagée.

— Il me semble que ce portrait devrait être fini depuis longtemps. Cet homme accapare tout ton temps, dit encore Jeanette, puis elle posa sa serviette sur la table. Nous devons nous dépêcher de nous habiller. Emile nous a invitées à prendre le champagne chez lui avant l'opéra.

Maggie redoutait cette soirée. Elle aurait préféré se pelotonner avec un livre, plutôt que d'avoir à revêtir une robe du soir et subir trois heures de Rossini. Mais elle avait peur d'irriter plus encore Jeanette en refusant de l'accompagner. Alors, docilement, elle monta se préparer.

Ils assistaient au troisième acte quand les voitures de pompiers passèrent au galop devant l'Opéra, la clameur de panique de leurs cloches faisant courir un frisson dans le public.

Un bourdonnement nerveux emplit la salle. Plus d'une fois, les flammes avaient dévoré le Vieux Carré, s'étaient frayé un chemin entre les maisons serrées les unes contre les autres, prenant leur tribut de vies humaines et détruisant certains des plus ravissants bâtiments de la ville. Rien—ni l'inondation, ni les cyclones, ni les fièvres—n'était aussi redouté que l'incendie dans le Quartier français.

Les chanteurs restaient en scène mais, ici et là, des spectateurs inquiets se levaient et se hâtaient dans les travées obscures. Emile prit la main de Jeanette et lui chuchota:

— Nous allons partir, Catherine et moi. C'est peut-être chez nous qu'il y a le feu.

— Nous vous accompagnons, répondit Jeanette et elle se leva en faisant signe à Maggie de la suivre.

Ils se hâtèrent dans la rue tous les quatre, parmi la foule attirée par la lueur rougeoyante dans le ciel.

— Ce n'est pas à Royal Street, jugea Emile. C'est plus loin.

On dirait que c'est à Chartres.

Le cœur de Maggie se mit à battre la chamade. Victor !

Ils coururent le long des trottoirs étroits et quand ils tournèrent devant la cathédrale, Maggie plaqua ses mains sur sa bouche et cria:

– Oh mon Dieu ! C'est chez Victor !

Des flammes jaillissaient du toit et de la fumée se déversait en tourbillons par les portes-fenêtres du balcon. Dans la rue, les pompiers avaient sauté de leurs voitures et traînaient des tuyaux vers les bornes d'incendie.

Soudain Victor apparut au balcon du deuxième étage. Il avait les bras chargés et il se pencha en les écartant. Des carnets de croquis et des toiles sans cadre tombèrent dans la rue où des gens se dépêchèrent de les ramasser pour les mettre à l'abri.

– Victor ! glapit Maggie mais il rentra dans l'atelier. Victor !

Emile dut la saisir pour qu'elle ne se précipite pas dans la maison en flammes.

– Lâchez-moi ! Lâchez-moi !

Il la secoua, si fort que sa tête ballotta.

– Ne faites pas l'idiote ! hurla-t-il.

Elle s'abandonna et retomba contre lui en sanglotant. Victor reparut, traînant un grand tableau qu'il fit basculer sur la balustrade de fer forgé. Le vent s'empara de la toile qui dériva, se retourna et glissa sur le trottoir au moment où les lances commençaient à cracher de l'eau. Jeanette fendit la foule, se saisit d'un coin de la toile pour la préserver des flammes.

Victor enjamba la balustrade, tendit les bras vers une descente de gouttière et se laissa glisser au sol. Le tuyau grinça et un cri monta de la foule quand il parut se détacher du mur. Victor lâcha prise et tomba de près d'un étage mais quand les badauds se précipitèrent vers lui, il se releva, étourdi, mais sain et sauf. Maggie s'arracha aux mains d'Emile et courut vers lui, l'enlaça et le serra contre elle en sanglotant dans son cou.

– Le tableau, marmonna-t-il. Où est le tableau ?

Emmenant Maggie toujours cramponnée à lui, il se fraya un passage jusqu'à l'endroit où se tenaient Jeanette, Emile et Catherine.

– Le tableau ! demanda-t-il. Vous l'avez sauvé ?

La figure de Jeanette était dure comme de la pierre. A ses pieds gisait le portrait fini de Maggie, entièrement nue sur la méridienne.

— C'est une bonne chose qu'il s'en aille, déclara Jeanette en arpentant la chambre de Maggie, les dents serrées et les joues congestionnées. Je t'aurais interdit de le revoir ! Tes parents seraient scandalisés. Je te renverrais chez eux immédiatement s'il était possible de le faire sans aucune explication !

— Mais je l'aime, Jeanette, gémit Maggie.

— Tu es trop jeune pour comprendre ce que cela veut dire.

Jeanette regarda la jeune fille au cœur brisé et eut soudain pitié d'elle. Elle vint s'agenouiller au pied de son fauteuil et glissa un bras autour de sa taille.

— Ma chérie, ma petite fille, je sais ce que tu éprouves. Mon cœur saigne pour toi, mais c'est pour le mieux. Tu ne peux pas me croire maintenant, bien sûr. Mais d'ici un an, peut-être avant, tu sauras me remercier.

— Jamais ! sanglota Maggie. Je vous déteste. Je vous détesterai toujours pour ce que vous avez dit et fait !

Jeanette ne se vexa pas de ces paroles. Elle serra la jeune fille dans ses bras et la berça doucement, tout en sachant que rien ne pourrait la consoler:

— Pauvre Maggie... Pauvre Maggie... Pauvre petite...

XIII

Partout où leurs vagabondages les conduisaient, Dos et Lorna savaient toujours, avec un instinct infaillible, quand ils avaient lassé la patience de leurs hôtes. Au moment précis où le tavernier en avait assez des bagarres de Dos et où Lorna avait réussi à vider les poches des meilleurs joueurs de poker de la ville, ils faisaient leurs bagages, sellaient leurs chevaux et s'en allaient chercher fortune ailleurs.

Depuis leur départ du Lantana ils avaient parcouru en zigzag les territoires du Nouveau-Mexique et de l'Arizona, évaluant chaque nouvelle ville quand ils en longeaient la rue principale, jugeant du temps qu'il leur faudrait pour presser complètement le citron. Leur but était toujours la Californie mais ils ne se pressaient pas, attendant leur heure.

Partant de Prescott vers le nord, le couple campa une semaine au bord du Grand Canyon du Colorado puis tourna vers l'ouest dans le Nevada, en remontant vers Carson City pour traverser les Sierras avant les grosses chutes de neige.

Les fonds étaient plutôt bas et Lorna décida qu'il était temps de rechercher une autre partie de poker. Ils s'arrêtèrent dans une localité du nom de Parrita, une ancienne ville de la ruée vers l'or nichée au pied des montagnes, avec une population décroissante de mineurs endurcis, de femmes à la figure dure et d'une poignée de filles de saloon plus musclées que Dos.

Quand ils sortirent de leur garni et traversèrent la rue pour aller au saloon, Lorna regarda autour d'elle et annonça :

— Cette ville devrait être bonne pour deux cents dollars au moins. Assez pour nous amener à San Francisco en grande pompe.

— Tu deviens bien assurée, on dirait.

Lorna lança à Dos un coup d'œil aigu.

— En tout cas, grâce à moi, nous ne sommes pas morts de faim.

Dos dut le reconnaître. Il avait travaillé de temps en temps, comme vacher pour des ranchers à court de main-d'œuvre, mais les gains de Lorna au poker avaient surtout assuré leur subsistance. Elle connaissait malgré tout des revers de fortune, quand les cartes se dérobaient, et une ou deux fois ils en avaient été à leur dernière pièce d'or de vingt dollars. Mais la malchance ne durait jamais. Juste au moment où ils croyaient qu'ils allaient devoir vendre leurs chevaux — pour de bon cette fois — Lorna se remettait à gagner et ils quittaient la ville les poches pleines.

Ils entrèrent dans le saloon de Parrita, une sombre taverne sinistre avec une demi-douzaine de tables et un long comptoir. Il n'y avait pas de musique ce soir-là et les entraîneuses à l'air maussade étaient assises ensemble et bâillaient d'ennui.

Dos et Lorna se lancèrent dans leur numéro bien mis au point. Lorna flirta avec les mineurs, les cajola et les persuada de jouer aux cartes pendant que Dos restait en retrait, avec l'air penaud d'un homme qui se laisse dominer par sa femme.

— Je suppose que vous allez me mettre à sec, minauda-t-elle en battant maladroitement les cartes. Des riches mineurs comme vous, tout cousus d'or.

Les hommes rirent avec bonne humeur et un nommé Stu, monstrueusement barbu, coupa pour la donne de Lorna. Elle gagna le premier coup, le deuxième et le troisième. Puis son carré fut battu par une suite de Stu. Lorna siffla d'admiration et augmenta sa mise.

Dos regarda les six donnes suivantes grignoter presque tous ses gains. Puis elle gagna encore, modestement, et il la vit sourire avec confiance.

Mais Stu causa sa perte et le reste de la soirée fut une catastrophe. Chaque fois qu'elle avait une paire, il tenait un brelan. Quand elle montait sur un full, il avait une suite, et quand elle avait une suite il étalait une suite couleur.

Dos essaya de la persuader de quitter la table mais elle serra les dents et frappa pour réclamer ses cartes. Et elle fut encore battue par Stu.

Ils s'en allèrent enfin. Dos la prit à l'écart pendant que les mineurs les observaient avec amusement.

— Ce n'est pas ton soir. Tirons-nous d'ici, grinça-t-il entre ses dents.

Mais Lorna refusa d'écouter.

— J'ai connu pire. C'est ce foutu Stu, caché derrière sa barbe ! Si je voyais sa figure, je saurais ce qu'il pense !

— Partons, Lorna. Encore deux minutes, et nous serons complètement à sec.

Elle se hérissa.

— Ce serait bien la première fois !

Il était plus de minuit quand ils regagnèrent leur chambre d'un pas lourd. Dos était furieux.

— Eh bien, tu es finalement arrivée à tes fins. Tu ne nous as pas seulement mis à sec mais à pied !

Lorna fondit en larmes.

— Jamais plus je ne jouerai avec un barbu !

— Tu aurais dû savoir t'arrêter, Lorna. Enfin quoi, quand l'argent commence à filer, il est temps de quitter la table. Bon Dieu, tu as perdu nos selles, nos chevaux... si je ne t'avais pas obligée à partir, tu aurais joué nos frusques !

Elle se jeta dans ses bras.

— Je suis désolée, Dos ! Pardon ! J'aurais tant voulu gagner !

Il se radoucit, lui caressa la tête et la laissa pleurer sur son épaule.

— J'ai tellement honte, sanglota-t-elle. Je me suis laissée emporter. Je n'arrivais pas à croire que la chance m'avait complètement abandonnée. Une donne de plus... si seulement j'avais pu tenir une donne de plus...

— Oui, et rien à nous mettre sur le dos !

Elle releva la tête et vit qu'il souriait.

— Tu ne me détestes pas ?

— Mais non.

— Tu en aurais le droit.

— Je ne te déteste pas.

Il n'avait jamais été aussi près de lui dire qu'il l'aimait. Elle enfouit sa figure contre sa poitrine et se remit à pleurer.

— Allons, sèche tes larmes, Lorna. Ce n'est pas la fin du monde. Nous avons connu bien pire. Souviens-toi du Mexique, quand nous avons été capturés par Escobar et sa bande. Pense à l'incendie.

Elle renifla, peu convaincue.

— Mais qu'est-ce que nous allons faire ? Nous n'avons même pas un cheval à nous deux !

Il resta silencieux un moment, la serrant contre lui, lui passant une main dans les cheveux.

— Nous allons faire ce qui nous réussit le mieux.

Lorna releva la tête, une lueur d'espoir dans les yeux.

— Quoi donc ?

— Est-ce que tu n'aurais pas remarqué par hasard, en entrant en ville, une petite banque au coin de la rue ? demanda Dos en souriant.

— Nous avons encore nos fusils ! s'exclama-t-elle, et elle se mit à rire.

— Qu'est-ce qu'il y a de drôle ?

— Je les avais complètement oubliés. Sinon, je les aurais également joués.

Le lendemain matin, Dos et Lorna volèrent de sang-froid près de trois mille dollars à la banque de Parrita. S'emparant de deux chevaux attachés dans la rue, ils s'enfuirent au galop avant que le caissier puisse se délivrer de ses liens et appeler au secours. Ils voyagèrent toute la journée, laissant les montagnes derrière eux pour pénétrer dans une magnifique vallée paisible. L'hiver s'annoncerait dans quelques semaines, mais il faisait un temps splendide, d'une fraîcheur vivifiante, avec un ciel sans nuages aussi bleu que celui du Texas.

Quand ils laissèrent enfin souffler les chevaux, Dos écarta les bras, renversa la tête en arrière et cria :

— Dieu, ça fait du bien d'être riche !

Lorna rit et lui prit la main. Il la serra contre lui et l'embrassa.

— Nous allons t'acheter des robes, Lorna. Et des vêtements pour moi aussi. Nous ne pouvons pas nous présenter à Frisco comme des vagabonds sortant d'une meule de foin.

— Nous devrons faire attention, Dos. La police va nous rechercher.

Dos réfléchit un moment, mâchonnant un brin d'herbe sèche, le regard tourné vers l'horizon de l'ouest, et finit par concevoir un plan.

Le lendemain, de bonne heure, sous le regard inquiet de Lorna, il affûta son couteau du mieux qu'il put et se rasa la barbe.

— Ça me fait de la peine que tu t'en sépares, murmura-t-elle.

— J'avoue que je m'y étais un peu habitué.

— Elle était toute douce et j'aimais bien qu'elle me chatouille quand tu m'embrassais.

Dos s'interrompit un instant et sourit.

— Quand les choses se seront tassées, je la laisserai repousser.

Lorqu'il eut fini, il rengaina son couteau et sella son cheval.

– Tu vas m'attendre ici, Lorna, et tâche de ne pas avoir peur. Je vais aller à Sacramento et revenir le plus vite possible. Nous aurons alors de beaux habits et nous n'aurons plus rien de commun avec ces deux vauriens qui ont pillé la banque de Parrita.

– Achète-moi quelque chose de joli.

– C'est bien mon intention !

– Eh Dos... Rapporte-moi une boîte de poudre de riz et un pot de rouge.

Dos fit la grimace.

– Tu crois, Lorna ! Je vais me sentir ridicule, en achetant des trucs comme ça !

– Et du parfum !

Il soupira, sachant qu'elle arriverait à ses fins.

– Quel genre de parfum ?

– Tu choisiras. C'est toi qui le sentiras.

Il talonna son alezan et partit au grand trot vers Sacramento. Lorna passa la journée dans le petit bois où ils avaient campé la veille au soir. Vers le début de l'après-midi le ciel se couvrit, et bien avant le coucher du soleil il s'assombrit comme au crépuscule. Elle avait promis à Dos de ne pas avoir peur mais quand la nuit tomba, elle commença à s'inquiéter. Elle imaginait des ours autour d'elle, des loups, même !

Un bruit lointain la fit sursauter. Elle tendit l'oreille et s'efforça de percer les ténèbres. Rien... Puis elle distingua un point lumineux, une lueur jaune qui dansait au loin et bientôt elle perçut un faible martèlement de sabots. Et autre chose, un grincement de roues de chariot.

Lorna flatta son cheval et lui donna une poignée de sucre pour le faire tenir tranquille. Puis, avec précaution, elle retira son fusil des fontes et se plaqua contre un tronc d'arbre. La lanterne se rapprocha en se balançant dans la nuit. Ne sachant trop si elle aurait le courage de tirer, Lorna arma son fusil et attendit.

Le grincement se tut, la lanterne s'immobilisa. Lorna entendit alors un léger sifflement, deux notes brèves et une longue, le cri de l'engoulevent. Elle se figea. Le cri se répéta.

Elle leva son fusil et le braqua sur la lanterne.

– Pour l'amour de Dieu, Lorna, c'est moi ! Dos. Où est-ce que tu te caches ?

– Tu as failli me faire mourir de peur ! lui cria-t-elle, et elle courut se jeter dans ses bras.

Il la souleva et la fit tournoyer en riant.

– Ainsi, tu as fini par avoir peur quand même !

— A ma place tu aurais été terrifié aussi ! Toute seule dans le noir avec tous ces loups !

— Des loups ?

— Une horde ! Je n'en ai jamais vu autant.

Dos ne la crut pas un instant mais il la garda dans ses bras et murmura à son oreille jusqu'à ce qu'elle se calme.

— Tu vois ce que j'ai acheté ? demanda-t-il.

Elle cligna des yeux dans l'ombre.

— Un chariot ?

— Un chariot ! protesta-t-il, outré. Jamais de la vie ! Nous sommes trop riches pour un chariot. Je nous ai acheté un cabriolet flambant neuf, à capote de cuir et à quatre places, exactement comme celui de maman !

Ils passèrent encore une nuit sous les arbres, à s'étreindre et à dormir enlacés. Au lever du soleil, Lorna se tourna et prit la tête de Dos entre ses mains.

— Tu as l'air tout nu sans ta barbe, dit-elle en embrassant ses joues piquantes. Mais tu es encore rudement beau.

Dos sourit avec bonheur et la serra contre lui, le nez dans ses cheveux qui conservaient des traces de parfum de lilas qu'il lui avait rapporté.

— Mmm, tu sens comme une prairie au printemps, murmura-t-il.

— J'espère que tu veux parler d'une prairie pleine de fleurs, pas d'un vieux pâturage couvert de bouses de vaches !

Plus tard, quand ils furent revêtus de leurs habits neufs, Dos se rappela quelque chose. Il retourna au cabriolet, fouilla un moment et revint avec un numéro du *Sacramento Bee*.

— Nous avons fait la une, Lorna, annonça-t-il en dépliant le journal.

— Lis-le-moi !

Elle s'assit à côté de lui et regarda par-dessus son épaule, bien qu'elle ne pût lire un mot du texte.

« Banque volée à Parrita, lut-il. Une paire d'individus de mauvaise mine, armés de fusils, s'est emparée à la banque de Parrita de plus de quatre mille dollars hier, au cours d'un raid matinal audacieux... »

Il s'interrompit et se tourna vers Lorna.

— Quatre mille dollars ! Je te demande un peu, est-ce que nous irions confier notre argent à une banque qui ne sait pas mieux compter que ça ?

Lorna pouffa.

— Qu'est-ce qu'ils disent encore ? Est-ce qu'ils parlent de nous ?

— Ils n'y sont pas du tout. Ecoute ça : « L'homme, un desperado à la barbe blonde et aux yeux fous, a ligoté le caissier pendant que sa compagne, une petite Indienne de douze ans à peine, braquait un fusil Remington... » D'abord, je n'ai pas les yeux fous !

— Mais tu es un desperado.

— Ma foi... là, ils n'ont fait que deviner. Pour les gens de Parrita, nous n'étions qu'un couple de vagabonds de passage. D'ailleurs, tu n'es pas une Indienne et tu as bien plus de douze ans.

— Et c'était une Winchester que je braquais.

— Tu vois, on ne peut pas croire ce qu'on lit dans les journaux. Ils racontent n'importe quoi, si tu veux mon avis. J'ai presque envie de leur écrire pour mettre les choses au point.

— Oh oui, Dos, fais-le ! Dès que nous serons à Sacramento, envoie une lettre à ce journal !

Deux jours plus tard, la missive suivante parut dans le *Bee*.

Monsieur le rédacteur en chef,

Dans l'intérêt de la vérité, je tiens à soumettre les rectifications suivantes : j'ai attaqué la banque de Parrita en compagnie de mon jeune frère, qui est fâché qu'on le décrive comme une petite Indienne de douze ans. C'est un jeune homme de seize ans qui a choisi de se déguiser en fille. De plus, nous n'avons emporté que cinq cents dollars. Si vous vous demandez où est passé le reste, je vous suggère d'avoir une bonne conversation avec le caissier.

« Nous sommes des immigrants de fraîche date dans la région et nous nous attendons à ce qu'on parle souvent de nous dans vos colonnes. Nous espérons humblement qu'à l'avenir vous rapporterez les faits sans les déformer.

« Avec mes sincères salutations,

Le Loup

— Le Loup ! s'écria Lorna quand Dos relut sa lettre. Où est-ce que tu as trouvé un nom pareil ?

— Dans cette horde de loups qui a failli te dévorer.

Elle rit joyeusement en serrant la feuille de papier contre sa poitrine.

— Ah ! que je regrette de n'être jamais allée à l'école ! J'aurais tant voulu lire cette lettre moi-même !

Pendant deux mois, Dos et Lorna vécurent dans le luxe, dans le plus bel appartement du Hayden House de Sacramento. En public, Lorna se comportait avec toute l'aisance et la nonchalance d'une femme habituée à la richesse. Mais en privé, elle ne cessait de s'exclamer et de manifester son admiration. « Regarde ces rideaux, Dos ! Tâte-les ! Tu crois que c'est de la vraie soie ?... Et ce lustre ! Je suis sûre qu'il est en cristal. Quand il y a un rayon de soleil dessus, on peut voir de petits arcs-en-ciel sur toutes les pendeloques ! Tu te rends compte ? Lorna Rivers avec un lustre de vrai cristal au-dessus de sa tête ! »

Elle se moquait de Dos parce qu'il mangeait du bœuf tous les soirs tandis qu'elle goûtait et savourait du homard, du saumon fumé, des saltimbocca et du canard de Pékin. Elle adorait les desserts et suffoquait les garçons en en commandant deux ou trois, des babas, des soufflés, des clafoutis.

— Tu vas grossir, avertit Dos.

— Tant mieux, répliquait-elle, la bouche pleine. J'en serai ravie.

Et Dos était heureux pour elle aussi.

Toutes les deux ou trois semaines, une nouvelle lettre paraissait dans le *Sacramento Bee*, pour rectifier les erreurs à propos du dernier vol d'une petite banque de la région. Et toutes étaient signées : « Le Loup ».

— Nous devenons célèbres, dit un soir Lorna après avoir entendu des voisins de table parler de la « Horde des Loups », comme on les appelait tous les deux.

— Trop célèbres, grogna Dos. Je crois qu'il est temps de repartir.

— Oh non, Dos ! Je me sens tellement chez moi au Hayden House. C'est ma première vraie maison !

— Un hôtel n'est pas une maison, voyons.

— Oui, mais jamais je ne suis restée si longtemps dans le même endroit.

— Il n'empêche. Nous allons nous faire repérer si nous nous attardons trop. Et n'oublie pas ce qu'Escobar nous a dit...

— De ne pas pomper le puits jusqu'à ce qu'il soit à sec ?

Dos hocha la tête.

— Je crois que nous avons soutiré le maximum à ce territoire.

Lorna fit grise mine et laissa sa tranche napolitaine fondre sur son assiette.

— Tu ne crois pas qu'il serait enfin temps d'aller voir Frisco ? insista-t-il.

Elle retrouva aussitôt son sourire.

— Nous pourrons acheter une maison ?

— Pourquoi pas ? Nous sommes si riches que je m'étonne de ne pas avoir mal à la tête.

— Une vraie maison ? Avec un jardin et une clôture ?

— Aussi haute que tu voudras.

Elle battit des mains.

— Alors, partons vite !

ridiculer, Dos ! Peut-être [illegible] ! Tu crois que c'est de la vraie soie ? Et ce lustre ? Je suis sûre qu'il est en cristal. Quand il y a un rayon de soleil dessus, on [illegible] de [illegible] toutes les [illegible] ! Tu te rends compte ? Lorna [illegible] avec un lustre de cristal au-dessus de sa tête ! »

Elle se moquait de Dos, parce qu'il mangeait, ou plutôt tous les [illegible] qu'elle pouvait et savourait du homard, du saumon fumé, des vol-au-vent et du canard de Pékin. Elle adorait les desserts et s'offrait [illegible] deux ou trois des babas, des soufflés, des chocolats...

– Tu vas grossir, avertit Dos.

– Tant mieux, continuait-elle, la bouche pleine. J'ai eu faim toute ma vie. Et Dos s'en réjouissait pour elle aussi.

Toutes les deux ou trois semaines, une notice [illegible] paraissait dans le *Sacramento Bee*, pour rectifier les erreurs à propos du dernier vol d'une petite banque de la région. Les notices étaient signées : « Le Loup ».

– Nous devrions arrêter, dit un soir Lorna après avoir mangé des [illegible] de table, parler de la bande des Loups, comme on [illegible] tous les deux.

– Trop célèbre, grogna Dos. Je crois qu'il est temps de repartir.

– Oh non, Dos ! Je me sens si heureuse ici, au Hayden Hotel. C'est ma première vraie maison !

– Un hôtel n'est pas une maison, voyons.

– C'est vrai, mais je ne suis restée si longtemps dans le même endroit.

– Ça n'empêche. Nous allons nous faire repérer si nous nous attardons trop. Le public pense qu'il est [illegible] pour le Loup.

– De ne pas pomper le [illegible] jusqu'à ce qu'il soit à sec ? Dos hocha la tête.

– Je crois que nous avons suffi. Le maximum à ce territoire.

Lorna [illegible] mine et laissa [illegible] tomber sur son assiette.

– Tu ne crois pas qu'il serait temps d'aller vers l'est ? insista-t-il.

Elle retrouva aussitôt son sourire.

– Nous pourrions acheter une maison ?

– Pourquoi pas ? Nous sommes si riches que je m'étonne de ne pas avoir mal à la tête.

– Une vraie maison ? Avec un jardin et une [illegible] ?

– Aussi haut que tu voudras.

Elle battit des mains.

– Alors, partons vite !

1895

XIV

Maggie inquiétait beaucoup Jeanette Drouet. Elle avait remarqué, depuis quelques semaines, que la jeune fille volait de l'argent dans son sac... de petites sommes, mais qui finissaient par s'accumuler et l'ensemble se montait maintenant à plus de cinquante dollars.

Et puis, un matin, elle s'aperçut de la disparition d'une bague en topaze de sa boîte à bijoux. Angoissée, perplexe, elle comprit qu'elle ne pouvait laisser passer cela. Il lui fallait parler à Maggie. Elle redoutait cependant cette confrontation.

Quand Maggie revint de ses cours, Jeanette prit son courage à deux mains et monta la voir dans sa chambre. Elle la trouva très pâle, mais guère plus que depuis quelques semaines. Jeanette croisa les mains et fit un effort pour se maîtriser.

— Maggie chérie, je pense que nous devrions avoir une petite conversation.

Maggie ouvrit de grands yeux et ne répondit pas.

— Tu sais que je t'aime autant que si tu étais ma propre fille. Et rien de ce que tu peux faire n'y changera quoi que ce soit.

La jeune fille hocha imperceptiblement la tête.

— Maggie chérie, est-ce que tu n'as pas quelque chose à me dire ?

Maggie eut soudain l'air effrayé et sa voix chevrota quand elle répondit :

— Non, Jeanette.

— Tu en es sûre... absolument sûre ?

Maggie répliqua d'un nouveau hochement de tête.

— Ce serait plus facile si tu me le disais... Plus facile pour toutes les deux.

— Il n'y a rien, Jeanette, je vous le promets.

Jeanette regarda Maggie dans les yeux. Il était évident qu'elle mentait, mais soudain Jeanette perdit son courage et ne put se résoudre à révéler sa découverte. Poussant un profond soupir, elle retourna vers la porte.

— Chérie, je crois qu'il y a vraiment quelque chose que tu as besoin de me confier. Je sais déjà ce que c'est. Mais si tu ne tiens pas à me le dire maintenant, j'attendrai. Quand tu auras envie que nous en parlions, viens me voir.

Maggie la laissa sortir de la chambre sans dire un mot. Mais dès que la porte se fut refermée, elle se jeta sur son lit et s'abandonna à son désespoir, le corps secoué de sanglots déchirants. Comment Jeanette peut-elle savoir ? se demandait-elle. Comment peut-elle savoir alors que je viens à peine de l'apprendre ?

Une voix se répercutait dans sa tête, celle du médecin qu'elle était allée voir dans son petit cabinet sinistre d'Irish Channel. « Cela ne fait aucun doute, ma petite dame, avait-il dit presque jovialement. Vous êtes enceinte. D'au moins trois mois. Ça va bientôt se voir. »

Quand elle avait fondu en larmes, il s'était levé pour venir se pencher sur elle et lui parler à mi-voix:

— Si vous ne voulez pas du bébé, je peux vous aider.

— Mais comment ? gémit Maggie.

— Je pourrais vous en débarrasser.

— Mais qu'est-ce qui m'arrivera en attendant ?

— Non, vous ne comprenez pas. Je peux pas vous en débarrasser tout de suite.

Maggie vit enfin ce qu'il voulait dire.

— Vous êtes jeune, insista-t-il, il n'y aurait pas de danger. Je puis vous l'affirmer. Cependant, cela coûtera gros.

— Combien ?

— Je ne pourrais pas le faire pour moins de cent dollars, dit le médecin en jugeant, d'après les vêtements élégants de Maggie, qu'elle pourrait payer ce tarif exorbitant. Si vous pouvez trouver l'argent, revenez me voir. Mais je vous préviens, n'attendez pas trop.

Maggie était sortie en chancelant, trop accablée pour se soucier des passants qui se retournaient en la voyant remonter St. Charles Avenue en pleurant. Et le lendemain matin, elle avait volé pour la première fois de l'argent dans le sac de Jeanette.

A présent, croyant que Jeanette avait découvert sa grossesse, Maggie était certaine que ce ne serait qu'une question de quelques jours avant qu'elle avertisse Anne et Alex ! Jamais ! Anne serait scandalisée, elle ne le lui pardonnerait pas. Et Alex ! Il aurait le cœur brisé...

Après l'incendie de l'atelier de Victor, où Jeanette avait vu le portrait, Maggie s'était attendue à ce qu'elle écrive immédiatement à ses parents. Mais Jeanette et elle avaient conclu une sorte de trêve, un accord tacite, et la question demeura un délicat secret. Mais maintenant Jeanette n'aurait plus le choix ! Elle révélerait tout, fatalement !

Maggie se dressa soudain sur son lit, en proie à l'exaltation. Je vais rejoindre Victor ! C'est le seul moyen. Il s'occupera de moi, il m'épousera et je pourrai garder mon bébé. Cette résolution lui donna des forces. Elle quitta le lit et sécha ses pleurs. Prenant une petite valise sur le dessus de son armoire, elle la remplit le plus possible et la cacha dans le meuble.

Ce soir-là, quand Lavella vint frapper à sa porte pour lui annoncer le dîner, Maggie la renvoya en disant qu'elle n'avait pas faim. Puis ce fut Jeanette qui monta et entra, l'air soucieux.

— Maggie, ma chérie, nous devons aller au fond de cette affaire.

Maggie la considéra avec méfiance et garda le silence. Jeanette secoua la tête.

— Je crois que le mieux serait de consulter un médecin. Je vais prendre rendez-vous dès demain.

Maggie parvint à se maîtriser mais elle savait maintenant qu'elle n'avait plus le choix. Le médecin de Jeanette confirmerait certainement le diagnostic, et alors le pire risquerait d'arriver ! Elle attendit que Jeanette soit couchée puis, laissant un mot griffonné à la hâte sur son oreiller, elle s'enveloppa dans son manteau le plus chaud, retira sa valise de l'armoire et descendit sans bruit.

En bas, elle se dirigea vers la porte de service, près des chambres de domestiques. Une latte grinça sous ses pas et elle entendit la voix ensommeillée de Lavella qui grognait :

— Qui se promène dans le couloir ?

Maggie se glissa dehors, à l'instant où la porte de Lavella s'ouvrait, et traversa rapidement le jardin.

La nuit était froide et humide, la brume formait des halos autour des réverbères. Au bas de l'avenue, Maggie attendit impatiemment un tramway.

Une heure plus tard, elle était dans le train de nuit, en route pour New York.

Maggie fut parmi les derniers passagers à débarquer quand le vapeur accosta au Havre. Elle avait eu de la chance en arrivant à New York et avait pu trouver un paquebot en partance pour la France, mais elle ne s'était pas doutée que ses maigres fonds ne pourraient payer qu'une cabine à fond de cale qu'elle devait partager avec cinq autres femmes. Elle n'avait pas compté non plus sur la tempête qui l'avait clouée, malade et misérable, sur sa couchette pendant toute la traversée.

Une fois sur le quai, Maggie constata que le soleil avait de nouveau disparu, caché par de lourds nuages bas que le vent poussait de la Manche. Grâce aux bonnes leçons de français du Sacré Cœur, elle n'eut aucun mal à prendre un billet de troisième classe pour Paris, qui épuisa presque tout son argent. Quand elle monta dans le train et prit place sur la banquette de bois, elle ferma les yeux avec lassitude en espérant que le pire était passé.

Le wagon bringuebalait bruyamment dans la campagne normande mais Maggie ne s'intéressait pas au paysage; le balancement l'avait endormie et quand elle ouvrit les yeux le train entrait dans la gare Saint-Lazare, à Paris.

Traînant sa petite valise, elle se fraya un passage dans la foule et trouva dehors une rangée de fiacres. Elle donna au cocher l'adresse de Victor. Tout en roulant, elle prit un petit miroir dans son sac et s'examina dans la pénombre. Elle fut atterrée de constater les ravages du mal de mer. Ses joues étaient creuses, ses yeux cernés de fatigue, son teint blême. Elle se mordit les lèvres pour leur donner un peu de couleur et glissa sous son chapeau quelques mèches rebelles. Puis, avec un soupir résigné, elle rangea le miroir et s'abandonna à son destin.

Le fiacre franchit un pont et s'arrêta dans l'île Saint-Louis, devant l'hôtel particulier de Victor, une demeure ancienne en pierre grise. En se penchant, Maggie vit une plaque de cuivre sur la porte, portant son nom : VICTOR DURAND.

Le cocher l'aida à descendre et elle gravit lourdement les marches du perron, hésitant un moment avant de soulever le heurtoir. Enfin elle se décida et bientôt elle entendit des pas dans un vestibule et la porte fut ouverte par la bonne de Victor, une grosse femme d'un certain âge au grand tablier blanc amidonné.

— Oui, mademoiselle ?

— Je voudrais voir M. Durand.

— C'est de la part de qui ?

— Maggie Cameron.

La bonne la laissa sur le seuil et disparut. Une minute plus tard, Victor fit irruption dans le vestibule.

— Victor ! s'écria-t-elle en courant se jeter à son cou.

Mais il recula et la maintint à bout de bras. Il était très pâle, ses yeux sombres avaient une expression hagarde et il la dévisageait fixement.

— Mon Dieu ! Ce n'est pas possible !

Le cœur de Maggie se serra.

— Victor, dis-moi que tu es heureux de me voir ! Mens s'il le faut ! Je ne pourrai pas le supporter, si tu me dis que tu regrettes que je sois venue !

— Ah ! Maggie, souffla-t-il, sourd à ses supplications. Comment as-tu pu faire une chose pareille ? Ça pourrait être un désastre !

Le fiacre commençait à s'éloigner et Victor, repoussant Maggie, bondit sur le trottoir en criant:

— Cocher ! Attendez !

Empoignant Maggie par le bras, il la traîna hors de la maison et la fit monter en voiture puis, après un mot marmonné au cocher, il sauta à côté d'elle.

— Mais que se passe-t-il, Victor ? Où allons-nous ? s'étonna-t-elle en le regardant, lui trouvant l'air plus effrayé que fâché. J'aurais dû t'avertir de mon arrivée mais je n'ai pas eu le temps. Je suis partie avant qu'on puisse m'en empêcher.

— Tu ne l'as dit à personne ?

— J'ai laissé un billet, mais je n'ai pas dit où j'allais.

— Alors tu dois câbler immédiatement et dire que tu reprends tout de suite le bateau.

Maggie poussa un cri. Elle s'était préparée à la colère de Victor, elle avait compris son choc, mais l'idée ne lui était jamais venue qu'il pourrait la renvoyer.

— Je... je ne peux pas repartir, Victor, murmura-t-elle entre deux sanglots.

Victor parut se radoucir. Il lui glissa un bras autour de la taille et l'attira contre son épaule. Comme dans un rêve, elle sentit de nouveau l'odeur de peinture et d'huile qui imprégnait ses cheveux, cette senteur particulière qu'elle avait appris à aimer.

Le fiacre s'arrêta.

— Où sommes-nous ? demanda Maggie en ravalant ses larmes.

— C'est l'hôtel où tu vas demeurer.

— Pourquoi est-ce que nous ne pouvons pas être ensemble ?

— Il n'en est pas question, Maggie. Je ne peux pas te l'expliquer pour le moment. Tiens, dit-il en lui tendant son mouchoir, essuie-toi les yeux. Je vais aller te prendre une chambre.

Il revint au bout d'un moment avec un portier qui prit la valise.

— Va avec lui, Maggie.

— Tu me laisses ici toute seule ? s'écria-t-elle.

— Pas pour longtemps, promit Victor. Mais maintenant je dois rentrer, j'ai un rendez-vous. Je ne peux pas le remettre. Je te l'avais dit, à la Nouvelle-Orléans, j'ai énormément de travail, trop de travail...

— Quand vas-tu revenir ?

— Je n'en ai aucune idée.

— Mais ce soir ?

— J'essaierai.

— Demain ?

— Oui, oui. Demain, certainement.

Il l'embrassa sur la joue et lui répéta de suivre le portier.

La chambre du premier étage donnant sur la rue était triste et froide et le vent d'hiver gonflait les rideaux devant la fenêtre mal fermée. Manquant d'énergie et de volonté pour défaire sa valise, Maggie s'assit dans un fauteuil avachi, attendant en vain le retour de Victor.

Elle s'assoupit un peu, réveillée de temps en temps par le crépitement de la pluie sur les carreaux. Un moment donné, elle rêva que Victor était revenu, elle ouvrit les yeux le cœur battant mais se retrouva seule dans l'obscurité. Enfin, vers quatre heures du matin, elle se leva du fauteuil, tout ankylosée, et s'allongea sur le lit sans se déshabiller.

Victor ne reparut que le lendemain vers midi. Le petit déjeuner de Maggie, un bol de café au lait et un croissant, était intact sur la table de chevet.

— Je n'avais pas faim, murmura-t-elle en réponse à son regard interrogateur.

— Il faut que tu manges quelque chose, Maggie ! Je connais un petit café au coin de la rue...

— Victor, j'ai besoin de te parler.

Il regarda par la fenêtre, signifiant clairement qu'il préférait éviter cette conversation.

— Tu es si mystérieux, Victor... si froid. Pas du tout comme l'homme que j'ai connu à la Nouvelle-Orléans.

Quand il se retourna, elle surprit son expression agacée.

— C'était une telle surprise de te trouver là, Maggie...

— Tu devrais en être revenu.

— ... et puis je suis si occupé.

— Trop occupé pour avoir du temps à me consacrer ?

Il parut presque soulagé que Maggie le dise elle-même.

— Je savais que tu comprendrais ! Tu vois maintenant quelle fâcheuse idée tu as eue de me suivre jusqu'ici. Je n'ai de temps que pour mon travail.

— Tu travaillais bien à la Nouvelle-Orléans, mais tu prenais quand même sur ton temps.

— Ah, mais la Nouvelle-Orléans, c'est différent, c'est une petite ville. La vie y est lente. On travaille peu et on s'amuse beaucoup. Paris est plutôt comme New York. Il faut aller vite pour s'y défendre.

— Et je te gênerais, s'écria Maggie en rougissant de colère.

Il traversa vivement la pièce pour venir lui prendre les mains.

— Tu ne peux pas rester ici, Maggie, je n'aurais pas une minute à te consacrer. Tu resterais seule la plupart du temps et Paris est un endroit terrible pour une jeune femme seule, surtout une étrangère. Tu risques de t'égarer dans des quartiers mal famés où n'importe quoi pourrait...

— Alors, tu veux que je retourne à la Nouvelle-Orléans.

Victor sourit, visiblement soulagé.

— Pour ton bien, ma chérie ! Je vais prendre ton billet cet après-midi.

— Et si je te disais que je ne peux pas ?

— Comment donc, tu ne peux pas ? Bien sûr que si ! Naturellement tes parents seront fâchés, Jeanette aussi. Mais ils le seraient encore plus si tu restais.

— Ce n'est pas ce que je voulais dire.

Il la dévisagea en silence.

— Je suis enceinte, Victor.

Elle l'observa avec attention. Elle vit ses traits s'affaisser et dans ses yeux cette curieuse tristesse qu'elle y avait si souvent surprise. Il s'approcha et la prit dans ses bras, en la berçant comme une enfant.

— Je comprends, murmura-t-il. Non, je suppose que tu ne peux pas t'en retourner maintenant.

Quand Victor l'eut quittée précipitamment en promettant vaguement de trouver une solution, Maggie resta dans la chambre. L'après-midi passa et quand la nuit arriva la pluie se remit à tomber derrière la fenêtre où elle guettait le retour de Victor. Il avait promis de revenir mais n'avait pas dit quand.

Finalement, incapable de supporter plus longtemps l'affreuse solitude, Maggie enfila son manteau et descendit, bien résolue à aller retrouver Victor. Elle demanda au concierge comment se rendre dans l'île Saint-Louis.

— Je vais vous faire chercher un fiacre, mademoiselle.

— Non, merci, répondit-elle en songeant à sa bourse plate. J'ai envie de marcher.

— Mais il pleut, mademoiselle... Il fait froid.

Elle ne répondit pas. Elle attendit les explications, tourna les talons et quitta l'hôtel. Le froid piquant lui coupa le souffle et elle resserra autour de son cou le col de son manteau. Au début, la pluie se réduisit à un simple crachin mais au bout d'un moment il se transforma en grésil qui lui cingla les joues et rendit les trottoirs glissants. Elle marchait lentement, avec prudence, et s'abritait de temps en temps sous une porte cochère.

Elle se sentait fiévreuse, les jambes lourdes, grelottante, et devait s'arrêter de plus en plus souvent pour se reposer. Quand elle atteignit la Seine, la pluie redoubla. Elle se força à franchir le pont sous l'averse et quand elle atteignit enfin l'hôtel particulier de Victor, elle eut du mal à soulever le heurtoir une fois, deux fois, avant de laisser retomber son bras d'un geste las. Elle attendit une éternité, lui sembla-t-il, avant que la bonne vienne lui ouvrir.

— Durand, bredouilla-t-elle en claquant des dents.

La domestique la toisa avec méfiance. Les cheveux de Maggie, trempés de sueur et de pluie, se plaquaient sur ses joues. Elle était pâle comme une morte, ce qui faisait paraître ses yeux plus brillants et les cernes plus sombres.

— Attendez là, grommela la bonne.

— Qui est-ce, Yvette ? demanda une voix lointaine.

— Quelqu'un qui demande après monsieur, répondit Yvette en s'écartant.

Maggie vit une femme entrer dans le vestibule. Elle était brune, très belle, avec un visage d'un ovale parfait encadré de boucles soyeuses. Sa robe de soie bruissait doucement; elle s'avança vers la porte et sa broche de brillants étincela à la lumière du plafonnier.

Maggie regarda fixement cette ravissante jeune femme. Elle ouvrit la bouche pour parler mais la voix lui manqua.

— Vous êtes un des modèles de Victor ? demanda l'inconnue. Vous avez posé pour mon mari ?

Maggie chancela comme si elle avait reçu une gifle et se cramponna à la balustrade du perron pour ne pas tomber.

Ainsi il était marié ! Il l'était déjà, là-bas, à la Nouvelle-Orléans !

Mme Durand la considérait avec étonnement, en se demandant si cette jeune femme avait bu. La plupart des filles qui posaient pour son mari étaient de pauvres créatures des faubourgs, guère mieux que des prostituées, et elle savait que beaucoup noyaient leurs malheurs dans l'absinthe. Elle avait toujours eu pitié d'elles, sans pour autant comprendre leur manière de vivre. Il était évident pour elle que celle-ci avait des ennuis, car elle tremblait violemment et avait le front moite de sueur.

— Vous êtes un des modèles de mon mari ? répéta-t-elle.

Maggie songea à la Nouvelle-Orléans, aux après-midi passés dans l'atelier de Victor, nue sur la méridienne...

— Oui, souffla-t-elle, j'ai posé pour lui.

— Etes-vous malade ?

Maggie hocha vaguement la tête.

— Donnez-moi votre nom, dit gentiment Mme Durand. J'enverrai Yvette chercher mon mari.

Mais Maggie ne répondit pas. La figure hagarde, elle recula sur les marches et s'enfuit aussi vite qu'elle le put. A ce moment, Victor rejoignit sa femme et la bonne à la porte. Il suivit leurs regards et aperçut Maggie alors qu'elle tournait au coin de la rue dans la lueur d'un réverbère.

— C'est un de tes modèles, lui dit sa femme. Tu dois courir après elle. Elle est malade.

Sans prendre la peine d'aller chercher son manteau, Victor se précipita. Arrivé au coin de la rue, il regarda de tous côtés dans l'obscurité.

— Maggie !

Il n'entendit aucune réponse mais il distingua une petite silhouette qui se traînait un peu plus loin. Quand il arriva à la rue suivante, elle avait disparu.

— Maggie !

Il choisit au hasard une rue descendant vers la Seine et se mit à courir.

Comme Maggie arrivait sur le pont, elle fut saisie d'une violente quinte de toux et s'appuya contre le parapet, les mains crispées sur sa poitrine en feu. Vacillante, le souffle court, elle avança en s'appuyant lourdement sur la pierre froide.

Le silence l'entourait à peine entrecoupé par le léger clapotis de l'eau contre les piles du pont. Jamais elle n'avait éprouvé une telle douleur, jamais elle ne s'était sentie aussi glacée. Penchée sur le parapet, elle contempla le fleuve sombre et luisant dans la brume d'hiver. L'eau paraissait lui faire signe, lui promettre la paix, le soulagement de toutes ses peines.

Victor arriva au coin du quai au moment où Maggie se hissait pour enjamber le parapet.

— Non, Maggie ! Attends !

Mais elle ne l'entendit pas. Le fleuve était beau, accueillant. Elle prit appui sur ses deux mains et, avec ses dernières forces, elle se repoussa du pont.

Pendant quelques instants, elle se sentit planer dans les airs. Puis, plongeant les pieds en avant, elle tomba dans l'eau. Elle refit surface, roula sur le dos et se laissa emporter par le courant. Elle ne ressentait dans son cœur que de la reconnaissance et une grande délivrance.

Victor dévala les marches du quai en fouillant fébrilement des yeux le fleuve baigné de brouillard.

Les vêtements alourdis de Maggie commençaient à l'entraîner vers le fond et seule sa figure maigre et blême émergeait au-dessus de l'eau tourbillonnante. Victor courut le long du quai, devança le corps qui dérivait et plongea pour nager avec force dans l'espoir de l'atteindre avant qu'elle ne coule. Il la perdit de vue un moment quand une petite vague la recouvrit. Quand elle reparut il redoubla d'efforts et la saisit au moment où elle sombrait de nouveau.

Il accrocha le menton de Maggie au creux de son coude et, nageant sur le dos, il regagna la berge. Haletant, épuisé, il parvint à la hisser sur les marches du quai avant de s'écrouler à côté d'elle. Le froid l'engourdissait et il mit un long moment à se remettre assez pour se redresser et examiner la jeune femme.

Elle était inerte, exsangue, ses longs cheveux auburn plaqués sur sa figure et ses épaules. Une exclamation d'horreur et de remords lui échappa; il était certain d'être arrivé trop tard mais à ce moment elle bougea la tête et poussa un soupir rauque. Il se releva lentement, la souleva dans ses bras et la porta sur le quai, puis monta jusqu'à la rue.

Le premier fiacre qui passa ne s'arrêta pas; le cocher jeta un coup d'œil à ce couple ruisselant et fit claquer son fouet sur la croupe de sa haridelle. Mais Victor parvint à héler le suivant et, en payant d'avance, persuada le cocher de les prendre en charge. A eux deux, ils allongèrent Maggie sur la banquette et Victor monta à côté d'elle.

— A la Maison Dollois, dit-il. La porte de service.

Le cocher le regarda d'un air entendu et remonta sur son siège.

Babette, la cuisinière de la Maison Dollois, ouvrit dès que Victor frappa et s'exclama, affolée:

— Monsieur Durand ! Mon Dieu, vous êtes trempé ! Qu'est-il arrivé ?

— Appelez tout de suite madame, s'il vous plaît.

— J'y vais, monsieur, répondit Babette en se précipitant.

Quelques instants plus tard, Marie Dollois apparut dans la cuisine. C'était une grande femme svelte, d'un certain âge mais encore très belle, avec des cheveux flamboyants et des yeux bleus pleins de vivacité. Sa robe de satin lavande était profondément décolletée et sa gorge à demi dénudée couverte de plusieurs rangs de perles fines.

— Mon Dieu, Victor !

— J'ai besoin de ton aide, Marie.

— Certainement ! Qu'est-ce que je peux faire ?

Une demi-heure plus tard, Maggie était couchée sous des édredons dans un lit immense et un médecin achevait de l'ausculter.

— Ma foi, madame, dit-il en se redressant et en ôtant le stéthoscope de ses oreilles, cette petite est gravement malade. C'est une pneumonie.

Victor ferma les yeux et laissa tomber sa tête dans ses mains.

— Qu'est-ce que je peux faire, docteur ? demanda Marie.

— Cataplasmes à la moutarde, bains de pieds chauds, et tâchez de lui faire prendre du bouillon, gardez-la le plus longtemps possible au chaud. Sa jeunesse la sauvera peut-être. Oui, dès qu'elle aura repris connaissance, un potage, un bouillon de viande.

— Très bien, docteur.

Victor se leva du fauteuil où il était assis depuis qu'on avait installé Maggie dans le lit.

— Il faut que je rentre, Marie. Ma femme va s'inquiéter.

— Je comprends. Je m'occuperai de la petite, promit Marie.

— Je reviendrai dans un jour ou deux, pour voir comment elle va.

— Et au cas où...

Marie Dollois laissa sa phrase en suspens mais Victor secoua la tête.

— Quoi qu'il arrive, il n'est pas question d'envoyer un message chez moi.

— Oui, bien sûr.

— Merci, Marie, dit-il, et il partit rapidement.

Le médecin examina une dernière fois le corps inerte de Maggie. Puis il soupira et commença à ranger ses instruments dans sa trousse.

— Je repasserai demain.

— Merci, docteur, murmura Marie.

Sur le seuil il se retourna, l'air hésitant.

— Je pensais... Puisque je suis ici... Vous croyez que je pourrais... ?

Marie sourit chaleureusement.

— Mais naturellement, mon cher docteur ! Descendez au salon. Les petites y sont, prenez celle qui vous plaira. Et c'est offert par la maison !

Le médecin sourit avec reconnaissance et se hâta de descendre.

Toute la journée du lendemain l'état de Maggie resta stationnaire mais dans la soirée il empira. Le médecin, appelé en hâte, annonça à Marie Dollois qu'il craignait que la fin fût proche.

— Elle est trop affaiblie, dit-il avec un soupir navré. Je serais surpris si elle passait la nuit.

— La pauvre chérie, murmura Marie en plaçant une nouvelle compresse fraîche sur le front de la malade. Mourir seule, comme ça... chez des inconnus...

Ayant fait tout ce qui était en son pouvoir, le médecin prit congé, laissant Marie auprès de Maggie. Elle passa toute la nuit sur une chaise, à côté du lit, observant avec soin la malade, changeant constamment les compresses humides sur le front brûlant de fièvre, écoutant avec terreur la respiration laborieuse. Le médecin avait perdu tout espoir, mais Marie Dollois était obstinée; elle avait l'impression que si elle parvenait à faire passer la nuit à Maggie, cette petite serait sauvée. Elle la veilla donc et attendit l'aube qui paraissait si lente à venir.

Enfin, avec un soupir de lassitude, elle se leva et alla rajouter une bûche dans la cheminée; elle tisonna le feu et quand la flamme jaillit, elle revint vers le lit mais se figea soudain, une main à sa gorge. Maggie avait ouvert les yeux et la regardait. Et derrière les carreaux la nuit pâlissait à l'approche du jour.

Marie courut vers le lit et prit la main de Maggie, toute sèche et molle.

— Ah, ma pauvre petite... ma petite fille ! Vous avez passé la nuit ! Vous êtes sauvée !

Maggie entrouvrit les lèvres mais elle était encore trop malade pour parler. Elle n'avait que la peau sur les os et ses yeux creux luisaient de fièvre.

Marie tira violemment sur le cordon de sonnette et à la bonne ensommeillée qui se présenta, elle cria :

— Vite ! Un bol de café au lait, un grand bol avec beaucoup, beaucoup, beaucoup de sucre !

Quand la bonne revint avec le bol, elle souleva le dos de Maggie et la soutint pendant que Marie la faisait boire à la cuiller.

— Buvez, ma chérie... buvez, ça vous fera du bien, ça vous rendra des forces.

Anxieuse, elle regardait Maggie avaler docilement et, sans trop savoir si elle ne se faisait pas des idées, elle crut voir revenir un peu de couleurs à ses joues creuses.

— Je savais que vous vous en sortiriez. J'étais sûre que si vous passiez la nuit, ça irait !

Maggie avait encore les idées trop confuses pour se demander où elle était et qui était cette femme, mais elle éprouvait une sensation de calme et de bien-être et son cœur se gonflait de gratitude. Quand elle eut tout avalé, la bonne la reposa sur les oreillers avec précaution, et Marie se rassit à côté du lit.

Tard dans l'après-midi, Victor passa à la Maison Dollois et prit le thé avec Marie dans son salon privé.

— Elle est lucide, mais encore très malade, annonça Marie. Je ne crois pas que vous puissiez la voir en ce moment.

Victor parut soulagé. Il n'était pas du tout certain d'avoir le courage d'affronter Maggie et il redoutait le moment où il la reverrait.

— Qui est-ce, Victor ?

— Maggie Cameron, une jeune Américaine... un de mes anciens modèles.

— Et vous savez pourquoi elle s'est jetée dans la Seine ?

— Elle est enceinte.

— De vous ?

Le silence de Victor fut assez éloquent. Marie lui jeta un regard sévère, lourd de reproches.

— Mais, Victor, ce n'est qu'une enfant !

Il secoua très légèrement la tête.

— Non, Marie, plus maintenant... Est-ce qu'elle sait où elle est ? Dans quel genre de maison ?

— Non, Victor, répliqua très froidement Marie Dollois. Elle croit qu'elle est chez une femme riche, c'est tout.

Il se leva, prit son chapeau et se dirigea vers la porte, mais Marie le retint.

— Victor... Je vous soulage du fardeau. Je prendrai soin d'elle moi-même. Il n'y a aucune raison que vous reveniez ici.

— Merci, Marie, murmura-t-il d'une voix si éperdue de reconnaissance que la patronne de la maison close le toisa avec mépris.

Quand la porte se fut refermée sur lui, elle se leva et s'abandonna à sa colère.

– Salaud ! s'écria-t-elle. Un lâche... comme tous les hommes !

XV

Quand Jeanette découvrit le petit mot de Maggie elle songea au portrait nu et soupçonna immédiatement la jeune fille d'être partie pour Paris; et lorsque Clarisse, la bonne, s'effondra et avoua en larmoyant qu'elle était au courant de l'aventure de Maggie et de Victor, Jeanette n'eut plus une seconde d'hésitation.

Elle expédia un télégramme affolé à Elise et Carlos, les suppliant de venir immédiatement à la Nouvelle-Orléans. Quand ils arrivèrent deux jours plus tard, ils la trouvèrent folle d'angoisse. Elle leur montra le billet et leur dit tout ce qu'elle savait.

Carlos s'assit, la tête entre ses mains, en songeant à Anne et Alex qui devaient être mis au courant. Elise arpenta le salon en se tordant les mains et en se couvrant de reproches.

— C'est ma faute ! Je les ai jetés dans les bras l'un de l'autre. Sur le moment, ça paraissait amusant... inoffensif ! Jamais je n'aurais pensé que ça finirait comme ça ! Jamais !

— Anne et Alex seront horrifiés quand ils sauront, gémit Jeanette.

Carlos sortit de sa torpeur et se redressa.

— Nous allons le leur cacher... au moins jusqu'à ce que nous ayons découvert le fin mot de l'affaire. Anne est forte et elle pourra le supporter mais Alex est très malade. Le choc risque de le tuer.

Elise tomba à genoux aux pieds de son mari et joignit les mains, la figure convulsée de chagrin et de remords.

— Ah, Carlos ! Qu'est-ce que nous allons faire ?

— Nous irons la chercher, toi et moi, et la ramener à la maison, déclara-t-il calmement. C'est le seul moyen. Je vais aller tout de suite aux bureaux de la compagnie maritime pour retenir une cabine. Pendant ce temps, tu vas écrire à Anne et Alex. Raconte n'importe quoi pour expliquer notre brusque voyage. Dis-leur que c'est un caprice, une petite folie de ta part... ce que tu voudras, sauf la vérité.

Ils s'embarquèrent dès le lendemain, deux passagers sombres et solitaires dans la foule joyeuse en partance pour la France.

La traversée dura quinze jours et pendant ce temps, à la Maison Dollois, Maggie récupérait lentement. Quand Marie la jugea suffisamment remise pour connaître la vérité elle lui raconta comment elle avait été sauvée par Victor et lui confirma qu'il était effectivement marié depuis des années.

Maggie gémit, se retourna dans le lit et enfouit sa figure dans l'oreiller.

— Quand vous serez assez forte pour voyager, ma petite fille, je vous renverrai chez vous.

Chez elle ! Le cœur de Maggie soupirait après le Lantana. Oui ! Elle rêvait de rentrer chez elle, de retrouver Anne et Alex. Elle savait qu'elle leur briserait le cœur mais c'était une terrible conséquence qu'elle devait affronter. Il ne lui restait rien à Paris à vrai dire, il n'y avait jamais rien eu pour elle. Au moins, au ranch, elle pourrait se repentir, refaire peut-être sa vie. Et en serrant son oreiller dans ses bras elle souhaita que par quelque magie elle puisse être subitement transportée au Lantana.

Carlos et Elise arrivèrent à Paris cet après-midi-là. Moins d'une heure après avoir pris une chambre dans un grand hôtel, ils apprirent l'adresse de Victor et prirent un fiacre pour se rendre dans l'île Saint-Louis.

— Je vais rester dans la voiture, suggéra Elise qui n'était pas sûre de pouvoir garder son calme devant Victor.

Carlos gravit seul le perron et quand Victor lui-même vint ouvrir, Elise recula dans l'ombre du fiacre. Elle ne voulait pas le voir.

— Bonjour, Carlos, dit calmement le peintre, comme s'il s'était attendu à cette visite.

— Je viens chercher Maggie. Faites-la descendre immédiatement.

— Elle n'est pas ici.

— Vous mentez !

– Non ! Je vous le jure.

En voyant le visage durci de Carlos et ses poings crispés, il recula, ferma à demi la porte et conseilla :

– Dites à votre cocher de vous conduire à la Maison Dollois. Il sait sûrement où c'est.

Sans un mot de plus, Carlos tourna les talons et remonta en voiture, en criant au cocher :

– A la Maison Dollois !

L'homme le regarda d'un air bizarre.

– Vous êtes bien certain que c'est là que vous voulez aller ?

– Pourquoi, ça vous dérange ? rétorqua impatiemment Carlos.

Le cocher haussa les épaules, se tordit le cou pour jeter un coup d'œil à Elise et grommela :

– Non, monsieur, pas du tout.

– Eh bien, en route, alors !

Carlos s'installa à côté d'Elise et lui expliqua :

– Il l'a installée dans un hôtel, ou elle a eu assez de bon sens pour y aller d'elle-même. Quoi qu'il en soit, nous allons la voir dans quelques minutes.

Le fiacre passa sur la rive droite et s'arrêta enfin devant une imposante maison de quatre étages.

– La Maison Dollois, annonça le cocher.

– On ne dirait pas un hôtel, Carlos...

– Ça doit en être un. Regarde... il y a le nom à côté de la porte. Tu viens avec moi ?

– Bien sûr, dit Elise en descendant. Elle doit avoir besoin d'un soutien.

La bonne qui leur ouvrit les regarda d'un air curieux.

– Nous voulons voir Maggie Cameron, dit Elise...

– Je vais prévenir madame, murmura la fille en s'apprêtant à refermer la porte.

– Nous ne pouvons pas attendre à l'intérieur ?

La bonne hésita, puis elle leur permit d'entrer dans le vestibule avant de monter à la recherche de Marie Dollois. Elise et Carlos regardèrent autour d'eux et virent que les murs étaient ornés de tableaux, des nus aux chairs opulentes, aux joues roses, aux lèvres brillantes et rouges. Au pied de l'escalier, il y avait un nègre vénitien grandeur nature portant une torchère et d'un côté une porte à double battant donnant dans le grand salon, d'où provenaient des voix masculines et des rires de femmes.

Le sang de Carlos se glaça et il regarda sa femme en se demandant si elle partageait ses soupçons. Se moquant de sembler importun, il traversa vivement l'entrée et ouvrit la porte du salon.

Un coup d'œil suffit à confirmer ses craintes. Une dizaine de filles ravissantes, en robe audacieusement décolletée, tenaient compagnie à un groupe d'hommes vautrés sur des canapés et dans des fauteuils capitonnés, qui buvaient du champagne.

Carlos referma vivement, et quand il se retourna vers Elise, il était pâle, les lèvres exsangues.

— Mon Dieu ! souffla-t-il.

— Qu'est-ce qu'il y a, Carlos ? Qu'est-ce qui ne va pas ?

Avant qu'il puisse répondre, une des filles, Thérèse la belle rousse, passa la tête à la porte et roucoula en souriant :

— Entre, chéri, faut pas être timide...

Puis, apercevant Elise, elle haussa les sourcils et battit en retraite.

— Oh la la ! J'ai dans l'idée qu'il y a erreur.

La voix de Marie Dollois intervint sèchement, depuis le palier :

— Thérèse ! Laisse-nous seuls !

Thérèse referma précipitamment la porte du salon.

— Carlos ! souffla Elise, comprenant enfin. Mais... c'est un... un bordel !

Quand Marie Dollois arriva au pied de l'escalier, Carlos se rua sur elle en criant :

— Où est ma nièce ? Où est Maggie ?

— Suivez-moi, monsieur. Elle est en haut. Elle a été très malade.

Carlos la repoussa et monta quatre à quatre.

— Monsieur ! Attendez, monsieur ! Je vais vous conduire.

Mais Carlos était déjà au premier et, en montant derrière lui, Elise l'entendit crier :

— Maggie ! Maggie ! Où es-tu ?

Maggie était couchée et dormait, mais le tumulte dans le couloir la réveilla. Quelqu'un courait en tambourinant à toutes les portes tandis qu'une des bonnes, affolée, protestait :

— Qu'est-ce que vous voulez, monsieur ? Que se passe-t-il ?

Et puis Maggie entendit son nom. Elle se redressa, le cœur battant, et cria :

— Carlos !

Sa porte s'ouvrit à la volée et son oncle bondit dans la chambre. En la voyant ainsi, si pâle, si maigre, sans défense, il sentit toute sa colère l'abandonner et il se précipita vers le lit pour la prendre dans ses bras.

— Ah, Carlos ! Grâce à Dieu, tu es venu ! Emmène-moi, je t'en supplie ! Ramène-moi à la maison !

— Comment as-tu échoué ici, Maggie ?

Elle voulut tout expliquer mais ses sanglots l'en empêchaient. Carlos la souleva vite du lit, et sans prendre la peine de chercher ses pantoufles ou de l'envelopper dans un manteau, il sortit de la chambre tout en la portant.

Elise arrivait au fond du couloir. En voyant Maggie, elle poussa un cri et accourut pour l'enlacer à son tour.

— Ah, Maggie, ma chérie ! Viens avec nous ! Quittons cet endroit !

Maggie était assez forte pour marcher seule, mais Carlos et Elise la portèrent à demi dans l'escalier, passèrent devant Marie Dollois et coururent dans la rue vers leur fiacre.

Jusqu'à l'hôtel, Maggie ne cessa de pleurer, incapable de répondre aux questions de Carlos ou d'Elise, sans entendre même ce qu'ils disaient, sachant seulement qu'ils étaient venus, qu'elle était de nouveau au sein de sa famille, que bientôt elle rentrerait chez elle.

Tard dans la soirée, quand elle fut relativement calmée, elle raconta son histoire, par bribes; elle ne cacha rien et ne remarqua pas que chaque révélation donnait à son oncle une expression chaque fois plus farouche.

Elise était effondrée. Elle prit tout sur elle, se culpabilisant, et elle supplia Maggie de lui pardonner, mais Maggie secoua la tête.

— Non, c'est ma faute. J'étais folle... idiote... Et je l'aimais tant !

— Il va répondre de cela, gronda Carlos entre ses dents.

— Non, dit Maggie. Il n'en vaut pas la peine. Oublions-le et partons dès que possible.

Elise ne lâchait pas la main de Maggie.

— Je t'achèterai des vêtements dès demain, ma chérie. Et nous partirons par le premier vapeur à destination de l'Amérique.

Maggie se laissa retomber sur son oreiller et ferma les yeux.

— La maison... Tu crois que papa et maman me reprendront ?

Elise se tourna vers Carlos.

— Mais, bien sûr. Maintenant dors, ma chérie. Plus de conversations ce soir !

Quand la respiration de Maggie devint régulière, Elise et Carlos se retirèrent dans la chambre voisine. Ils se couchèrent, mais à minuit Elise se réveilla et vit Carlos assis devant la fenêtre, scrutant l'obscurité de la rue.

— A quoi penses-tu, mon cœur ? murmura-t-elle dans un demi-sommeil.

Sans se retourner, il répondit :

— Ne te fais pas de souci, Elise. Rendors-toi.

Elle se réveilla de nouveau deux heures plus tard; il n'avait pas bougé. Elle voulait aller vers lui, mais ses membres étaient trop engourdis et ses paupières lourdes se refermèrent. Enfin, au petit jour, elle vit que le fauteuil était vide et qu'à côté d'elle l'oreiller n'était pas froissé. Carlos ne s'était pas couché.

Pensant qu'il était auprès de Maggie, elle alla voir dans l'autre chambre mais il n'y était pas non plus. En revenant dans la sienne, perplexe, elle aperçut une lettre sur la cheminée. Elle se hâta de l'ouvrir et lut :

Elise chérie,

Si tout va bien, tu ne verras jamais cette lettre. Tu t'éveilleras et tu me trouveras couché à côté de toi. Cependant, si le pire arrivait, n'en veux pas à Maggie, essaie de trouver dans ton cœur la générosité de me pardonner d'avoir accompli ce que je juge nécessaire pour venger son honneur. Il me semble que c'est le seul moyen de faire payer à Victor le mal qu'il a fait.

Rappelle-toi ceci : jamais aucun homme n'a aimé une femme comme je t'aime.

Carlos

Elise poussa un cri d'effroi. Saisissant sa robe de chambre, elle courut en bas et réveilla le concierge par ses cris affolés.

– Où est-ce que les hommes se battent en duel ? glapit-elle.

– Madame ! s'exclama le concierge en reculant, pensant qu'elle était devenue folle.

– Dites-le-moi ! Vite ! Mon mari est en danger de mort !

– Eh bien, normalement au bois de Boulogne, au Pré Catelan, mais...

Elle tourna les talons sans écouter la suite, se rua dehors et courut vers un fiacre qui justement passait.

– Cocher ! Conduisez-moi au bois de Boulogne aussi vite que possible ! Vite ! Il n'y a pas un instant à perdre !

Le cocher fit claquer son fouet et le cheval s'élança au trot.

– Plus vite ! Plus vite ! cria Elise en tapant sur la paroi, regrettant de ne pouvoir prendre le fouet.

Quand ils arrivèrent au bois, le cocher se retourna.

– Le bois est grand, madame. Où voulez-vous aller ?

– Au Pré Catelan ! Je cherche mon mari ! Vite ! Vite !

Le cheval partit au galop, cette fois, et il avait contourné le lac quand Elise entendit claquer un coup de pistolet. Elle sursauta et ferma les yeux quand il y eut une seconde détonation.

Le fiacre s'arrêta. Elise en sauta et partit en courant dans la direction des coups de feu. Une brume légère enveloppait les arbres dans le petit matin glacé et elle trébuchait souvent dans l'herbe humide. Enfin elle aperçut plusieurs hommes dans une clairière, formant deux groupes.

— Carlos ! hurla-t-elle.

Un des hommes se détacha et accourut vers elle. Elle se figea. Elle voulait lui poser des questions, l'interroger sur son mari, mais sa gorge était paralysée.

— Madame Trevor ? dit-il.

Elle ne put que hocher la tête. Il lui prit le bras et l'entraîna.

— Vite, madame ! Avant qu'il soit trop tard !

Carlos gisait sur la terre mouillée, baignant dans son sang, une blessure en pleine poitrine.

Elise tomba à genoux et lui souleva la tête pour la poser sur ses cuisses. Ses yeux — ces diamants gris qu'elle avait aimés dès le premier jour — devenaient vitreux. Sa figure était déjà cireuse, ses lèvres aussi pâles que la brume du matin.

— Elise, souffla-t-il, puis ses paupières battirent et se fermèrent.

Elle releva la tête vers le ciel et hurla.

Le claquement de la porte réveilla Maggie en sursaut. Elle vit Elise, les cheveux tombant en mèches folles autour de sa figure, son déshabillé sale, taché de vert par l'herbe et la mousse, trempé de sang. Ses yeux fulguraient et ses mains tremblantes se tendaient comme des griffes, comme si elle voulait saisir Maggie et la mettre en pièces.

— Putain ! glapit-elle. Espèce de... de putain !

— Elise ! Qu'est-ce que tu dis ! Carlos ! Carlos, viens vite !

— Inutile d'appeler Carlos ! Tu l'as tué !

Maggie porta les mains à sa bouche, comme pour étouffer un cri d'horreur

— Il a provoqué Victor en duel... pour venger ton honneur ou le peu qu'il en reste ! Maintenant il est mort ! Et Victor aussi. Tu les as tués tous les deux !

— Non ! Ce n'est pas vrai ! Ce n'est pas vrai ! cria Maggie en sautant du lit pour courir vers Elise, mais elle la repoussa et la gifla à toute volée.

— Ne me touche pas ! Ne t'approche pas de moi... plus jamais ! Par ta faute l'homme le meilleur de la terre, le plus tendre, est mort ! Tu l'as tué aussi sûrement que si tu avais tiré le coup de pistolet.

Maggie recula peureusement contre le lit.

— Je ne veux plus jamais te revoir, dit Elise d'une voix maintenant sourde et menaçante. Anne et Alex éprouveront la même répulsion. Ils auraient pu te pardonner d'être une putain. Mais pour avoir tué Carlos... Jamais !

Elle sortit et claqua violemment la porte qui séparait les deux chambres.

Maggie se sentit défaillir. Elle tendit la main vers le montant du lit pour se soutenir, et puis elle s'affala de tout son long, sans connaissance.

Elise partit quelques jours plus tard avec le cercueil de Carlos. Il fut enterré au Lantana, par une froide matinée de février, dans le petit cimetière où reposaient déjà Joël, Martha et Sofia. Puis elle retourna chez sa mère, à la Nouvelle-Orléans.

Un mois après, une lettre de Maggie arriva au Lantana. Anne la garda toute la nuit sur son bureau sans l'ouvrir. Le lendemain matin, toujours sans l'avoir décachetée, elle la glissa dans une autre enveloppe et la renvoya.

DEUXIEME PARTIE

1903

XVI

San Francisco convenait admirablement à Dos et à Lorna. Ils achetèrent une confortable maison à un étage, dans Green Street, d'où ils jouissaient d'une vue spectaculaire sur la baie et les collines dorées de Marin, et Dos veilla à ce qu'une haute grille de fer encercle leur petit jardin. Au bout d'un an ou deux, les barreaux disparaissaient sous les fleurs grimpantes.

Ils se lancèrent dans la vie nocturne tumultueuse de la ville avec un entrain effréné, allant de restaurant en music-hall et en saloon, rentrant rarement se coucher avant l'aube.

Ils formaient un couple magnifique... Dos, grand et musclé, avec son huit-reflets sur ses cheveux dorés et sa cape doublée de soie... Lorna, petite et brune, les yeux pétillants, son petit menton pointu dressé comme la proue des grands voiliers élancés qui franchissaient la Porte d'Or en arrivant d'Orient.

Dos les présentait sous le nom de Mr et Mrs Joël Rivers, et dès qu'ils furent installés ils renoncèrent à leurs vols. Au grand amusement de Lorna, cependant, il aimait à dire à toute personne nouvellement rencontrée et assez indiscrète pour l'interroger sur son passé qu'il avait « fait des affaires avec des banques ». Et si la personne en question insistait et demandait : « Des banques, ah vraiment ? Et où ça ? » Dos levait les yeux au ciel et répliquait d'un air blasé : « Seigneur ! Partout ! Bien trop nombreuses pour les compter ! »

Tout cela ne servait qu'à bien asseoir sa réputation de jeune homme immensément riche « de l'Est » qui n'avait pas à se soucier de travailler.

En réalité, peu après leur arrivée à San Francisco, Dos s'était lié avec un Irlandais dans la dèche nommé Malloy, dont les rêves d'un saloon dans le quartier du port étaient contrecarrés par un sérieux manque de fonds. Dos, les poches pleines d'argent volé et ne sachant où l'investir, commandita l'Irlandais, et en moins de six mois la Boîte de Pandore fut renommée comme le saloon le plus débridé et le plus excitant de San Francisco.

Dos restait dans l'ombre, s'y montrait rarement mais l'établissement était si rentable qu'il permettait au couple de vivre dans le luxe.

Il aurait dû être parfaitement heureux — comme l'était Lorna — mais il lui arrivait à l'occasion d'éprouver la douloureuse nostalgie du Texas et du Lantana. Il se demandait ce que devenaient Anne, Maggie et Carlos. Et même Alex... car ces années d'exil avaient émoussé son ressentiment. Une ou deux fois, il avait essayé d'écrire à Anne mais il ne pouvait trouver ses mots et la lettre finissait en boule dans la corbeille à papiers.

Malloy l'inquiétait. Enchanté et reconnaissant au début de leur accord, l'Irlandais réclamait une part chaque fois plus importante que les trente pour cent que lui accordait Dos et qui ne le contentaient plus.

Dos aurait bien aimé pouvoir se débarrasser de lui, mais Malloy détenait un atout que Dos lui-même lui avait stupidement fourni. Peu de temps après l'avoir rencontré — dans un moment d'ivresse qu'il ne se pardonnerait jamais et qui l'avait rendu expansif — Dos s'était vanté de la source d'argent qui avait servi à fonder la Boîte de Pandore. Il avait tout raconté à l'Irlandais, en citant les banques que Lorna et lui avaient pillées, en décrivant les lettres signées « Le Loup » qu'il envoyait aux journaux. Malloy avait fort bien écouté et tout retenu. Et quand Dos s'était réveillé, le lendemain matin, avec une migraine atroce, quand il s'était remémoré la soirée, il avait maudit son indiscrétion.

Lorna désirait plus encore que Dos être débarrassée de Malloy. Depuis quelque temps, il l'importunait, la poursuivant de ses assiduités, parfois même agressif. Deux fois, au cours du mois passé, il était venu la voir pour l'inviter à des rendez-vous clandestins. Elle n'en avait rien dit à Dos, craignant sa colère, si prompte à flamber, mais la dernière fois qu'elle avait repoussé l'Irlandais il avait souri cyniquement en déclarant : « Vous ne pourrez pas me traiter comme ça éternellement, Lorna. Je vous veux et je vous aurai ! »

Dos et Lorna s'attablèrent pour le petit déjeuner, bien qu'il fût plus de midi. Elle versa le café et poussa vers lui le journal du matin.

Il prit sa tasse, but distraitement quelques gorgées, puis il déplia le journal, et après avoir parcouru la première page, il passa à la deuxième. Lorna le vit changer d'expression et il posa sa tasse si brusquement qu'il faillit la casser.

— Dos ! Qu'est-ce que tu as ?

— Mon Dieu, murmura-t-il en portant une main à son front.

Le titre était bref; il y avait à peine jeté un coup d'œil mais il savait instinctivement ce que lui apprendraient les deux paragraphes de l'article.

— Dos ! Dis-moi !

Il regarda de nouveau le journal pour confirmer son pressentiment. Puis il leva les yeux vers Lorna.

— C'est mon père. Il est mort.

— Oh, non ! Dos !

Il respira profondément et lut à haute voix :

« Mort d'un célèbre rancher. Mr Alex Cameron, propriétaire du fameux Lantana Ranch, au Texas, est décédé mardi à San Antonio d'une pneumonie. Ecossais de naissance, Mr Cameron en était venu à posséder le plus grand élevage de bétail des Etats-Unis et on lui doit la vache du Lantana, une race solide provenant de croisements entre les Brahmas, les Angus et les longues cornes indigènes. Il était âgé de soixante-trois ans. Mr Cameron laisse une veuve, Mrs Anne Trevor Cameron, une pionnière du texas. »

Dos ferma les yeux et Lorna garda le silence, attendant ses commentaires. Il se leva et alla jusqu'à la fenêtre. Un épais brouillard s'étendait par la Porte d'Or et recouvrait la baie; seule, la lugubre plainte des cornes de brume brisait le silence.

Sans se retourner, et plus pour lui-même que pour Lorna, il murmura :

— Je ne sais pas pourquoi cela me fait un tel effet. Je croyais le détester. Je devais bien l'aimer, au fond. Ça fait mal. Vraiment. Je regrette de... Je regrette...

Il n'alla pas plus loin.

Lorna quitta la table et le rejoignit, glissant un bras sous le sien. Mais il la repoussa avec douceur.

— Je crois que je vais aller faire un tour. J'ai besoin d'être seul un moment.

Lorna comprit et hocha la tête. Il se retourna sur le seuil de la porte, l'air perplexe.

— Je comprends que l'on ne me cite pas parmi les personnes de la famille. Mais pourquoi n'est-il pas question de Maggie ? Et de Carlos...

Lorna fut bien incapable de lui répondre.

Un mois plus tard, Lorna eut vingt-six ans et Dos lui offrit une resplendissante Oldsmobile à deux places. Ce soir-là, Lorna au volant, maladroite mais folle de joie, ils partirent pour la Boîte de Pandore dans la mécanique bruyante et pétaradante.

— Comment on s'arrête ? cria Lorna quand ils furent en vue du saloon.

Sur le trottoir, une foule salua à grands cris leur approche et un cheval affolé hennit et traîna un phaéton juste devant la voiture. Dos pâlit mais Lorna donna un grand coup de volant et manqua l'obstacle d'un cheveu.

— Le frein ! hurla-t-il.

— Où ? Comment on fait ?

Ils passèrent à toute allure devant le saloon, au grand ravissement de la foule qui se remit à applaudir quand Lorna guida la machine dans un demi-tour vertigineux pour rebrousser chemin.

— Dos ! glapit-elle. Aide-moi !

— Arrête ce foutu moteur !

— Comment ? Montre-moi !

Il était trop tard. Dispersant la foule massée devant l'établissement, l'Oldsmobile sauta sur le trottoir, le traversa et s'engouffra par les portes battantes, provoquant la panique chez les consommateurs attablés.

L'automobile alla jusqu'au fond du saloon emboutir l'estrade où Nora Winn et son Grand Orchestre Féminin achevaient un morceau. Le pot d'échappement pétarada bruyamment, cracha un nuage de fumée noire et le moteur cala.

L'imperturbable Nora Winn leva la main droite et ses filles entonnèrent une fanfare.

— Mesdames et messieurs ! Je vous présente Mr et Mrs Joël Rivers !

Dos et Lorna, ahuris mais indemnes, se regardèrent et, les hourrahs de la foule exubérante résonnant à leurs oreilles, rejetèrent la tête en arrière et hurlèrent de rire. Malloy lui-même en fut amusé et commanda une tournée générale; Dos et Lorna passèrent le reste de la soirée à boire, en trônant sur le siège de leur automobile.

Mais le lendemain, résolu à faire entièrement payer les dégâts par Dos, Malloy se présenta à la maison de Green Street. Lorna était seule, mais quand elle dit à l'Irlandais que Dos n'était pas là il insista pour entrer quand même.

C'était un homme maigre au teint terreux, avec des cheveux noirs huileux et des lèvres promptes à ricaner méchamment.

– Ma foi, on peut dire que vous nous avez donné un sacré spectacle hier soir, dit-il en se servant un whisky et en s'asseyant au salon sans y être invité.

Son expression apprit à Lorna que son amusement de la veille avait été de courte durée.

– J'espère que nous n'avons pas trop démoli la salle, dit-elle.

– Je ne peux assumer tous les frais, maugréa-t-il et il tira de sa poche une feuille de papier. Voici la liste des dégâts. Est-ce que Joël va rentrer bientôt, ou bien je vous la laisse ?

– Il est allé faire réparer l'automobile. Je ne sais pas quand il sera de retour.

Les lourdes paupières de Malloy voilèrent son regard et Lorna comprit son erreur.

– Il faut que je sorte, dit-elle. Laissez cette liste sur la table, je veillerais à ce que...

En un éclair, Malloy bondit de son fauteuil et s'approcha d'elle.

– Lorna ! Cédez ! Vous ne voyez donc pas à quel point je vous désire ?

Elle n'eut pas peur et le toisa froidement.

– Mon mari vous tuerait s'il vous entendait dire ça.

– Il n'est pas votre mari. Je connais toute l'histoire.

– Pas besoin des quelques mots d'un pasteur pour conclure une union.

– Non. Mais il suffirait que je dise quelques mots, moi, à qui de droit, pour mettre fin à toute la comédie.

– Qu'est-ce que ça peut vous faire si les gens ne sont pas mariés dans les règles ? Je ne me suis jamais souciée de ce que peuvent dire ou penser les gens.

– Je ne parle pas de votre mariage, ou plutôt de son inexistence. Je parle de votre ancienne carrière... les banques que vous avez attaquées, votre prétendu mari et vous.

– Vous parlez de chantage, Malloy, dit Lorna sur un ton de défi.

Il haussa les épaules.

– Je crois qu'en effet c'est le terme exact.

– Ça ne vous mènera à rien.

– Ça pourrait vous mener en prison, Joël et vous.

— Allez vous faire fiche, Malloy !

Il perdit son sourire et sa figure se convulsa de rage.

— Jamais aucune femme ne m'a parlé sur ce ton !

— Je suis ravie d'être la première... et je le répéterai. Sortez d'ici et allez vous faire fiche !

— Vous le regretterez, Lorna, grinça-t-il entre ses dents. Il passa devant elle en la bousculant et sortit à grands pas de la maison.

Lorna l'observa entre les rideaux de dentelle, il grimpa dans sa voiture et fouetta son cheval. Quand l'équipage partit au grand trot, en direction de la ville, un frisson de peur la parcourut soudain.

Elle comprit qu'elle avait eu tort de le traiter ainsi et son dernier regard menaçant lui disait qu'il le lui ferait regretter. Il allait fatalement leur causer des ennuis... après tout, il avait tout à gagner à se débarrasser de Dos.

Elle laissa retomber le rideau et se mit à marcher de long en large, en suppliant Dos de rentrer. Dos ! Reviens vite ! Nous avons une décision à prendre !

Mais Dos occupait sa table habituelle au Tadich Grill, devant un plat de fruits de mer et une chope de bière. Ce fut là qu'une demi-heure plus tard Martin Hale, un journaliste, le trouva. Ils étaient de vieux amis et avaient passé des nuits innombrables à courir de saloon en saloon, et Dos avait donné des ordres à la Boîte de Pandore pour qu'on ne présente jamais d'addition à Martin.

Et maintenant le reporter, essoufflé après avoir gravi la colline en courant, depuis Portsmouth Plaza, se glissait sur la banquette en face de lui et annonçait :

— Joël, tu es dans un sale pétrin ! Lorna aussi. Je viens du palais de Justice. Malloy est là-bas et il raconte à qui veut l'entendre que tu es le Loup qui volait les banques dans la région il y a quelques années. Il dit qu'il le sait de source sûre. En ce moment on est en train de lancer un mandat contre toi.

Dos garda son calme.

— J'ai le temps de finir ma bière ?

— Tu n'as même pas le temps de payer la note. Allez, file d'ici en vitesse ! Je m'en occupe.

Dos se leva et tendit la main à Martin.

— Merci, mon vieux. Nous ne nous reverrons sans doute jamais. Et ce salaud de Malloy va commencer à te faire payer au Pandore.

Martin sourit d'un air navré. Dos se pencha vers lui pour lui confier à voix basse :

– C'est vrai, tu sais. Le Loup c'est moi... et aussi Lorna. Alors, quand tu écriras ça pour ton journal, ajoute un mot pour dire que je ne suis pas un si mauvais gars, après tout.

Martin le suivit des yeux quand il sortit du restaurant et se hâta dans la rue.

Quand la police arriva à la maison de Green Street, elle trouva la porte grande ouverte et les pièces vides. Et sur la porte, il y avait un mot de la main de Dos :

Vous nous avez encore manqués !
La Horde de Loups

XVII

Pascal Chareau pénétra à l'aide de sa clef dans l'élégant petit hôtel particulier du faubourg Saint-Germain, proche de l'église de Saint-Germain-des-Prés. Il avait dans les bras un grand bouquet de roses jaunes et, à la main, une boîte de chocolats enrubannée.

– C'est toi, Pascal ?

– Oui, Maggie. Je suis navré d'être en retard.

Maggie apparut dans le vestibule. A vingt-cinq ans elle était, pour beaucoup, la plus belle femme de Paris. Ses cheveux acajou, épais et lustrés, brillaient de mille reflets, ses yeux étaient plus bleus que le ciel au-dessus du Mont Blanc et sa taille élancée attirait tous les regards.

Elle sourit chaleureusement à son visiteur.

– Voyons, Pascal ! J'ai encore les fleurs de l'autre soir et si je mangeais tous les chocolats que tu m'apportes je serais aussi grosse que les tours de Notre-Dame.

– Ne me gronde pas pour le plaisir que je me donne, dit-il gaiement en lui tendant le bouquet avant de porter les chocolats au salon. Tu sais à quel point j'en suis heureux, alors ne m'en prive pas. Après tout, je suis un vieux monsieur.

– Tu n'es pas si vieux, Pascal.

– Hé hé, j'aurai soixante-sept ans en octobre, ma chère.

– Je sais... le trente et un octobre !

Pascal était un des plus petits hommes qu'elle eût jamais vus. Même avec des talons hauts il n'arrivait qu'à la poitrine de Maggie et elle était sûre qu'il ne devait pas peser plus de cinquante kilos. Il avait des cheveux tout blancs et mousseux mais des yeux brillants d'intelligence et d'esprit et son rire était aussi retentissant que celui d'un cow-boy.

Ils avaient fait connaissance huit ans plus tôt, grâce aux bons offices de Marie Dollois, et Pascal avait immédiatement installé Maggie dans ce ravissant hôtel où elle se sentait chez elle.

Au début de leurs relations, il s'était montré plutôt timide avec elle, il se perchait sur le bord d'un canapé comme s'il allait prendre la fuite à tout instant, il parlait de sa femme et de ses quatre fils qui étaient comme lui au service du gouvernement mais aucun n'approchait de son rang de ministre.

Maggie s'attendait naturellement à ce qu'il la prît pour maîtresse. Marie Dollois lui avait tout expliqué à l'avance et Maggie, seule, sans un sou, exilée à la fois de sa famille et de son pays, avait tristement consenti. Il ne semblait pas y avoir d'autre solution.

Mais Pascal la surprit. Il payait ses factures, lui faisait des cadeaux et venait la voir au moins une fois par semaine. Après avoir surmonté sa première timidité, il s'assit à côté d'elle et lui prit la main.

— Ma chère, je ne veux pas d'une maîtresse. J'ai une femme qui me suffit amplement. Mais je n'ai jamais... je n'ai jamais eu de fille. C'est le drame de ma vie. Alors, s'il vous plaît, voulez-vous être ma fille ?

Dès ce moment, Maggie l'adora. Il lui rendait visite chaque fois que sa présence n'était pas nécessaire chez lui, il n'arrivait jamais les mains vides, il était toujours gai, lui contant les derniers potins qui circulaient au gouvernement, il ne cessait de la complimenter sur sa beauté et se sentait heureux en sa compagnie.

Les soirées suivaient le même rituel. Ils buvaient un verre de champagne, dînaient ensemble, puis Maggie apportait l'échiquier et ils jouaient en silence jusqu'à ce que Pascal tire sa montre de son gousset et déclare qu'il était temps de rentrer chez lui.

Le reste du temps, Maggie était libre de faire ce qui lui plaisait. Elle se découvrit une passion pour l'art et visita tous les musées de fond en comble. Elle fit la connaissance de jeunes peintres et les accompagna souvent dans les cafés de Montmartre. Quand Pascal apprit cet engouement, il mit de côté une pension pour qu'elle puisse acheter leurs toiles, et bientôt les murs de l'hôtel du faubourg Saint-Germain se couvrirent de peintures de Degas, Renoir, Cézanne et autres novateurs.

Pascal les regardait avec détresse, en secouant la tête et en se lamentant :

— Quel gaspillage d'argent, ma chère ! Ces tableaux sont horribles, je n'ai jamais rien vu de plus laid. Enfin... S'ils te font plaisir...

— Oh, oui, Pascal !

— Je ne comprendrai jamais pourquoi.

Ce soir-là, alors qu'il prenait encore un chocolat, elle lui annonça :

— Regarde ! J'ai un cadeau pour toi.

Le visage de Pascal s'illumina. Maggie plongea le bras derrière un fauteuil et exhiba un portrait d'elle.

— C'est d'un artiste nommé Bonnard.

La perplexité et l'affliction de Pascal furent si évidentes que Maggie éclata de rire.

— Je t'en prie ! Crois-moi... Un de ces jours, tu apprendras à apprécier ces artistes.

— Jamais ! Ils ne savent même pas dessiner. Et ces couleurs ! Horribles ! Ah, parle-moi plutôt d'Ingres, de David, de Bouguereau !

— Tu n'aimes pas mon petit cadeau ?

Il sourit sans conviction.

— Mais si, ma chérie, parce que c'est toi. Du moins, je crois que c'est toi. Mais pourquoi est-ce qu'il n'a pas su peindre de manière... plus réaliste ?

Maggie baissa les yeux.

— Une fois, un peintre a fait de moi un portrait réaliste. Ce fut un désastre. Je préfère celui-là.

— Alors je l'aimerai aussi. Mais, naturellement, tu comprends bien que tu dois le garder ici. Je ne peux absolument pas l'emporter chez moi. Ma femme poserait des questions.

Maggie chassa ses souvenirs et sourit.

— Je serai très heureuse de le garder. Après tout, c'est aussi ta maison, n'est-ce pas ?

— Moi aussi, j'ai une surprise pour toi.

— Oh ! Quel genre de surprise ?

Pascal secoua mystérieusement la tête.

— Si je te le disais, ce ne serait plus une surprise. Mais tiens-toi prête samedi matin, très tôt. Je viendrai te chercher.

— Ah, Pascal ! Ne me fais pas attendre jusqu'à samedi ! Dis-le-moi ! Dis-moi ce que c'est !

Mais Pascal fut inflexible.

— Non. Ça gâcherait tout.

Pascal adorait ses « petites surprises ». Au début ce n'étaient que des plaisirs simples, une journée à Versailles, une promenade en bateau-mouche, même une curieuse visite des égouts. Et puis les surprises se firent plus importantes, plus étonnantes, comme si rien n'était trop difficile à organiser pour le plaisir de Maggie... le téléphone pour l'hôtel particulier, une excursion d'une journée à la campagne dans une De-Dion-Bouton avec chauffeur, un dîner au sommet de la Tour Eiffel en compagnie de Gustave Eiffel lui-même dans son petit appartement privé. Et même une rencontre avec le prince de Galles alors qu'il faisait la tournée des cabarets de Montmartre.

Pascal prit son chapeau haut-de-forme et sa canne.

— N'oublie pas, Maggie. Samedi matin.

— Je vais mourir d'impatience !

Le lendemain, vêtue d'une robe noire, Maggie emporta les roses jaunes de Pascal et prit un fiacre pour se faire conduire au cimetière du Père-Lachaise. Elle s'y rendait toutes les semaines, quels que soient le temps ou ses occupations. Elle remontait la grande allée bordée de marronniers et allait se recueillir devant une petite tombe surmontée d'un ange de marbre, portant une plaque sur laquelle on pouvait lire

ALEXIA CAMERON
MORTE A SA NAISSANCE
12 AOUT 1895

Maggie déposa les roses aux pieds de l'angelot et resta un moment les mains jointes, la tête baissée. Il y avait longtemps que toutes les larmes avaient été versées mais elle ne pouvait jamais visiter cette tombe sans un chagrin lancinant, le regret de cette enfant qu'elle n'avait jamais portée à son sein, le bébé qui n'avait jamais grandi, la petite-fille qu'Anne et Alex ignoreraient toujours.

Maggie s'était aperçue tout de suite après l'accouchement que quelque chose n'allait pas. Le médecin et la sage-femme chuchotaient et frictionnaient fébrilement le bébé. Mais il n'avait plus aucun souffle de vie, il n'avait même pas crié.

Marie Dollois, pour la réconforter, tenta de lui dire que cela valait mieux, qu'une enfant sans père aurait une vie bien difficile. Mais Maggie refusait de le croire : « Non ! Quoi qu'il arrive, la vie est meilleure que la mort ! Et ma pauvre petite fille n'a jamais eu la moindre chance ! »

Maggie resta encore quelques minutes au pied de la tombe, puis elle alla reprendre son fiacre.

Le samedi matin, Maggie fut réveillée par la sonnerie de son téléphone. C'était Pascal.

— Comment ? Tu n'es pas levée ? Pas encore habillée ? Dépêche-toi, Maggie ! Je passe te prendre dans une demi-heure.

— Quand tu dis tôt, ça veut dire tôt, on dirait ! répliqua-t-elle en bâillant, voyant le ciel encore noir derrière les fenêtres.

Trente minutes plus tard, très précisément, la voiture de Pascal s'arrêta devant l'hôtel et Maggie se précipita vers lui, ses gants, son chapeau et son manteau dans les mains.

— Tu sais qu'il me faut plus d'une demi-heure pour m'habiller, gémit-elle en montant à côté de lui. Tu veux bien finir de me boutonner ?

Elle lui tourna le dos et Pascal, en riant, s'efforça de faire passer les minuscules boutons par les boutonnières pendant que Maggie épinglait son chapeau sur sa tête.

— Maintenant, aide-moi à enfiler mon manteau. Ouf... Quel tracas d'être une femme ! Un de ces jours on va nous faciliter la vie, j'espère, une robe d'une seule pièce et pas de corset. Alors j'arriverai peut-être à l'heure.

— Je doute que tu y parviennes, Maggie. Ça n'a d'ailleurs aucune importance. Tes retards perpétuels font partie de ton charme.

— Je suis heureuse que tu sois si patient, Pascal. Maintenant, dis-moi ! Quelle est ta petite surprise, cette fois ?

— Tu vas faire un court voyage... un voyage comme tu n'en as jamais fait. C'est absolument unique. Tu verras !

Il refusa d'en dire plus. L'équipage roula dans les premiers embarras de voitures du petit matin et se dirigea vers la banlieue nord de Paris. De temps en temps, Pascal mettait la tête à la portière et scrutait le ciel.

— Hum, dit-il avec satisfaction, il fait un temps splendide, idéal pour ce genre de voyage.

Maggie brûlait de curiosité mais plus elle suppliait Pascal d'élucider le mystère, plus il se cantonnait dans un silence satisfait.

Enfin ils laissèrent la ville derrière eux et se trouvèrent dans la campagne, en plein champs. Le cheval se mit au pas, s'arrêta, et le cocher annonça qu'ils étaient arrivés.

Pascal descendit le premier et tendit une main à Maggie. Elle regarda autour d'elle et aperçut un groupe d'hommes autour d'une grande bâche rouge et jaune étalée sur le sol parmi un enchevêtrement de cordages.

— Que diable... ? marmonna-t-elle.

Mais déjà Pascal agitait le bras et criait .

— Bryan ! Nous voilà !

Un des hommes se détacha du groupe et traversa le champ à leur rencontre.

— Bonjour, Pascal, ça va ? Une journée parfaite pour cette promenade, n'est-ce pas ?

Maggie examina l'inconnu. Il n'avait pas de veste et elle put voir qu'il était bâti comme les statues des athlètes grecs qu'elle avait vues au musée du Louvre. Ses cheveux châtain foncé étaient bouclés et coupés court, et quand il fut plus près elle remarqua que ses traits classiques évoquaient les bustes des jeunes Romains qu'elle admirait tant. Il était anglais, car bien qu'il se fût adressé à Pascal dans un français parfait, elle avait reconnu l'accent.

Pascal fit les présentations.

— Maggie, permets-moi de te présenter Bryan Carrington.

Bryan s'inclina pour lui baiser la main en murmurant :

— Enchanté de faire votre connaissance.

Il avait une voix grave et mélodieuse, et quand il se redressa elle vit qu'il lui souriait chaleureusement.

— Nous serons prêts à partir dans quelques minutes, ajouta-t-il.

— Pascal a été si mystérieux. Où diable allons-nous ? demanda Maggie.

— Pas au diable, répondit Bryan en riant. Et nulle part sur terre. Nous allons là-haut.

Il renversa la tête en arrière et leva une main vers le ciel.

— C'est un ballon, Maggie, expliqua Pascal tout joyeux en désignant l'objet sur le sol. Je me suis arrangé avec Bryan pour qu'il t'emmène faire une promenade dans les airs, à bord de ce magnifique ballon.

Maggie resta bouche bée. Elle n'était pas du tout sûre d'avoir envie de voler. Cela lui paraissait terriblement dangereux et tout à fait contre nature, mais elle ravala son appréhension. Pascal était bien trop enchanté par sa « petite surprise » pour qu'elle ait le cœur de le décevoir.

— C'est merveilleux, bredouilla-t-elle en espérant avoir l'air suffisamment enthousiaste.

Ils traversèrent le champ pendant que l'on commençait à gonfler le ballon ; la soie rutilante parut s'animer, se soulever, s'élever comme un géant qui s'éveille, se libérer de la terre en se tendant vers les cieux. C'était un spectacle impressionnant et Maggie contempla avec fascination l'immense sphère de soie tendue sous le filet de cordes qui la retenait au sol.

Bryan les quitta pour veiller aux derniers préparatifs. Enfin, quand le ballon fut entièrement gonflé, majestueusement déployé dans les airs et tirant impatiemment sur ses amarres, Bryan revint annoncer :

– Voilà, nous sommes prêts.

Il tendit une main à Maggie pour l'aider à monter dans la nacelle.

– Vous êtes sûr que c'est assez solide ? demanda-t-elle avec méfiance en tâtant l'osier mince.

– Absolument, affirma Bryan, et il prit deux épais manteaux des mains d'un de ses assistants. Il va faire froid là-haut.

Maggie grelottait déjà.

– Ça va ! cria Bryan. Larguez les amarres !

– Pascal ! s'exclama Maggie. Tu ne viens pas ?

– Il n'y a pas de place pour moi. Je vais vous suivre en voiture. Bon voyage !

Le ballon fut agité d'une petite secousse puis il s'éleva comme une bulle de savon. En voyant la terre s'éloigner, Maggie sentit son estomac lui descendre dans les talons et ferma vivement les yeux.

– Ah, Mon Dieu ! Je ne veux pas faire ça ! Laissez-moi descendre !

Bryan rit tout bas.

– N'ayez pas peur, Maggie. Je m'occuperai de vous. J'ai fait cela plus de cent fois. Il n'y a aucun danger. Maintenant ouvrez les yeux et regardez autour de vous. C'est un spectacle que la plupart des gens n'ont encore jamais vu.

Elle se cramponna au rebord de la nacelle qui se balançait doucement et se força à écarquiller un œil.

– Je ne vois rien que du ciel.

– Regardez en bas, Maggie. Penchez-vous.

Rassemblant tout son courage, elle obéit et poussa un cri de surprise émerveillée. Ils survolaient une ferme, une ferme miniature avec une minuscule maison de pierre grise, des vaches semblables à des jouets d'enfant, des petits points blancs qui devaient être des poules et un paysan nain qui les salua de sa fourche. Puis un petit chien courut dans la cour et aboya.

Maggie éclata d'un rire joyeux.

– Je l'entends ! j'aurais cru que tout serait absolument silencieux, de si haut !

Soudain, elle exulta et se tourna vers Bryan en s'écriant :

– C'est merveilleux ! Merveilleux ! Comme nous sommes libres !

Le ballon s'éleva plus haut et le panorama de Paris se déploya à leurs yeux. Maggie s'abandonna à son enchantement. Elle poussa des cris en reconnaissant des monuments, la Tour Eiffel, l'Arc de

Triomphe, la basilique inachevée du Sacré-Cœur et naturellement, la boucle de la Seine partageant la ville.

L'air devint de plus en plus frais et Bryan posa un des gros manteaux sur ses épaules puis, indiquant le mince fil blanc d'une route, il lui montra la voiture de Pascal qui roulait à la même allure que le ballon.

Ils passèrent lentement au-dessus du bois de Boulogne, des hippodromes de Longchamp et d'Auteuil. La Tour Eiffel apparut sur leur gauche, tout en bas. Ils flottèrent au-dessus des Invalides et planèrent un moment à la hauteur des jardins des Tuileries avant qu'un souffle de vent contraire les repousse vers la Seine.

— Ah, regardez, Bryan ! s'écria Maggie. Je vois Saint-Germain-des-Prés et ma maison ! Comme elle est petite !

Sa joie faisait celle de Bryan et sa beauté l'émerveillait. S'il n'avait pas dit à Pascal d'aller les attendre au bois de Vincennes, il serait resté en l'air pendant des heures, pour le plaisir de contempler Maggie, de partager sa joie et d'être auprès d'elle. Il croyait bien n'avoir jamais vu de femme aussi belle et il était charmé par sa fraîcheur et sa spontanéité.

— Nous sommes libres comme des oiseaux ! cria-t-elle dans le vent. Comme des aigles !

Mais les aigles eux-mêmes doivent redescendre sur terre et Bryan commença à tirer sur la corde de soupape pour libérer l'hydrogène.

— Ah, c'est la chose la plus exaltante que j'aie jamais faite, murmura Maggie. Quel dommage que ce soit fini !

— Nous recommencerons, si vous voulez. Vous n'aurez qu'à me prévenir.

Il sourit gentiment et posa une main sur celle de Maggie, cramponnée à la nacelle. Elle se tourna vers lui, vit ses yeux pétillants et comprit que ses battements de cœur n'avaient rien à voir avec les oscillations de la descente.

Il était parfaitement beau, franc et amical, sans complications. Elle lui rendit son sourire puis elle se mit à rire en se demandant si c'était bien l'altitude qui lui donnait le vertige. Bryan rit aussi, d'un rire jeune et communicatif.

Notre-Dame glissa sur leur gauche, puis ils retraversèrent la Seine en plongeant vers le bois de Vincennes au moment où la voiture de Pascal franchissait la porte de Reuilly.

La nacelle parut frôler la cime des arbres et alla enfin se poser avec une secousse dans une clairière proche du lac Daumesnil.

Alors que l'immense sphère se dégonflait et s'affaissait derrière eux, Pascal arriva en courant. De la nacelle, Maggie lui cria :

— Pascal ! Il faut que tu essayes un jour ! Il le faut ! C'est un spectacle extraordinaire, tu ne peux l'imaginer. Jamais je ne pourrai considérer la terre de la même façon.

Pascal éclatait de joie.

— Alors, ça t'a plu ?

— J'ai adoré ça ! assura-t-elle en l'embrassant sur le front. Ah, Pascal ! Merci pour ma petite surprise !

Il soupira en feignant l'angoisse.

— Je crains de m'être surpassé, cette fois. Qu'est-ce que je vais pouvoir encore t'offrir ? Un voyage au fond de la mer ?

— Non... Laisse-moi simplement remonter un jour en ballon.

— C'est promis.

Maggie se tourna vers Bryan.

— Merci pour le voyage le plus fantastique de ma vie. Jamais je ne l'oublierai.

Dans la voiture, Maggie fut trop surexcitée pour parler d'autre chose que de sa promenade dans les airs, mais plus tard, quand Pascal et elle s'attablèrent pour déjeuner, elle demanda :

— Au fait, qui est Bryan Carrington ? J'étais tellement occupée à tout regarder que je lui ai à peine dit deux mots.

— C'est le fils de Lord Carrington, le banquier londonien. Nous sommes de vieux amis. J'ai chassé sur ses terres quand j'étais en Angleterre et quand il est venu à Paris je lui ai fait faire la tournée des grands-ducs. Bryan est un sacré viveur, je dois dire... mais il n'y a pas de mal à ça, quand on est jeune et riche. Je l'étais dans ma jeunesse, tu peux m'en croire. Mais Bryan a aussi une réputation de casse-cou. Tu as vu ses prouesses avec les aéronefs, eh bien l'année dernière il a conduit une automobile à plus de cent à l'heure.

— Mon Dieu !

— ... et à dix-huit ans, il a fait la traversée de la Manche à la nage. Lord Carrington et moi l'attendions sur la plage de Calais avec une bouteille de Dom Pérignon. Cependant, quand le moment viendra pour lui de prendre la succession et le titre de son père, ce gamin s'assagira. Il aura la charge d'une des plus grandes banques du monde.

— Il me fait un peu penser à mon frère Dos, murmura Maggie, mais la violence en moins.

— Oh, non. Il n'y a rien de violent chez Bryan. Dans l'ensemble, c'est un garçon charmant.

Oui, charmant, pensait Magie. Ah, Pascal ! se dit-elle, te rends-tu compte de ce que tu as fait ? J'aime beaucoup Bryan Carrington. J'espère que je lui plais... et j'espère le revoir bientôt !

Elle éprouvait un pincement de remords en présence de Pascal et se demandait ce qu'il dirait si elle lui confiait son trouble. Elle l'observa, alors qu'il remplissait leurs verres, et vit combien il était heureux en sa compagnie.

Non, elle ne pouvait rien dire qui risquât de troubler son bonheur. Il avait été infiniment bon pour elle, en exigeant bien peu en échange. Le moins qu'elle pût faire était de lui rester loyale.

Mais en dépit du serment qu'elle s'était fait, Maggie ne pouvait chasser Bryan Carrington de son esprit. Ce mois-là, elle le rencontra par hasard au polo de Bagatelle et quand il lui demanda s'il pourrait lui rendre visite, elle ne put se retenir d'acquiescer. Par la suite, il se présenta souvent à l'hôtel du faubourg Saint-Germain et, bientôt, les soirs où Pascal était retenu par ses obligations ou sa famille, Maggie et Bryan se retrouvèrent régulièrement pour dîner.

Maggie tenait à ce qu'il n'eût aucune illusion et, très tôt, elle lui révéla son passé sans rien lui cacher. Mais cela ne changea rien pour lui et il lui avoua qu'il possédait un tableau de Victor Durand et qui lui plaisait beaucoup.

Et puis, un jour, il lui fit la surprise d'arriver chez elle avec le portrait que Victor avait fait d'elle.

– Mon Dieu, soupira-t-elle. Je ne sais pas comment vous avez trouvé ça mais il faut vous en débarrasser ! Je vous en prie ! Brûlez-le ! Je ne veux jamais le revoir !

– Mais il est magnifique, Maggie. Ne m'en veuillez pas, mais je tiens à le conserver.

Avec le temps, elle finit par s'habituer à cette idée et ne frémit plus en se rendant dans l'appartement de Bryan, faubourg Saint-Honoré, où elle voyait le portrait accroché au mur.

Grâce à Bryan, elle fut introduite dans la colonie anglaise de Paris qu'elle charma par ses manières franches du Texas sous son mince vernis français.

Bryan l'adora avant qu'elle tombe vraiment amoureuse de lui. Maggie avait vécu trop longtemps dans la méfiance des hommes pour s'avouer ses sentiments. Sans se le dire formellement, elle avait juré qu'aucun homme ne la blesserait comme l'avait fait Victor.

Mais, un soir, alors que Bryan la ramenait chez elle de Longchamp, il lui prit la main et lui dit avec simplicité :

– Je comprends vos craintes. Je ne vous harcellerai pas. Mais j'attendrai.

A ces mots, les défenses de Maggie s'écroulèrent. Elle se laissa enlacer et embrasser, sentant fondre ses dernières résistances.

Il monta avec elle. Ils burent du champagne dans la chambre. Maggie, aussi nerveuse qu'une jeune mariée, se déshabilla et s'allongea sur le lit. Bryan s'assit à côté d'elle, il caressa du bout des doigts les rondeurs de son corps jusqu'à ce qu'elle sente sa peau s'enflammer, le désir la gagner. Elle le prit par la nuque et l'attira vers elle.

Dans un soupir, elle s'abandonna à son amour.

Maggie cacha sa liaison à Pascal mais elle ne permit jamais à Bryan d'intervenir dans ses rapports avec le vieux monsieur. Elle continuait de le recevoir chaque fois qu'il était libre de venir à l'hôtel de Saint-Germain-des-Prés. Ils dînaient et jouaient aux échecs comme avant, et Pascal conservait l'habitude de ses « petites surprises », la dernière en date étant non pas un voyage au fond de la mer mais un manteau de zibeline long jusqu'aux chevilles.

Maggie ne renonça pas non plus à ses visites au Père-Lachaise. Une fois par semaine, régulièrement, elle traversait Paris pour aller déposer des fleurs aux pieds de l'angelot.

Enfin, vers la fin de l'automne, le père de Bryan mourut et il devint le sixième Lord Carrington. Il se rendit à Londres pour les obsèques et revint dans la semaine auprès de Maggie.

– Mon séjour à Paris est terminé, annonça-t-il.

Ils étaient dans le salon de l'hôtel donnant sur une petite place ravissante au printemps et en été, mais dont l'aspect était pour l'heure sinistre avec les squelettes noirs des paulownias sous la froide pluie d'automne.

– Je dois retourner en Angleterre pour reprendre les affaires de mon père.

Maggie ne dit rien. Bryan la regarda avec une curieuse intensité.

– Maggie... Veux-tu venir avec moi ?

Elle avait redouté cette question. Elle savait depuis longtemps qu'elle lui serait posée un jour et s'était demandé mille fois quelle serait sa réponse. Maintenant... elle savait.

– Non, Bryan, je ne peux pas.

Il ne comprit pas son refus.

– Je ne veux pas dire comme ma maîtresse, Maggie. Mais comme ma femme. Je veux t'épouser.

– Je comprends, Bryan, murmura-t-elle, mais je ne peux pas. Du moins... pas pour le moment.

Le cœur de Bryan se serra. Il ne s'était pas attendu à ce refus, l'attitude de Maggie le dépassait. Il savait qu'elle l'aimait, elle le lui avait dit si souvent !

— Pourquoi, Maggie ?

— A cause de Pascal. Je sais que tu auras du mal à comprendre cela, Bryan, mais je ne peux pas le quitter... pas maintenant. Il est âgé, vois-tu, et à sa façon il m'aime beaucoup. Et il a besoin de moi.

— Non, je ne comprends pas ! Et justement pour les mêmes raisons... envisagées d'un autre point de vue. Nous sommes jeunes, nous avons toute la vie devant nous. Nous nous aimons et nous avons besoin l'un de l'autre.

Maggie se força à garder les yeux secs malgré l'atroce douleur qu'elle ressentait.

— C'est tout à fait vrai, Bryan. Mais, cependant... je ne peux pas quitter Pascal et d'une certaine façon bizarre qui n'a rien à voir avec mes sentiments pour toi, je ne le veux pas. J'avais espéré ne jamais avoir à faire ce choix, mais maintenant qu'il m'est imposé je sais que je dois rester ici avec lui. Je le lui dois, Bryan... cela et bien plus encore. Il a été comme un père pour moi.

Bryan secoua la tête, perplexe et malheureux.

— Mais les filles ont quitté leur père pour partir avec leurs amants depuis que le monde est monde.

— Je le sais... mais je ne peux pas. Je ne peux pas, c'est tout. J'ai quitté une fois mon vrai père pour un homme que j'aimais. Je ne veux pas recommencer.

Bryan se leva en soupirant.

— Maggie, ceci n'est pas un ultimatum, ne le prends pas ainsi. Mais je quitte Paris vendredi. J'ai pris deux billets pour le train et le bateau. Si tu décides de venir avec moi, tu n'auras qu'à te trouver à la gare Saint-Lazare à midi précis. Je serai là.

Peu après le départ de Bryan, le téléphone sonna et Maggie décrocha.

— Maggie, ma chérie, dit Pascal, je ne me sens pas très bien ce soir et je crois qu'il vaut mieux que je ne sorte pas sous la pluie. Est-ce que nous pourrions remettre notre dîner de ce soir ?

— Naturellement, Pascal. Prends bien soin de toi.

— J'irai sûrement mieux d'ici un à deux jours. Veux-tu que nous déjeunions ? Vendredi, peut-être ? Cela te conviendrait ?

— D'accord pour vendredi.

— Parfait. Je passerai te prendre à midi.

Maggie raccrocha et se prit la tête entre les mains.

XVIII

Dos et Lorna n'avaient pas quitté San Francisco les mains vides. Avant de partir en voiture automobile, ils avaient vidé leur coffre, emportant plus de huit mille dollars en espèces. Sachant que l'Oldsmobile les trahirait, Dos se hâta de la revendre à San José et ils prirent le train jusqu'à Salt Lake City.

Lorna savait alors qu'elle était enceinte mais elle n'en avait pas parlé tout de suite à Dos, pensant qu'il avait déjà bien assez de soucis.

Cependant, comme elle était petite et très mince, son état ne put rester longtemps secret. Ils étaient couchés dans leur chambre d'hôtel, et elle sentit Dos poser doucement une main sur son ventre.

– C'est pour quand ? demanda-t-il tout bas.

– Encore cinq mois, murmura-t-elle en regrettant de ne pas voir son expression dans le noir. Tu es fâché ?

– Non.

Elle soupira de soulagement. De son côté, elle était folle de joie. Quand elle avait su qu'elle portait l'enfant de Dos, toute crainte l'avait quittée de perdre le foyer dont elle avait toujours rêvé.

Il repoussa les couvertures et se leva; dans l'obscurité, elle vit sa silhouette passer et repasser devant la fenêtre. Enfin, il lui dit :

– Ça veut dire que si nous devons partir d'ici, il faut le faire tout de suite, alors que tu peux encore voyager.

— Où veux-tu aller ?

— N'importe où, plutôt que rester ici. J'ai horreur de cette ville.

Il passa près du lit et elle lui saisit la main, le tira et le fit asseoir à côté d'elle.

— Allons à Denver, alors. J'y ai déjà vécu quand j'étais gosse. C'est une grande ville. Tu trouveras quelque chose à faire.

Il s'allongea, enfouit sa tête dans son oreiller et parla d'une voix étouffée et lasse.

— Une grande ville risque d'être dangereuse pour nous. Un mandat d'amener a été lancé. Ils ont des photos. Quelqu'un finira par nous reconnaître.

Elle lui caressa la tête.

— Laisse repousser ta barbe. Elle te change beaucoup.

— Et toi ?

— Je ne me montrerai pas.

— Tu ne peux pas te cacher éternellement.

— Nous ne pouvons pas fuir éternellement non plus. Dormons, va. Nous nous déciderons demain.

Le lendemain à midi, ils étaient dans le train de Denver. Mais Dos était nerveux, inquiet. Il voulut descendre à Grand Junction et ils y passèrent deux mois, le temps que sa barbe soit bien fournie. La veille de leur nouveau départ pour Denver, il alla prendre les billets à la gare et revint à l'hôtel.

Lorna, assise sur le lit, relâchait la taille d'une jupe de serge bleue devenue trop étroite. Elle leva les yeux et trouva à Dos un air sombre et mystérieux.

— Qu'est-ce que tu as ?

Il vint s'asseoir à côté d'elle.

— J'ai réfléchi, Lorna... A toi, à moi et au bébé.

Elle retint sa respiration.

— Je sais ce que c'est que d'être un fils bâtard. Je ne veux pas que ça arrive à notre enfant. Tu ne crois pas... Enfin, je veux dire... Qu'est-ce que tu dirais si on se mariait ?

Lorna lâcha son ouvrage et serra Dos dans ses bras à l'étouffer.

— Ah, Dos ! Dos ! Je...

Elle faillit dire « je t'aime » mais les mots se bloquèrent dans sa gorge.

— Je suis si heureuse !

Le juge de paix ferma poliment les yeux sur l'état de Lorna et une heure plus tard, avec un employé du greffe comme témoin, Dos et Lorna devinrent mari et femme.

— Je suis navré pour l'alliance, dit Dos quand ils sortirent, au soleil de l'après-midi. C'est ce que j'ai trouvé de mieux à Grand Junction. Dès que nous serons à Denver, je t'en achèterai une vraie. Avec des diamants.

— Je ne veux pas de diamants, répondit Lorna en étendant la main pour admirer le simple anneau d'or. Celle-ci est bien assez belle pour moi... et je la porterai jusqu'à ma mort.

Dos sourit et l'embrassa.

— Lorna, tu es trop bien pour moi. J'ai fait un sacré gâchis de ma vie, mais ça en valait la peine parce que je t'ai trouvée.

— C'est moi qui t'ai trouvé, Dos, si tu te souviens bien.

Il rit et, en lui offrant son bras, il l'escorta au bas des marches du perron.

A Denver, ils louèrent une petite maison aux abords de la ville, d'où ils avaient une vue superbe sur les montagnes de l'ouest, et Lorna s'installa pour attendre le bébé.

Mais Dos paraissait agité, plus malheureux encore qu'à Salt Lake City. Il semblait avoir les nerfs à fleur de peau et si Lorna le persuadait souvent de sortir seul, il rentrait tôt et elle l'entendait marcher de long en large, tard dans la nuit, comme un fauve en cage.

Elle commença à craindre qu'il se sente pris au piège par le mariage et un soir, deux mois environ après leur installation dans la petite maison, incapable de supporter plus longtemps le bruit de ses pas, elle se força à lui poser la question.

Il parut surpris et vint s'asseoir par terre au pied de son fauteuil.

— Non, Lorna, non. Absolument pas. Comment peux-tu le penser ?

— Alors, qu'est-ce qu'il y a, Dos ? Qu'est-ce qui te trouble tellement ?

— Je crois que je n'en sais rien moi-même. Ce doit être cette fuite... toujours se cacher, changer de nom partout où nous allons, nous surveiller et regarder derrière nous, ne jamais pouvoir rester quelque part. Pendant un moment, j'ai vraiment cru que nous pourrions oublier tout ça, à San Francisco. Nous avions une maison, le Pandore nous rapportait gros, personne ne savait qui nous étions, personne à part ce foutu Malloy. Nous aurions pu tout garder si je n'avais pas été aussi bavard. Dieu, j'étais un fier imbécile! ... Et maintenant, nous sommes à près de deux mille kilomètres de là et je ne peux toujours pas marcher dans une rue sans avoir peur d'être reconnu... Je commence à en avoir assez, Lorna.

Elle le plaignit, en souhaitant désespérément de pouvoir faire quelque chose pour calmer l'angoisse de Dos, mais elle ne trouva rien.

Il passa une nuit agitée et quand Lorna se réveilla, elle le trouva assis, les traits tirés, à la table de la cuisine.

— J'ai pris une décision, Lorna... c'est-à-dire, si tu es d'accord.

— Dis-moi, Dos.

— Je veux rentrer chez moi.

— Au Texas ?

— Oui. Au Lantana. ça ne va pas être facile. Nous pourrions probablement nous cacher dans le ranch pour l'éternité, il est tellement vaste... Mais j'en ai assez de me cacher. Au début, c'était un jeu. Tu sais, un jeu de cache-cache. Mais je dois être trop vieux pour jouer maintenant...

— Peter Stark viendra te traquer.

— Je sais. Il me fera inculper pour meurtre. Mais il faut que j'affronte ça, que veux-tu ! Et puis, si j'arrive à retrouver les gens qui étaient dans le saloon ce soir-là, j'arriverai à plaider la légitime défense.

Lorna eut soudain terriblement peur.

— Mais, Dos... Si tu ne peux pas ? S'ils ne veulent pas témoigner ? Si on te pend ?

Il sourit tristement.

— J'ai toujours eu pas mal de chance, dans le passé. Il doit bien m'en rester encore un petit peu. Je devrais peut-être aller voir et l'éprouver maintenant, avant qu'il ne soit trop tard.

Lorna éprouva un sombre pressentiment, la prémonition que l'idée était mauvaise, qu'un événement imprévu surviendrait pour les séparer à jamais. Mais elle regarda le visage tourmenté de Dos et comprit son besoin de paix.

— Si c'est vraiment ce que tu veux, Dos, nous le ferons.

Il poussa un grand soupir, comme si un terrible fardeau avait été ôté de ses épaules.

— Quand veux-tu partir ? demanda-t-elle.

— Tout de suite, si tu te sens en état de voyager.

Lorna en était à son huitième mois, mais elle répondit sans hésiter :

— Je peux très bien voyager.

Dos prit les billets dans l'après-midi et le lendemain, alors que la neige commençait à tomber, ils montèrent dans le train et s'installèrent dans leur compartiment couchette.

— Oh, comme c'est douillet ici ! s'exclama Lorna.

Dos ôta son manteau.

— Je ne veux plus jamais revoir la neige. Je ne veux plus jamais avoir froid. Il ne neige presque jamais au Lantana.

Le train démarra dans une secousse et sortit lentement de la gare. Dos s'assit et ferma les yeux. Une expression sereine remplaça sur son visage la tension inquiète qui l'avait trop fréquemment crispé depuis les derniers mois.

Lorna, tournée vers la vitre, regardait tourbillonner la neige. Au bout d'un moment la nuit tomba sur la campagne et un contrôleur traversa la voiture en agitant la sonnette du dîner.

Dos et Lorna allèrent au wagon-restaurant. Le train était bondé et ils durent attendre un moment avant d'être placés à une table, en face d'un gros homme d'un certain âge, au type irlandais, dont la figure rougeaude était barrée par une moustache rousse en guidon de vélo. Il leur sourit aimablement et se présenta :

— Alfred Beaty, de Dallas.

— John Williams, répondit Dos en choisissant un nom au hasard. Et voici ma femme, Laura.

Tout en parlant, il pensait avec soulagement que c'était la dernière fois qu'il aurait à mentir sur leur identité.

— Qu'est-ce que vous faites dans la vie, Mr Williams ?

Beaty avait un regard franc, un côté expansif et jovial, et Lorna pensa que ce devait être un voyageur de commerce grégaire, qui avait appris à se lier facilement avec des inconnus pour meubler la solitude de ses voyages.

— Je suis dans le bétail, répondit Dos.

— Un rancher ?

— Oui. J'ai un petit élevage dans le sud du Texas.

— Je ne connais pas très bien cette partie-là, avoua Beaty.

— C'est le pays du bon Dieu, assura Dos. Jamais vous ne verriez une tempête de neige comme ça, là-bas.

Beaty se tourna vers la fenêtre et colla le nez à la vitre mais la nuit était trop noire et il ne vit que des flocons tourbillonnant dans la lumière du train.

— Et vous, Mr Beaty, que faites-vous ? demanda Lorna.

— Je suis voyageur de commerce, madame.

Elle sourit, heureuse d'avoir deviné juste.

— Ouais, reprit l'homme, je fais ce trajet environ deux fois par mois. Mais maintenant je rentre chez moi pour Noël. Ça va me paraître bon, moi, je vous le dis, de retrouver la maison.

— Je comprends ça, reconnut Dos.

Ils bavardèrent ainsi pendant tout le repas et quand Dos et Lorna regagnèrent leur compartiment, ils laissèrent Beaty s'attarder devant son café.

— Bien indiscret, marmonna Dos en quittant le wagon-restaurant.

— Je l'ai trouvé plutôt gentil. Il s'ennuie, le pauvre homme, toujours loin de sa famille.

Dos secoua la tête.

— Il y a quelque chose chez lui qui ne me paraît pas très franc, Par exemple, cette façon de me demander tout de suite ce que je faisais.

— Mais tout le monde fait ça, Dos. Tu es nerveux, c'est tout. Ne te mets pas dans tous tes états. Tu vas voir que tout se passera bien et que d'ici peu nous serons arrivés.

De retour dans le compartiment, Dos parcourut le journal un moment pendant que Lorna regardait par la fenêtre la tempête de neige qui continuait de faire rage.

Le lendemain matin, elle sortit dans le couloir pour se rendre au cabinet de toilette des dames et quand elle revint elle rencontra Beaty.

— Ah, bonjour, Mrs... euh... Excusez-moi mais j'ai un mal fou à me rappeler les noms.

Lorna perdit soudain contenance. Mon Dieu, quel nom avait donné Dos ? Elle hésita une seconde, crut se souvenir et bafouilla :

— Wilson... Mrs Wilson.

— Bien sûr ! s'écria Beaty avec un grand sourire. Wilson, c'est ça. Eh bien, Mrs Wilson, nous n'allons pas tarder à arriver à Boise City. D'après le contrôleur, nous avons du retard à cause de la neige.

— Cette tempête est terrible, n'est-ce pas ? dit-elle, pressée d'échapper à Beaty, les soupçons de Dos commençant à modifier l'opinion qu'elle avait de cet homme.

Quand elle retourna dans le compartiment, elle ferma la porte et demanda aussitôt :

— Dos, quel nom as-tu donné à Beaty ?

Il releva brusquement la tête, l'air alarmé.

— Pourquoi ?

— C'était Wilson ?

— Non, Williams.

— Ah, zut ! Je viens de le rencontrer dans le couloir et je lui ai dit Wilson. Ça ne veut probablement rien dire mais j'ai trouvé qu'il me regardait d'un drôle d'air.

— La question est réglée, Lorna. Dès le début, je me suis méfié de ce Beaty. J'ai dans l'idée que c'est un inspecteur des chemins de fer et je crois qu'il nous a repérés. Il faut quitter ce train.

— Nous allons arriver à Boise City.

— C'est là que nous descendrons.

Lorna garda le silence un moment puis elle murmura :

— Dos, ça veut dire que nous allons recommencer à courir. Je croyais que c'était terminé. Je croyais que tu en avais assez. Qu'est-ce que ça peut faire, si nous sommes pris maintenant ou plus tard ? Rendons-nous à Mr Beaty et finissons-en.

— Tu ne comprends donc pas, Lorna ? Si Beaty nous arrête, ce sera pour des vols en Californie. Ça veut dire toi aussi bien que moi. Si nous arrivons à passer au Texas, je me rendrai pour le meurtre de Klaus à Joëlsboro. Tu seras libre, hors de cause. C'est ça que nous devons faire... pour toi... et pour le bébé.

Lorna comprenait enfin le plan de Dos. Elle l'enlaça, l'embrassa tendrement et, sans réfléchir, elle murmura :

— Ah, Dos ! Maintenant je vois pourquoi tu fais tout ça. Quoi qu'il arrive, souviens-toi que je t'aime. Je t'ai aimé dès le moment où je t'ai vu pour la première fois et je t'aimerai toujours !

Le convoi ralentissait et commençait à aborder la gare de Boise City. Par la fenêtre, ils virent Beaty, engoncé dans son pardessus, qui sautait du train en marche et courait sur le quai vers le bureau télégraphe.

— Quand allons-nous descendre ? demanda Lorna.

— Je crois que c'est le moment.

Ils abandonnèrent le compartiment et longèrent le train, vers l'avant, aussi loin que possible du bureau du télégraphe. Quand ils arrivèrent à la première voiture, le contrôleur les avertit.

— Il fait rudement froid, dehors, vous savez.

— Ma femme a besoin de prendre un peu l'air, marmonna nonchalamment Dos en prenant le bras de Lorna.

Ils descendirent sur le quai et Dos se crut sauvé, mais pas pour longtemps. La voix de Beaty retentit dans les hurlements du vent :

— Ne bougez pas ! Haut les mains ! Je vous tiens en joue !

Dos crut qu'il allait s'évanouir. Lorna le sentit défaillir contre elle et lui glissa vivement un bras autour de la taille. Ils se retournèrent.

— Haut les mains, j'ai dit ! Vous aussi, la petite dame !

Beaty tenait l'autre extrémité du quai, les pans de son manteau claquant au vent, un colt 32 braqué sur eux.

— Vous êtes fait, Rivers. Vous et la petite dame vous n'allez nulle part, sauf en Californie !

— Beaty, cria Dos, j'irai avec vous. Mais laissez ma femme continuer jusqu'au Texas.

— J'ai l'ordre de vous arrêter tous les deux, gronda Beaty. Maintenant, allons-y.

Du canon de son arme, il désigna la gare et Dos et Lorna obéirent.

Ils étaient seuls tous les trois dans la salle d'attente.

— Asseyez-vous sur ce banc où je pourrai vous surveiller.

Dehors, le train siffla et s'ébranla.

— Nous avons presque réussi, souffla Dos. Au moins, nous avons essayé.

Adossé au mur, son colt armé, Beaty ne les quittait pas des yeux.

— Il y a un express pour le nord qui va passer d'ici une demi-heure. J'ai télégraphié pour qu'il s'arrête et nous prenne.

— Comment avez-vous fait pour nous reconnaître ? demanda Dos, la figure blême et la mine hagarde.

— Il y a un moment que nous avons vos photos. Je dois avouer que votre barbe m'a dérouté, mais j'ai reconnu tout de suite votre femme. Du moins, j'en étais à peu près sûr. Et puis quand elle n'a pas été fichue de se rappeler le nom que vous m'aviez donné, je n'ai plus eu de doute.

Lorna baissa tristement la tête.

— Tout est de ma faute.

— Non, la mienne, dit Dos. Et ça a commencé il y a bien longtemps, avant que je te connaisse. Je crois que j'ai toujours été destiné à quelque chose de ce genre, mais j'étais trop stupide pour le voir.

Les aiguilles de la grosse pendule au mur de la gare tournaient lentement et, après ce qui leur parut une éternité, ils entendirent siffler le train du nord.

— C'est bon, pas d'histoires, avertit Beaty. Je vous tiens en joue. Nous allons monter à bord et nous asseoir, et vous allez faire exactement ce que je vous dis.

Le train s'arrêta moins d'une minute à Boise City, juste le temps de prendre le trio, puis avec un nouveau coup de sifflet strident il sortit lentement de la gare.

Soudain Lorna poussa un cri et crispa les mains sur son ventre.

— Ah, mon Dieu ! Le bébé ! Joël ! Le bébé va naître ! Aide-moi, Joël !

Dos remarqua tout comme Beaty qu'elle l'appelait Joël. Et il vit son coup d'œil secret. Beaty ouvrit la bouche. Il soupçonnait une ruse mais la figure de Lorna était affreusement convulsée et elle hurlait de douleur.

— Faites quelque chose ! lui cria Dos.

— Joël ! Joël ! Aide-moi !

— Elle va accoucher là ! glapit Dos d'un air affolé.

Beaty se leva vivement.

– Emmenez-la aux toilettes des dames. Mais attention... je suis derrière vous.

Traînant Lorna presque cassée en deux, les mains soutenant son ventre énorme, Dos avança vers l'arrière de la voiture. Quelques passagers curieux levèrent le nez pour les regarder passer.

Lorna gémit puis elle poussa un nouveau cri perçant.

Le train traversait encore la ville lentement mais commençait à prendre un peu de vitesse. Dos savait qu'ils devaient agir vite. Soudain Lorna trébucha et tomba à genoux. Dos s'accroupit à côté d'elle mais pas avant d'avoir noté la position du revolver de Beaty.

Il se tourna comme pour aider Lorna à se relever et puis, avec la grâce d'un chat, il pivota et écrasa son gros poing sur le poignet de Beaty. Le colt sauta et s'en alla retomber dans le couloir. Derrière eux, une femme glapit et s'aplatit contre son dossier.

Avec une agilité surprenante, Lorna se releva d'un bond et courut ramasser l'arme. Beaty, beuglant de rage, se rua sur Dos. Il était fort pour un homme de son âge et il avait presque cloué Dos au plancher quand la voix de Lorna, froide comme de la glace, mit fin à la lutte :

– Lâchez-le, salaud, sinon je vous fais sauter la cervelle.

Beaty vit le canon pointé vers sa tête. Il leva les mains et recula précipitamment. Dos bondit au côté de Lorna et ouvrit la portière. Le train accélérait, les hautes congères commençaient à défiler rapidement.

Lorna regarda dehors, de la frayeur dans les yeux.

– Nous devons sauter, Dos ! C'est maintenant ou jamais.

Dos tira une balle dans le plancher pour tenir Beaty en respect et, les cris des voyageurs à ses oreilles, il mit ses deux bras autour de Lorna et ils sautèrent du train tous les deux.

Les congères amortirent leur chute mais Lorna fut arrachée à l'étreinte de Dos. Ils roulèrent sur eux-mêmes, les bras et les jambes jetés dans tous les sens comme des poupées de chiffon. Dos vint s'arrêter contre la voie mais Lorna avait atterri au sommet du talus et gisait maintenant de l'autre côté, dans le champ couvert de neige.

Le train accéléra pendant une minute encore mais alors que Dos se relevait, il entendit le sifflement strident du signal d'alarme et le grincement des freins de secours.

Il escalada le talus et alla aider Lorna à se mettre debout.

– Ça va ? Tu n'es pas blessée ?

Elle secoua la tête et s'appuya lourdement sur Dos.

— Nous ne pouvons pas rester là. Ils arrêtent le train. Ils vont nous chercher partout.

Ils avancèrent tant bien que mal dans la neige épaisse, pour tenter d'atteindre des broussailles au bout du champ. Le vent du nord hurlait et recouvrait leurs traces aussi vite qu'ils les laissaient. Dos entendit des cris derrière eux mais quand il se retourna il ne put rien voir à travers le rideau de flocons tourbillonnants. Ils arrivèrent au petit bois et continuèrent d'avancer, n'osant s'arrêter pour se reposer malgré leur épuisement. Et puis Lorna tomba et ne put se relever. Dos la souleva dans ses bras et la porta, en s'enfonçant de plus en plus dans les fourrés. Le vent lui sifflait aux oreilles et son haleine gelait sur sa barbe.

Enfin ils atteignirent une clôture et en la longeant ils trouvèrent un petit corral presque enfoui sous la neige. Il y avait là une vieille cabane délabrée. Dos s'y dirigea. La porte était fermée par du fil de fer mais il parvint à l'ouvrir et ils se jetèrent à l'intérieur, à l'abri du blizzard.

— Il faudra nous en contenter, marmonna Dos. Nous ne trouverions pas mieux. Nous nous terrerons ici jusqu'à ce que la tempête se calme.

Lorna s'était laissée glisser contre le mur et avait posé sa tête sur ses genoux levés, entre ses bras repliés. Dos s'accroupit à côté d'elle.

— Lorna ? Ça va ?

Quand elle releva la tête vers lui, il vit que cela n'allait pas du tout.

— Dos... Dos, souffla-t-elle faiblement, ses grands yeux terrifiés. Je crois que je me suis fait mal... salement mal...

Il la vit glisser une main sous sa robe et la retirer luisante de sang.

— Mon Dieu !

— Le bébé arrive, gémit-elle. Cette fois c'est vrai. Et j'ai mal, Dos, j'ai mal !

La cabane avait été une sellerie mais il n'y restait plus rien que quelques mors rouillés et des bouts de corde moisis. Dos ôta son manteau et l'étala sur la terre battue pour que Lorna s'y allonge. Mais quand il voulut la soulever pour l'installer, elle hurla et il vit de grosses gouttes de sang tomber entre ses pieds.

Avec précaution, il l'étendit sur le manteau et releva sa robe jusqu'à la taille. Son linge était rouge de sang. Il coupa les dessous avec son couteau et les jeta d'un côté.

Lorna enfonça ses poings dans sa bouche et poussa encore

un grand cri. Dos essaya de lui essuyer les cuisses mais le flot de sang continuait de couler, plus abondant que jamais.

– Dos, je ne peux pas... Je ne peux pas le supporter ! sanglota-t-elle. Je vais mourir !

– Mais non, Lorna ! Non ! Ce n'est que le bébé ! Ce sera fini dans une minute !

Mais il se demandait quelle quantité de sang elle allait perdre. Le crâne du bébé apparaissait et il savait que le moment était venu.

Dos n'avait jamais assisté à la naissance d'un enfant mais il remercia le ciel d'avoir vécu toute sa vie parmi des animaux, car il était certain de pouvoir faire ce qu'il fallait.

Lorna se tordait sur le manteau et criait de temps en temps, mais à chaque fois sa voix était plus faible.

Soudain, la tête du bébé se dégagea, puis ses étroites épaules et quelques secondes plus tard, Dos le tint entre ses mains. Il tira sa chemise de son pantalon et essuya le sang poisseux de la petite figure. Le bébé parut haleter, sa petite poitrine se souleva et son premier cri emplit la cabane.

Dos coupa le cordon et le noua avec un lambeau du jupon de Lorna.

– C'est fini, Lorna. Tu as réussi. Nous avons un beau petit garçon.

Elle resta inerte, la figure blanche, les yeux vitreux. Mais Dos l'entendit respirer doucement et vit un faible sourire se former sur ses lèvres.

– Prends-le, Lorna, serre-le contre toi, tiens-lui chaud, murmura Dos en déposant le bébé sur le sein de Lorna.

Elle referma les bras et souffla :

– Mon bébé... mon petit garçon...

Dos vit qu'elle saignait encore plus abondamment. Il déchira encore de longues bandes du jupon, les roula en boule et les pressa entre les jambes.

– Je saigne encore ?

– Beaucoup moins, mentit Dos, Ne t'inquiète pas. Tout ira bien.

Il s'allongea à côté d'elle, le bébé dans le berceau formé par leurs corps rapprochés.

– Il est beau, n'est-ce pas, Dos ?

Il essaya de regarder le bébé mais des larmes brûlantes lui brouillaient la vue. Soudain, Lorna poussa un nouveau cri.

– Ah, Dos ! La douleur ! Elle est toujours là !

Il se leva et vit que le jupon était trempé. Il comprit alors que Lorna allait mourir, qu'il ne pourrait pas la sauver. Soudain, un grand calme l'envahit, ou une sorte de torpeur, quand il comprit que Lorna était perdue pour lui. Il se recoucha contre elle, un bras sur le bébé pour lui tenir chaud, sa main caressante contre la joue de Lorna.

— Tout va s'arranger, tout ira bien, Lorna. Tu n'as pas à t'inquiéter. Tu vas aller très bien.

— Mais la douleur...

— Chut... Ça va passer. Attends. Tu verras.

Ils se turent un moment. Seuls les petits vagissements du nouveau-né rompaient le silence. Et puis Lorna annonça :

— Tu as raison, Dos, ça passe. J'ai beaucoup moins mal.

Il se mordit la lèvre pour ne pas sangloter.

— Tu vois... tu vois. Tout va s'arranger.

— J'ai sommeil, Dos.

— Eh bien, dors... Je vais vous veiller tous les deux, le bébé et toi.

Elle souleva les paupières et le regarda.

— Ne rase plus jamais ta barbe, Dos. Ça te donne un air... un air si...

Sa voix faiblissait.

— Je la garderai toujours, Lorna, chuchota-t-il. Pour toi.

— Dos...

— Qu'est-ce qu'il y a ?

Il fallut un moment à Lorna pour trouver la force de parler encore.

— Est-ce que tu lui diras que sa maman a eu le temps de le voir ? Qu'elle l'a tenu dans ses bras ? Et qu'elle a pensé qu'il était le plus beau bébé du monde ?

— Chut, Lorna... Tais-toi. Ne parle pas comme ça.

— Je meurs, Dos. Je le sens...

— Non ! rugit-il en tournant la tête vers le plafond de bois. Tu ne peux pas mourir ! Tu ne peux pas me laisser ! Comment est-ce que je vais vivre sans toi ? Lorna ! Lorna !

Elle parut s'assoupir.

-- Lorna ! ne me quitte pas ! J'ai besoin de toi ! Je t'aime !

Elle entendit les mots comme un écho tournant inlassablement dans sa tête. Je t'aime... je t'aime... je t'aime...

XIX

Par sa lunette d'approche en cuivre braquée d'une des fenêtres de la tour, Anne distingua un homme avec un paquet dans les bras qui se dirigeait vers la maison. Il avait l'air d'un vagabond avec une barbe en broussailles et une capote crasseuse, et la rosse qu'il montait semblait sur le point de s'écrouler de fatigue.

Elle savait que ce n'était pas un de ses hommes et elle se demanda comment un inconnu avait pu franchir le portail gardé. Anne se hâta dans l'escalier en colimaçon, prit un fusil chargé à canons jumelés d'un des râteliers du vestibule et ouvrit la porte d'entrée.

Il faisait encore froid après le nordé de la semaine dernière mais le soleil brillait et il n'y avait plus de vent.

– Qui êtes-vous et qu'est-ce que vous voulez ? cria-t-elle au cavalier.

Il ne répondit pas mais continua de pousser son cheval fourbu vers la grande maison.

– Qu'est-ce que vous venez faire chez moi ? Arrêtez immédiatement et nommez-vous, sinon vous aurez une poitrine farcie de chevrotines !

L'homme tira sur ses rênes et marmonna quelques mots indistincts.

– Plus fort ! Je n'ai plus l'oreille aussi fine qu'autrefois !

Elle cligna des yeux dans le soleil éblouissant. L'ombre du

chapeau cachait la figure de l'homme mais quelque chose, dans sa position à cheval, éveilla de vagues réminiscences.

— Je vous connais ? lui lança-t-elle.

Surprise, elle entendit soudain le cri d'un nouveau-né et l'homme baissa les yeux sur le paquet qu'il serrait au creux de son bras.

Anne sentit un frisson lui parcourir le dos et le fusil trembla dans sa main. Soudain l'homme releva la tête et la regarda.

— Je suis revenu, maman.

Elle reconnut immédiatement la voix mais ne put y croire. Tout son sang reflua de ses joues.

— Pose ton fusil, maman, à moins que tu aies l'intention de t'en servir.

Anne le releva vers le ciel et tira des deux canons. Puis, jetant l'arme au sol, elle courut, les bras tendus, la figure ruisselante de larmes de joie, elle courut vers son fils.

Dos mit pied à terre à l'instant où Anne le rejoignait. Elle se jeta contre lui et le serra convulsivement, trop émue pour parler.

— Doucement, maman, dit-il d'une voix tremblante. C'est mon fils que tu vas étouffer... ton petit-fils.

— Ah, mon Dieu ! Mon Dieu ! Je ne peux pas le croire ! Ça ne peut pas être vrai... Ce n'est pas vrai... Je rêve !

Elle leva les mains et caressa maladroitement la figure de Dos.

— C'est toi... C'est bien toi !

Il voulut sourire à sa mère mais il éclata en sanglots.

— Ah, maman ! Est-ce que tu veux bien de moi ? Est-ce que tu pourras jamais me pardonner ?

— Dos ! Tu sais bien que je veux te reprendre ! Toutes ces années, j'ai eu si peur de te voir revenir dans une caisse en sapin... si jamais tu me revenais ! Mon fils... mon fils... C'est si bon de t'avoir à la maison.

Entre eux, le bébé hurlait. Dos souleva la couverture de sa figure.

— Il va falloir que tu m'aides à l'élever. C'est un petit orphelin. Sa... sa maman est morte.

Anne prit l'enfant dans ses bras en battant des paupières pour chasser ses larmes afin de l'examiner.

— Il est exactement comme toi, Dos.

— C'était ce que sa maman voulait.

Dos et Anne se couchèrent tard dans la nuit, après avoir tenté pendant de longues heures de combler le fossé de dix ans de séparation. Leur conversation engendra plus de larmes que de rires. La nouvelle de la mort de Carlos porta un coup terrible à Dos et l'histoire de Maggie, ce qu'en savait Anne, l'emplit de chagrin et de pitié sans qu'il puisse éprouver pour sa sœur la même rancœur qu'elle. Il aurait voulu lui écrire mais quand il demanda à Anne où elle vivait, elle lui répondit qu'elle n'en avait aucune idée et ne parut même pas s'en soucier.

Le lendemain matin, ils déjeunèrent ensemble et Anne nourrit le bébé au biberon.

– Comment allons-nous appeler ton petit-fils ? demanda Dos.

– Nous devrions lui donner ton nom.

– Non, j'aime mieux pas. Je voudrais qu'il parte d'un bon pied.

Anne acquiesça.

– Mais ce serait bien de lui donner un nom qui évoque une certaine continuité... qui signifie quelque chose pour la famille.

Dos réfléchit un moment puis il se décida :

– Appelons-le Trevor.

Anne sourit.

– Trevor... Cela sonne bien. Et, de plus, ce nom me plaît beaucoup.

Elle se pencha et embrassa l'enfant, le cœur débordant d'amour pour ce représentant d'une nouvelle génération, la promesse que leur lignée survivrait.

– Trevor Cameron... *Monsieur* Trevor Cameron du Lantana.

Dans la journée, Dos et elle se rendirent au cimetière dans un petit cabriolet. C'était la veille de Noël mais un vent tiède, en provenance du sud-est, soufflait du golfe du Mexique et le ciel était clair, d'un bleu profond.

Anne contempla les pierres tombales.

– J'avais douze ans quand nous avons enterré ma mère ici. C'était un pays dur, à l'époque, de l'herbe, le ciel à perte de vue, des vaches sauvages. Sa tombe paraissait solitaire... et puis papa l'a rejointe, ainsi que ces six malheureuses bonnes mortes dans l'incendie de l'hacienda...

Elle se tut mais ses yeux passèrent de tombe en tombe, lisant les autres noms, Sofia, Ramiro Rivas, Carlos... et Alex. Elle soupira.

– Il devient un peu encombré, maintenant. Tu crois qu'il y aura de la place pour moi ?

– Pas avant longtemps, j'espère !

Anne tourna les talons, ayant bu plus que son soûl de souvenirs douloureux.

— Rentrons, Dos, et laissons ces braves gens dormir en paix. Après tout, nous faisons partie du monde des vivants... et nous avons Trevor à élever.

— Il va falloir que tu t'en occupes toute seule pendant un moment, murmura Dos.

Anne se tourna vers son fils et l'examina. Elle savait bien ce qu'il voulait dire.

— Quand comptes-tu le faire ?

— Je pensais prendre un cheval et aller à Joëlsboro dans la soirée.

Anne se mordit la lèvre pour l'empêcher de trembler.

— Si tôt ? Tu ne peux pas attendre un peu ?

— Peter Stark va découvrir que je suis de retour et il viendra me chercher. Je pense que ce serait plus simple si je me constituais prisonnier.

Elle savait qu'il avait raison mais elle se révoltait à l'idée de le perdre encore une fois.

— Je suis las de fuir, las de me cacher. Tout ce que je veux, maintenant, c'est en finir une bonne fois pour toutes.

Anne hocha la tête sans mot dire. Dos l'aida à remonter dans le cabriolet et se hissa à côté d'elle. Il claqua les rênes et le cheval partit au trot vers la grande maison.

— J'aurai peut-être de la chance, dit-il avec une bonne humeur forcée. Ils ne me condamneront peut-être qu'à deux ou trois ans. Ça passera vite.

— Quel que soit le nombre des années, Dos, n'oublie pas un instant ceci : Trev et moi, nous serons là pour attendre ton retour.

1907

XX

Quelquefois, lorsque Maggie passait devant un kiosque vendant des journaux étrangers, elle achetait le *Times* de Londres et il lui arrivait d'avoir ainsi des nouvelles de Bryan Carrington.

En 1904, le journal annonça qu'il avait prononcé son premier discours à la Chambre des Lords. L'année suivante, ses pur-sang remportèrent plusieurs courses à Ascot, les nouvelles de la Cour rapportèrent que le roi et la reine avaient passé un week-end de chasse dans le Sussex, au manoir de Carrington; et une fois même, Maggie lut que Bryan avait été condamné à cinq livres d'amende pour excès de vitesse en voiture automobile, sur la route de Brighton.

Au début de 1907, la santé de Pascal commença à décliner, et depuis le début du printemps jusqu'au milieu de l'été il ne put rendre visite à Maggie que deux fois dans le petit hôtel du faubourg Saint-Germain. Mais il téléphonait presque tous les jours et Maggie devinait, à sa voix de plus en plus faible, que son état empirait. Enfin, à la fin de juillet, une semaine s'écoula sans qu'il se manifeste une seule fois.

Maggie attendit, morte d'inquiétude, prête à se précipiter au chevet de Pascal, mais hélas ! une telle initiative scandaliserait la famille.

Finalement, un après-midi, Marie Dollois sonna à la porte.

– Marie ! s'exclama Maggie en la faisant entrer au salon. Ça fait un siècle ! Quel bon vent vous amène ?

Marie soupira et tendit la main pour la poser affectueusement sur le bras de Maggie.

– Un mauvais vent, ma petite fille. J'aurais aimé que nos retrouvailles soient plus heureuses mais j'apporte de mauvaises nouvelles.

– Pascal ?

– Oui. J'ai appris qu'il s'était éteint paisiblement dans son sommeil, la nuit dernière.

Les yeux de Maggie s'embuèrent de larmes mais elle prit la nouvelle assez calmement car il y avait un moment qu'elle s'y attendait. C'était malgré tout un choc et elle serra les bras autour d'elle, soudainement glacée.

– Il a été si bon pour moi, Marie !

– Je sais, ma chérie.

– Il va me manquer.

– Hélas, je le crains bien.

Le ton de Marie semblait plus éloquent que ses mots et Maggie la regarda avec curiosité.

– Malgré votre chagrin, ma chérie, il va vous falloir affronter certaines conséquences pratiques. Pascal était votre bienfaiteur. Maintenant qu'il n'est plus là, vous n'aurez plus les moyens de maintenir votre train de vie.

– Marie ! Comment pourrais-je penser à cela dans un moment pareil !

– Mais il le faut !

– Pas maintenant, Marie. La semaine prochaine, peut-être.

Marie Dollois sourit avec bonté.

– Je comprends, ma petite fille et je vous plains de tout mon cœur. Cependant... si vous le désirez, je pourrais vous soulager de ce fardeau. Tout comme je vous ai fait connaître Pascal, je pourrais organiser une rencontre avec un autre homme fortuné qui, j'en suis sûre, ne demanderait pas mieux que de vous entretenir dans cette jolie maison. Ce serait dommage de la quitter.

– Ah, Marie ! J'en ai assez de cette vie de demi-mondaine ! Je veux être autre chose qu'une femme entretenue. J'aimerais devenir enfin respectable.

Marie haussa les sourcils.

– Mais, ma chère petite, vous n'êtes pas respectable ! Vous avez un passé.

Les épaules de Maggie s'affaissèrent. Marie avait raison, naturellement, et elle comprenait soudain qu'il en serait toujours ainsi.

– Je vous en prie, Marie, je vous demande de m'excuser. J'ai besoin d'être seule en ce moment. Nous causerons plus tard.

– Certainement, ma chérie. Vous savez où me joindre.

Restée seule avec ses pensées, Maggie ne put que se souvenir de Bryan. Il avait voulu l'épouser, il lui avait offert l'occasion de s'arracher au demi-monde et de refaire sa vie. Si seulement elle était allée le rejoindre à la gare Saint-Lazare, ce vendredi à midi... il y avait de cela quatre ans... comme son existence serait différente à présent... Lady Carrington, châtelaine du manoir de Carrington...

Mais sa loyauté envers Pascal avait tout primé. Son cœur avait toujours regretté cette décision et pourtant elle savait qu'elle avait bien agi. Son sacrifice avait apporté quelques années de bonheur de plus à Pascal et elle pensait qu'elle devait au moins cela à son généreux bienfaiteur.

Mais à présent qu'elle était libre de retrouver son amour, elle s'apercevait qu'elle n'en avait pas le droit. En permettant à Bryan de quitter Paris sans elle, elle avait fait son choix. Elle ne pouvait courir vers lui maintenant, après toutes ces années de silence. Comment pouvait-elle être sûre qu'il l'aimait, qu'il la désirait encore ? Il s'était sans doute épris d'une autre.

Elle enfouit son visage entre ses mains et se résigna à l'inévitable. Dès le lendemain, elle irait voir Marie Dollois.

Marie fut enchantée.

– Ma chère, je vais vous trouver l'homme le plus généreux de Paris. Je vous le promets. J'en ai d'ailleurs plusieurs en vue, mais il faut faire vite. Bientôt, vos créanciers vont se rassembler comme des loups à votre porte.

Cette prophétie n'était que trop vraie. Ce fut d'abord la couturière qui vint poliment réclamer deux mille francs. Puis le boucher présenta sa facture – moins poliment - et le loyer de l'hôtel particulier allait être dû au même moment où le cocher et les domestiques attendaient leurs gages.

Aussi, quand Marie Dollois organisa un rendez-vous entre Maggie et Jérôme Louvet, Maggie n'avait plus le choix. La rencontre eut lieu à la Maison Dollois et après avoir bu un verre de champagne en leur compagnie, Marie se retira discrètement.

Jérôme avait cinquante ans passé; c'était un riche soyeux que ses affaires retenaient la plupart du temps à Paris et dont la famille habitait Lyon.

– Comme ça, heureusement, déclara-t-il, dès qu'ils furent seuls, nous pourrons nous voir sans nous gêner.

Maggie essaya de sourire mais c'était la dernière chose dont elle avait envie. Jérôme Louvet lui faisait horreur. Il était obèse, son imposante bedaine bridait son gilet. Ses petits yeux porçins la détaillaient sans vergogne, d'un air affamé, à croire qu'elle était son prochain mets, et son nez bulbeux était couvert de couperose. Il avait des dents jaunes et Maggie remarqua que ses ongles étaient aussi noirs que ceux d'un ouvrier. Des mèches pommadées étaient disposées sur son crâne dans le fallacieux espoir de dissimuler sa calvitie.

Il se servit encore du champagne qu'il avala gloutonnement avant de s'essuyer les lèvres d'un revers de main.

Avant que Maggie puisse esquisser un geste de recul, il appliqua une lourde main sur son genou.

– Dieu que vous êtes belle femme ! Je suis très reconnaissant que Marie Dollois nous ait présentés. Je saurai bien la récompenser.

Maggie frémit à son contact mais il ne parut pas s'en apercevoir.

– Soyez assurée que rien ne changera. Marie m'a expliqué votre ancienne situation. Vous garderez l'hôtel particulier, j'aime assez le faubourg Saint-Germain, et si vous voulez bien m'envoyer vos factures je veillerai à régler tous vos créanciers.

Maggie l'écoutait avec une horreur croissante. Elle était certaine que Marie Dollois avait perdu la tête, si elle s'imaginait qu'elle allait devenir la maîtresse d'un individu comme Jérôme Louvet. Jamais ! Plutôt mourir de faim !

– Monsieur Louvet, dit-elle en se levant, je regrette de couper court à cette entrevue, mais j'ai des courses urgentes et je dois partir.

Il eut l'air surpris, puis déçu, mais il ne tenta pas de la retenir. Elle prit son manteau et se hâta de sortir du salon.

Quelques minutes plus tard, Marie Dollois entra par une autre porte.

– Où est ma petite protégée ?

– Elle a dû se sauver, des courses à faire... mais je la verrai plus tard.

– Elle vous convient, j'espère ?

– Très certainement ! s'exclama Louvet. Elle est parfaite... Absolument parfaite !

Marie sourit chaleureusement.

– Eh bien dans ce cas, mon ami, il n'y a plus qu'une petite question à régler...

– Ah, oui !

Il prit son portefeuille et ajouta :

– Je sais que nous nous sommes mis d'accord sur le prix, mais cette fille est si délicieuse que je vais vous donner un peu plus... un petit cadeau en gage de reconnaissance.

Marie Dollois le regarda avidement compter des billets.
— Monsieur, il n'y a rien de tel qu'un homme généreux

Maggie rentra précipitamment chez elle et s'enferma dans sa chambre. Elle frémissait chaque fois qu'elle pensait à la grosse main de Louvet sur son genou et l'idée de le recevoir dans son hôtel, sans parler même de son lit, lui donnait la nausée !

Jamais, se dit-elle. Je préfère mourir. Si je vends certaines des choses que Pascal m'a données, je pourrai facilement payer mes dettes. Et puis je trouverai du travail... il doit bien y avoir quelque chose que je saurais faire. Je préfère de beaucoup devenir domestique que la maîtresse de Jérôme Louvet !

Elle prit sa boîte à bijoux et en fit l'inventaire. Elle contenait une paire de boucles d'oreilles en brillants, des dormeuses, qui à elles seules devraient rapporter de quoi payer la couturière, et puis la bague en saphir, le double rang de perles, etc.

Un grattement à la porte l'interrompit. C'était sa femme de chambre, venant annoncer que Jérôme Louvet attendait en bas.

— Dites-lui que je ne suis pas là. Renvoyez-le.

La bonne partit mais quelques instants plus tard Maggie entendit un pas lourd dans l'escalier. Elle bondit vers sa porte pour pousser le verrou. Trop tard, Louvet était déjà là. Sa masse corpulente bloquait le seuil; il fronçait les sourcils et ses petits yeux rapprochés fulguraient.

— Je ne comprends pas, ma chère.

Qu'il osât s'introduire dans sa chambre scandalisa Maggie.

— Je ne suis pas votre chère ! Je ne suis rien pour vous ! Faites-moi le plaisir de sortir de chez moi !

Louvet parut un instant décontenancé puis il se mit à sourire, révélant sa denture jaunie.

— Ah, je vois ! Tu aimes les petits jeux, ma petite. Un peu de bagarre, peut-être, hein ?

— Pas le moins du monde, monsieur. Je ne veux pas de vous ici et je ne tiens pas à avoir de rapports avec vous.

Jérôme était lent à comprendre mais pas stupide et une bouffée de colère fit monter le rouge à sa grosse figure.

— Tu n'as plus le choix, ma petite. L'arrangement a été fait. J'ai généreusement payé Marie.

— Cela vous regarde, monsieur. Allez vous plaindre à elle.

Maggie s'approcha de la porte et voulut la lui fermet au nez, mais il la repoussa, claqua le battant et poussa le verrou.

— Je viens toucher ce que j'ai payé.

Maggie recula, affolée. Il était énorme, elle savait qu'elle n'aurait jamais la force de lutter contre lui. Il lui empoigna le bras et le lui tordit violemment dans le dos.

— Lâchez-moi ! glapit-elle.

Louvet la serra plus fort et gronda entre ses dents :

— Ah, un peu de feu ! J'aime ça chez une femme !

Il poussa Maggie vers le lit et l'y jeta. Elle tenta de se relever mais la main de Louvet, grosse comme une patte d'ours, se plaqua sur sa poitrine et la maintint allongée. De l'autre, il saisit son corsage au col et tira, en faisant sauter tous les petits boutons. Maggie rua mais il tomba sur elle et l'écrasa de son poids énorme. Quand elle voulut crier, les lèvres avides lui couvrirent la bouche. Prisonnière, incapable de se dégager, elle sentit la main de Louvet se glisser entre eux et déboutonner son pantalon. Puis il souleva les jupes et les jupons de sa victime jusqu'à la taille et son genou lui écarta les jambes de force.

Maggie suffoquait sous cette masse adipeuse et l'haleine fétide lui donnait la nausée. Elle regarda autour d'elle, complètement affolée, horrifiée par ce qui allait arriver et parvint à libérer un bras. Tâtonnant avec désespoir, elle heurta la table de chevet et ses doigts effleurèrent la lourde lampe de bronze qui vacilla et tomba sur l'oreiller à côté de sa tête. Elle saisit le pied, leva la lampe et l'abattit de toutes ses forces sur la nuque de Louvet. Il poussa un cri de surprise, fut agité d'un spasme et devint un poids mort sur Maggie. Elle réussit à le repousser, à le faire rouler d'un côté et se leva du lit, les jambes molles. Chaque fibre de son corps protestait, elle n'en pouvait plus, mais elle chancela vers son armoire, prit son manteau et s'enfuit de la chambre.

Les domestiques étaient dans le fond de la maison et quand ils entendirent claquer la porte d'entrée, ils supposèrent que le visiteur était parti.

Ce fut seulement bien plus tard, quand la femme de chambre monta faire la couverture, qu'elle trouva Louvet sans connaissance sur le lit. Le croyant mort, elle appela la police.

XXI

Ayant fui sa maison sans un sou, Maggie courut à pied jusqu'à Montmartre, où elle espérait trouver un ami parmi les artistes qu'elle connaissait.

Elle alla dans tous les bars et cafés qu'ils fréquentaient et rencontra enfin un jeune homme nommé Alphonse à qui elle avait acheté une toile, l'année précédente, représentant la plage de Deauville.

— Mon Dieu, Maggie ! s'écria-t-il en se levant de sa table. Vous avez l'air d'être passée sous l'omnibus !

— Alphonse, il faut que vous m'aidiez ! Il m'arrive une chose épouvantable.

— Asseyez-vous. Tenez, dit-il en poussant vers elle son verre d'absinthe. Buvez et racontez-moi ce qui se passe.

Maggie but une gorgée d'alcool qui lui fit du bien puis, repoussant sur son front ses mèches folles, elle lui raconta tout.

— Je crois que je l'ai tué, conclut-elle. Je ne sais pas. Mais s'il n'est pas mort, j'aimerais qu'il le soit !

— Peu importe, dit Alphonse sur un ton décidé. Vous devez vous cacher. Mort ou non, la police va vous chercher. Nous allons aller tout de suite à mon atelier.

Son atelier n'était qu'une petite soupente, sous les toits, dans le quartier, mais Maggie se laissa tomber sur une chaise près de la lucarne et le remercia chaleureusement.

Ce soir-là, Alphonse lui abandonna son lit, une simple paillasse dans un coin. Maggie ne protesta pas, trop égarée pour se rendre compte qu'il allait devoir passer la nuit enroulé dans une couverture à même le plancher.

Mais le lendemain, l'air hagard et fatigué, elle retrouva ses esprits.

— Il faut que je quitte Paris, c'est sûr.

— Mais où irez-vous ?

Alphonse avait fait du café et il lui en apporta une tasse.

— J'ai réfléchi et il me semble que je n'ai pas le choix. Pourriez-vous me donner une feuille de papier et une enveloppe ?

— Une page de mon carnet de croquis, ça irait ?

Maggie sourit.

— A merveille.

Puis, trempant une plume à dessin dans de l'encre de Chine, elle écrivit une lettre à Bryan.

Cinq jours plus tard, elle reçut la réponse :

Voici de l'argent pour payer ton voyage à Londres et la clef d'une maison située n° 83 Hedlington Row à Hampstead. Va là-bas et installe-toi comme chez toi. Je viendrai te voir.

Maggie regarda la petite clef de bronze au creux de sa main et, avec un soupir de soulagement, elle la serra dans son poing.

Maggie arriva à Londres le lendemain, tard dans la soirée. Elle prit un fiacre et se fit conduire à l'adresse de Hampstead. Malgré la nuit obscure, elle put voir que c'était une charmante maison, en retrait de la rue, avec un petit jardin sur le devant qui embaumait les roses.

Elle s'était un peu attendue à y trouver Bryan, elle s'était préparée à ces retrouvailles, mais elle trouva la maison déserte. Elle la visita timidement, allant sur la pointe des pieds de pièce en pièce, avec l'impression d'être une intruse car il semblait que les occupants venaient à peine de sortir. Tout était parfaitement meublé et dans chaque pièce des bouquets ornaient les tables. Le salon était charmant et douillet et quand elle s'aventura jusqu'à la cuisine elle trouva les placards pleins de provisions et de bouteilles de vin. En se retournant, elle aperçut un mot de Bryan sur un meuble.

« Mon amour, lut-elle, je viendrai dès que je pourrai. En attendant, dis-toi que je t'aime. »

Toutes les craintes de Maggie s'envolèrent. Elle serra ses bras autour d'elle et dansa autour de la cuisine. Bryan l'aimait ! Il l'aimait encore !... Ma vie va quand même s'arranger ! Oh Bryan, Bryan ! Dépêche-toi de me rejoindre !

Le lendemain matin, un peu avant onze heures, elle entendit une automobile s'arrêter dans la rue, puis le grincement de la grille et des pas dans l'allée du jardin. Elle courut à la porte, l'ouvrit et Bryan la souleva dans ses bras. Quand leurs lèvres s'unirent elle éprouva un immense soulagement. Il lui suffisait d'être près de Bryan pour que tous ses ennuis, tous ses soucis disparaissent.

Elle recula un peu pour le contempler. Il était hâlé par le soleil d'été et plus beau encore que dans son souvenir. Elle ne put se priver du plaisir de caresser les traits classiques de son visage. Mais comme s'il ne pouvait supporter d'être séparé d'elle, même de quelques centimètres, il la reprit dans ses bras et la serra contre lui en l'embrassant encore.

— Je croyais ne jamais te revoir, Maggie. Le temps a été si terriblement long.

— Trop long, Bryan... Jamais plus je ne veux être loin de toi.

Elle pressa sa joue contre le revers de sa veste et ils restèrent longtemps debout, cramponnés l'un à l'autre, avant d'entrer dans la maison, enlacés.

Maggie espérait qu'il la prendrait par la main et monterait avec elle dans la chambre. Elle avait hâte de se retrouver dans ses bras... Mais il poussa la porte du salon, la lâcha et alla prendre une carafe de xérès dans un cabinet à liqueurs. Il remplit deux verres et s'assit sur un canapé, Maggie blottie à ses pieds sur le tapis, un coude sur ses genoux.

— Tu aimes la maison ? demanda-t-il.

— Elle est adorable !

— Je l'ai louée dès que j'ai reçu ta lettre. Elle est à toi, aussi longtemps que tu la voudras.

— Comment te remercier ?

— A quoi bon, Maggie, je suis comblé !

Elle lui prit une main et la pressa contre ses lèvres.

— Ah Bryan, je t'aime tant !

— Moi aussi, Maggie. Mais les choses ne sont plus aussi simples.

Elle leva les yeux, pressentant un malheur.

— Je l'ai compris à ta lettre... Je le vois en te regardant, maintenant, que tu ne sais pas.

— Qu'est-ce que je ne sais pas, Bryan ?

Il respira profondément.

— Je suis marié, Maggie. Je me suis marié il y a un peu plus d'un an.

Cette nouvelle frappa singulièrement Maggie. Elle eut comme un vertige. Elle crut qu'elle allait être prise d'un fou rire nerveux et dut se mordre la lèvre pour se maîtriser. Portant une main à son front, elle se releva et marcha un peu avant d'être sûre de pouvoir parler posément.

— Non... Je l'ignorais, naturellement, sinon je n'aurais pas écrit. mais j'aurais dû m'en douter. Cela fait quatre ans, après tout...

Bryan s'était précipité vers elle.

— On dirait que c'est mon destin, avec les hommes... D'abord Victor, et puis toi. Je me demande ce qui me pousse à commettre sans cesse la même erreur.

— Ce n'est pas de ta faute, Maggie.

— Oh, mais si ! J'aurais dû quitter Paris avec toi quand tu me l'as demandé.

— Tu as simplement fait ce que tu jugeais honnête. J'ai compris ta loyauté envers Pascal. Mais je t'avoue qu'en apprenant sa mort j'ai espéré recevoir de tes nouvelles. Si tu n'avais pas écrit, je t'aurais envoyé une lettre.

— Mais, Bryan... pourquoi ? Tu es marié, maintenant.

— Je n'aime pas ma femme. Je ne l'ai jamais aimée. Tu es la seule de qui je sois épris, Maggie, et mon cœur t'appartient pour toujours. Tu le crois, au moins ?

— Oui, Bryan.

— Comme je te l'ai expliqué, je n'espérais plus te revoir, pas vraiment. Comment pouvais-je savoir qu'un jour tu reviendrais ? J'ai attendu trois ans, et puis j'ai fait la connaissance de Germaine...

— Germaine ?

— Oui, elle est belge. Son père est un gros banquier de Bruxelles.

— Un mariage d'affaires.

— En partie seulement. Il y avait aussi la solitude.

Il la reprit dans ses bras.

— Ah, mon chéri, que je le regrette.

— Moi aussi, mon amour.

— Alors, qu'allons-nous devenir ?

— C'est à toi de le dire, Maggie. Je ne peux rien exiger de toi, je n'en ai pas le droit.

— Tu as tous les droits, Bryan... sur moi tout au moins. Quand Pascal est mort, je ne désirais rien de plus au monde que d'être avec toi mais je ne voyais pas de quelle manière, après t'avoir repoussé à Paris, et à cause d'un sot orgueil et de fausses convenances, je ne t'aurais probablement jamais fait signe sans...

Maggie ferma les yeux pour tenter d'effacer le souvenir de Jérôme Louvet.

— L'orgueil... les convenances, murmura Bryan. Dans quel monde à l'envers vivons-nous !

— Il est à notre image, hélas, dit amèrement Maggie. Aussi stupides qu'elles soient, ce sont nos propres lois... aussi contraignantes que les corsets dont nous nous serrons, que les cravates que vous nouez à votre cou. Ah, les êtres humains ne sont que des moutons !

Bryan sourit ironiquement.

— Et tu voudrais te promener sans corset ? Et tu crois que je pourrais paraître en public sans cravate ?

Maggie soupira.

— Je ne le pense pas, Bryan. Nous ne sommes pas assez forts pour ça.

— Sans doute pas.

Elle se dégagea doucement et alla à la fenêtre où elle contempla les roses, l'air absent.

— Ainsi... Si je reste ici, Bryan, je devrais être ta maîtresse. Nos rapports seraient clandestins, je ne te verrais que lorsque tes obligations t'en laisseraient le loisir, tu viendrais le soir mais je saurais que tu ne serais pas à côté de moi à mon réveil, nous ne nous montrerions jamais en public ensemble.

Bryan baissa tristement la tête. Maggie soupira, puis se tourna vers lui.

— Eh bien, dans ce cas, j'accepte ! Mon passé n'a été qu'un gâchis et ce qui est fait ne peut être défait. Mais c'est bien le diable si je vais gâcher aussi mon avenir ! Je refuse catégoriquement de passer le restant de ma vie séparée de l'homme que j'aime !

Le cœur de Bryan déborda de bonheur. Il tendit les bras et Maggie s'y jeta en pleurant de joie car si elle savait qu'elle n'était pas entièrement libre, et ne le serait peut-être jamais, elle avait par sa décision entrouvert la porte de sa prison. Et son âme était inondée de lumière.

— Maintenant, souffla-t-elle, maintenant que nous nous sommes engagés... Embrasse-moi, et allons nous coucher.

Une semaine avant Noël, Maggie furetait dans Burlington Arcade, à la recherche d'un cadeau pour Bryan. Elle voulait quelque chose d'unique, de personnel mais aussi de modeste pour ne pas éveiller les soupçons de Germaine.

Les deux femmes ne s'étaient pas encore rencontrées mais Bryan avait parlé de Maggie à Germaine, disant simplement qu'une vieille amie de Paris venait de s'installer à Londres; il avait suggéré, d'une manière distraite, que Germaine pourrait l'inviter à une de ses réceptions, si l'occasion s'en présentait. Germaine avait à peine écouté et probablement oublié. Ainsi, cinq mois plus tard, Maggie ne connaissait toujours pas la maison londonienne de Bryan ni son domaine du Sussex.

Elle n'y tenait d'ailleurs pas tellement, en étant à peine curieuse, car elle considérait le cottage de Hampstead comme *leur* maison et pour le moment cela lui suffisait amplement.

L'Arcade était bondée de gens et Maggie faillit rater le petit presse-papier de cristal sur un coussin de velours, dans le coin d'une vitrine.

Elle entra vivement, demanda à l'examiner et, en le retournant dans sa main, elle murmura :

– Parfait, absolument parfait.

C'était une boule de cristal avec au centre (comment cela pouvait se trouver là, Maggie ne l'imaginait pas) un minuscule ballon sphérique en or, précis dans ses moindres détails, exactement comme celui qui l'avait transportée avec Bryan au-dessus des toits de Paris le jour où ils s'étaient connus.

Elle l'acheta, certaine de ne rien trouver qui fasse plus de plaisir à Bryan. La vendeuse plaça le presse-papier dans une boîte gainée de soie, l'enveloppa et noua le paquet d'un ruban.

Son achat fait, Maggie sortit presque en dansant de l'Arcade. Elle n'avait fait que quelques pas quand elle s'arrêta net en voyant Bryan avancer dans sa direction. Elle faillit l'appeler mais se retint à temps en remarquant la femme qui l'accompagnait.

Elle n'eut pas le temps de battre en retraite, car Bryan l'avait aperçue et il l'appelait.

Maggie se dit que cela devait arriver tôt ou tard. Il fallait bien qu'elle rencontrât un jour sa femme et mieux valait que ce fût dans la foule qu'au cours d'une réception intime.

– Maggie ! Maggie Cameron, dit Bryan sur un ton protocolaire, puis il se tourna vers Germaine. Ma chère, j'aimerais te présenter une de mes amies, Maggie Cameron. Maggie... ma femme.

– C'est un plaisir de faire votre connaissance, Lady Carrington.

Germaine répondit par une amabilité, puis elle hésita et demanda :

– Mais ne nous sommes-nous pas déjà vues, Miss Cameron ?

– Je ne le crois pas, Milady. Je suis à Londres depuis peu.

– Cependant... votre visage m'est familier.

– Je suis sûre que nous ne nous sommes jamais rencontrées.

Maggie pensait qu'elle s'en serait souvenue. Sans être belle, Germaine retenait l'attention; elle aurait pu servir de modèle à Renoir avec ses cheveux dorés et mousseux, son teint couleur rose et délicatement crémeux.

— Vous faites des achats pour Noël ? demanda Bryan.

— Oh, juste quelques petits souvenirs. Et vous ?

— Nous venons de terminer, dit Germaine. Une petite boîte à musique ancienne pour ma mère.

— Nous partons demain pour le manoir de Carrington, annonça Bryan. Toute la famille va s'y retrouver... Celle de Germaine aussi.

— Ça va être une maison de fous !

— Tu n'auras pas à lever le petit doigt.

— C'est ce que tu m'as promis l'an passé, déclara Germaine en riant, et je me suis épuisée à la tâche. Voyez-vous, Miss Cameron, nous ne sommes que trois dans ma famille et les Carrington, on semble n'en jamais voir la fin.

Maggie sourit avec sincérité. Cette femme lui plaisait. Elle avait toujours espéré le contraire, ce qui aurait facilité les choses, mais elle se sentait captivée par la chaleur de Germaine.

— Eh bien, je ne veux pas vous retenir plus longtemps, dit-elle. Bonnes vacances, tous les deux.

— Il faudra venir nous voir, dit Germaine. Je vous enverrai un mot dès que nous serons rentrés à Londres.

— Cela me ferait grand plaisir, Lady Carrington.

Bryan et Germaine s'éloignèrent et au bout d'un moment elle dit à son mari :

— C'est une femme ravissante. Elle me plaît.

— Je t'ai déjà parlé d'elle.

— Vraiment ? Je ne me souviens pas. Mais je persiste à penser que nous nous sommes déjà rencontrées. Sinon, pourquoi aurai-je l'impression de l'avoir déjà vue ?

Bryan savait où mais il ne dit rien.

Ce soir-là, à cinq heures, il sonna à la porte du cottage de Hampstead. Maggie l'attendait. Il y avait un feu de bois dans la cheminée et du champagne dans un seau à glace. Ce devait être leur dernière soirée avant quinze jours.

— Tu lui as plu, Maggie.

— Moi aussi, je l'ai trouvée très bien. Mais je ne la plains pas, elle connaît le bonheur de vivre avec toi.

Bryan l'embrassa tendrement.

— Et pourtant, tu m'as comme elle ne m'aura jamais.

– C'est vrai. Si j'avais à choisir, je ne voudrais rien changer. Ton amour est plus précieux pour moi que ton nom.

– Ce doit être dur pour toi, ma chérie. C'est Noël, tous les gens qui s'aiment devraient se réunir, et je vais partir pour Carrington alors que tu restes seule.

– Peu importe. Nous fêterons notre Noël ce soir. Au fond, qu'est-ce que c'est qu'une date sur un calendrier ?

– Et nous célébrerons le Nouvel An à mon retour.

– Hogmanay, comme disait mon père, murmura Maggie. Chez nous, c'était une plus grande fête que Noël.

– Comme chez tous les Écossais.

Ils échangèrent des vœux au champagne, ils montèrent dans la chambre de Maggie aux rideaux tirés puis ils s'habillèrent, redescendirent et s'offrirent leurs cadeaux.

Maggie ouvrit le sien la première. C'était un bracelet florentin en or, incrusté de diamants d'une eau admirable et à l'intérieur une phrase était gravée : « Ceux qui s'aiment plus que le monde ne peuvent être séparés par lui. »

– Bryan ! Que c'est beau !

– C'était le conseil que William Penn donnait à ses enfants. Je crois qu'il est bon de s'en souvenir.

– Je ne l'oublierai jamais.

Elle l'embrassa et lui remit alors son cadeau. La figure de Bryan s'illumina quand il le vit. Il retourna la boule brillante entre ses mains, laissant la lumière scintiller sur le minuscule ballon planant pour l'éternité dans son atmosphère de cristal. Avec une joie d'enfant, il s'écria :

– Maggie, je t'adore ! C'est la perfection même ! Quel adorable souvenir !

Ils s'enlacèrent et se laissèrent tomber sur le tapis devant le feu de bois. Bryan embrassa Maggie à lui faire perdre le souffle et il sentit son corps s'embraser plus encore que les flammes. Ils s'aimèrent encore, lentement, prolongeant chaque caresse, en cherchant à suspendre l'envol du temps, comme s'ils pouvaient arrêter les aiguilles de la pendule et demeurer enlacés, planant à jamais comme le petit ballon doré.

Mais finalement, alors qu'ils étaient détendus et heureux devant les braises, la pendule de la cheminée sonna neuf heures. Bryan gémit et se releva en soupirant. Maggie l'embrassa une dernière fois et murmura :

– Ce ne sera pas long, mon amour. Nous avons supporté de vivre quatre ans loin de l'autre... deux semaines passeront en un clin d'œil.

— Tu vas me manquer à chaque seconde.

Maggie écouta le bruit de la voiture s'éloigner puis elle fit le tour de la maison pour éteindre la lumière. Dans sa chambre, l'oreiller gardait encore l'empreinte de la tête de Bryan. Elle s'allongea et le prit dans ses bras, le porta à ses lèvres.

En fermant les yeux, elle souriait de bonheur en se rappelant l'inscription sur son bracelet. Elle se la répéta à mi-voix : « Ceux qui s'aiment plus que le monde ne peuvent être séparés par lui... »

1908

XXII

De tous les biens que Maggie avait dû laisser à Paris, les seuls qu'elle regrettait vraiment, c'étaient les tableaux qui avaient couvert les murs de son hôtel du faubourg Saint-Germain. Elle avait correspondu avec son ami Alphonse, le peintre, en lui demandant s'il pourrait s'arranger pour les lui faire envoyer mais il lui écrivit que lorsqu'il était allé voir les nouveaux locataires, ils avaient été incapables de lui dire ce qu'étaient devenues les toiles.

Elle parla de son chagrin et de leur perte à Bryan.

— Ce n'est pas pour leur valeur, il y en a que j'ai payés moins de cent francs, mais je les aime beaucoup. Et ils ont été peints par mes amis.

Bryan écouta avec compassion et puis ils n'en parlèrent plus et Maggie se résigna à ne jamais revoir ses tableaux.

Et puis, quelques semaines plus tard, Bryan arriva au cottage suivi par un camion de livraison à cheval. Perplexe, Maggie vit deux ouvriers décharger une dizaine de caisses de bois.

— Mais... que diable...

— Tes trésors, Maggie, annonça Bryan radieux.

La première caisse fut transportée dans la maison et Bryan l'ouvrit avec un marteau à panne. Maggie poussa des cris de joie en reconnaissant un petit portrait de jeune fille par Renoir et, dessous, son affiche préférée de Lautrec.

— Mes tableaux ! Oh, Bryan ! Comment as-tu fait ?

— Ça n'a pas été facile, ma chérie, avoua-t-il en reculant pour que les ouvriers puissent déposer la deuxième caisse. Mais quand je suis allé à Paris pour affaires la semaine dernière, j'ai pensé que je pourrais essayer de retrouver leur piste. Il paraît que tout ce que tu possédais a été vendu pour payer tes dettes et j'ai finalement déniché un marchand de Montmartre qui avait acheté ta collection. Je crains qu'il en ait vendu plusieurs, avant que je le trouve, mais au moins j'ai pu t'en rapporter quelques-uns. Et je t'assure, il n'y en a pas un seul qui puisse être acheté aujourd'hui pour cent francs... pas même mille ! On dirait que sans le vouloir tu as amassé une collection extrêmement précieuse.

— Mon œil infaillible, Bryan ! s'écria Maggie et, en riant de bonheur, elle prit le Renoir et le posa sur la cheminée. Regarde ! Comme il est ravissant, là !

Quand toutes les caisses furent déballées et les tableaux alignés contre le mur, Maggie valsa autour de la pièce, passant de l'un à l'autre comme si elle était soudain entourée par un groupe de vieux amis et ne savait qui saluer le premier.

Elle jugea que la moitié environ avaient été revendus, parmi lesquels certains de ses préférés, mais il en restait au moins cent, dont son portrait par Bonnard.

Son exultation fit la joie de Bryan et quand elle se calma et s'excusa des frais que cela avait dû lui occasionner, il la prit dans ses bras et assura :

— Ton bonheur vaut bien cette somme... et plus encore.

Mais les tableaux ne furent pas les seuls souvenirs qui retrouvèrent Maggie à Londres. Elle avait connu bien trop d'Anglais à Paris pour que sa vie là-bas demeurât un livre fermé; et ce ne fut qu'une question de temps avant que Germaine soit mise au courant.

Elle prenait le thé avec Ivy Wingate, une commère invétérée qui serait morte plutôt que de garder un secret. Germaine l'écouta d'une oreille sceptique car Ivy n'avait pas la réputation de beaucoup respecter la vérité.

— Je le sais de source sûre, affirma-t-elle, un peu agacée par la mine dubitative de Germaine. Elle a été une femme entretenue pendant des années.

— Cela n'a pas grande importance, au fond, répliqua paisiblement Germaine. Une personne ne peut changer son passé. Tout cela est fini. Ce qui compte, c'est le présent et l'avenir. Je l'ai rencontrée et elle m'a plu, et je continuerai de l'inviter chez moi. Si tout le monde devait être mis au ban de la société pour des peccadilles de jeunesse, notre pauvre roi serait exilé à Windsor.

— Oui, mais lui il est le roi ! protesta Ivy, furieuse de voir que sa nouvelle ne choquait pas son amie.

— Et il donne l'exemple de notre époque. Nous sommes au XXe siècle, que diable ! On n'est plus collet monté comme au temps de la vieille reine. D'ailleurs, Maggie Cameron est une vieille amie de Bryan.

Ivy attendait avidement ce moment. Elle se pencha sur la table, les yeux brillant d'un plaisir non dissimulé.

— Il est évident, ma chère amie, que vous ignorez jusqu'où allait cette amitié.

— Que voulez-vous dire ?

Ivy ménagea ses effets en prenant le temps de se verser une autre tasse de thé et d'y goûter avant de répondre :

— Eh bien, selon la rumeur publique, Bryan et Miss Cameron entretenaient une liaison à Paris.

Germaine pinça à peine les lèvres mais elle crut entendre comme un coup de tonnerre à ses oreilles.

— Continuez...

— Ma foi, c'est tout. Une aventure ancienne, sans aucun doute... longtemps avant que Bryan vous connaisse.

Bryan et Maggie ! pensa Germaine. Et soudain l'énigme qui la troublait depuis des mois fut résolue. Elle n'avait jamais pu chasser l'impression d'avoir déjà vu Maggie quelque part; ses traits étaient trop familiers. Maintenant elle se souvenait. C'était le portrait que Bryan avait dans son appartement de célibataire, avant leur mariage, le nu étendu sur un canapé Récamier. Bien sûr ! C'était Maggie !

Germaine se contrôla, ne voulant pas ajouter d'eau au moulin de ragots de cette femme.

— Des rumeurs, des rumeurs... Quels ennemis Bryan a dû se faire, pour qu'ils propagent de telles histoires.

Ivy secoua la tête.

— Les ennemis ne répandent pas de rumeurs, ma chère. Ce sont les amis.

Germaine sourit ironiquement.

— Comme c'est vrai, Ivy... Très vrai.

La semaine suivante, Germaine donna un dîner et invita Maggie pour servir de partenaire à un de ses cousins de Bruxelles en visite à Londres. Maggie était resplendissante dans une robe printanière de soie bleue dénudant les épaules, un collier de chien en saphirs scintillant à son cou. Elle était certainement la plus belle des convives et aurait pu jouir des attentions de tous les hommes présents mais elle ne quitta pas le cousin, un célibataire timide qu'elle charma par sa conversation en français.

Pendant toute la soirée, Germaine l'observa discrètement, guettant un signe de communication secrète entre Bryan et elle. Mais Maggie joua son rôle à la perfection et quand le moment vint pour les invités de prendre congé Germaine poussa un soupir de soulagement. Même si ce que la venimeuse Ivy avait dit de Bryan et de Maggie à Paris était vrai, elle était certaine qu'il n'y avait plus rien entre eux. Une braise éteinte, pensa-t-elle, une passade oubliée. Et si ce n'était que cela, elle n'avait aucune raison à s'opposer à leur amitié.

Quand Maggie s'apprêta à partir, Germaine la prit à part.

– Bryan et moi allons à Carrington la semaine prochaine. Je serais très heureuse si vous pouviez vous joindre à nous.

Maggie sourit.

– Merci, Germaine. Vous permettez que je vous donne ma réponse demain, après avoir consulté mon agenda ?

– Naturellement, chère amie, dit aimablement Germaine et elle embrassa impulsivement la joue de Maggie.

Le lendemain, Bryan vint déjeuner au cottage de Hampstead.

– Est-ce que tu vas venir avec nous à Carrington ? demanda-t-il.

– Je voulais d'abord t'en parler. Qu'en penses-tu ? Tu crois que je peux ?

– Pourquoi pas ? Au contraire, si tu refusais, Germaine pourrait se poser des questions.

– D'accord. J'ai toujours voulu connaître ton manoir. Mais je pensais qu'il y aurait peut-être des problèmes. Des rumeurs circulent dans tout Londres.

– Ah, tu en as eu vent toi aussi ?

– Oh oui ! Dieu, nous sommes entourés de commères !

– Mais ce n'est que de l'histoire ancienne... du moins d'après ce que j'ai entendu. Des histoires à propos de nous deux à Paris. Même Germaine est au courant. Ivy Wingate a pris le thé avec elle l'autre jour.

– Ivy Wingate ! s'exclama Maggie. Elle ne m'inquiète pas du tout. Chacun sait qu'elle raconte n'importe quoi.

– Tout de même, murmura Bryan, il nous faut être prudents.

Maggie sourit et porta un doigt à ses lèvres.

– La discrétion même !

Le jour où ils partirent pour le manoir de Carrington fut

un des plus beaux de ce printemps, frais, ensoleillé, sans un nuage.

Maggie avait le cœur léger. Carrington Manor ! Enfin elle allait le voir ! Peu importait qu'elle fût de nouveau appariée avec le timide cousin de Bruxelles. Il était assez gentil. Et elle passerait une semaine entière en compagnie de Bryan, tous les repas, toutes les soirées et pas seulement des instants volés comme à Londres. Ils ne seraient pas seuls, bien sûr, et elle aurait la douleur de voir Bryan et Germaine se retirer dans leur chambre. Mais elle s'en moquait. Bryan l'aimait, elle en était aussi certaine que de son amour pour lui.

Le domaine était spectaculaire, dépassant de loin ce que Maggie avait imaginé. Le château datait du XIIIe siècle; le bâtiment principal avait été un ancien prieuré, avant qu'Henry VIII confisque les monastères. La belle pierre de taille était patinée par le temps et la demeure grandiose se dressait parmi de vieux chênes.

Germaine accompagna elle-même Maggie à sa chambre, une vaste pièce au grand plafond vouté peint en bleu et parsemé d'étoiles d'argent.

– On l'appelle la chambre du roi, dit-elle. Jacques Ier a dû y passer une nuit, on ne sait trop quand. La demeure baigne dans l'histoire et dans le mystère. On raconte même qu'une religieuse perverse a été murée dans une des pièces.

– Quelle horreur !

– Ce n'est pas tout ! On dit qu'elle hante le château, mais j'avoue que je ne l'ai jamais vue. Demandez à Bryan, il vous racontera toute l'histoire.

Quand Maggie posa la question à Bryan après le dîner, il rit et proposa de lui faire visiter la maison. Ils entrèrent dans la salle de bal, une longue pièce aux fenêtres trilobées.

– Vous pouvez voir ? demanda-t-il. Comptez les fenêtres. Maggie regarda à droite et à gauche.

– Il y en a sept d'un côté de la porte et seulement six de l'autre.

– Précisément. Maintenant, allons dehors.

Ils sortirent dans le jardin et contemplèrent la façade.

– Comptez, maintenant.

– Sept de chaque côté ! Ah... L'une d'elles est fausse !

– Murée, Maggie. C'est là que la pauvre mère Angélique a été emmurée.

– Mon Dieu, Bryan ! C'est vrai ?

– Mais non, bien sûr que non, répondit-il en riant. Mais il y a cent ans, un château se devait d'avoir son fantôme. Je soupçonne mon grand-père ou ma grand-mère d'avoir voulu s'amuser.

— Mère Angélique, murmura Maggie. Emmurée parce qu'elle était perverse. J'espère que c'est faux, Bryan. Sinon, que me ferait-on !

Il chercha sa main dans l'ombre mais elle s'écarta.

— Non, Bryan, ne tentons pas le sort. Pour rien au monde je ne voudrais faire de mal à Germaine.

Bryan hocha la tête et elle perçut son léger soupir.

— Tu as raison, souffla-t-il. Moi non plus.

— Elle ne le mérite pas, Bryan. Elle est aussi douce et bonne qu'il soit possible de l'être. Je l'aime beaucoup. Ça m'ennuie, je l'avoue, mais c'est ainsi. Et jamais je ne lui ferai de mal intentionnellement.

— Cela se produira fatalement... Un jour ou l'autre nous commettrons une faute et elle saura. Nous ne pouvons pas avoir éternellement de la chance.

— Ne dis pas ça, Bryan ! Parce que si je le croyais, je partirais immédiatement.

— Je ne te le permettrais pas... et même si tu partais, je te suivrais.

Maggie sourit tristement.

— Mais non, tu ne ferais pas ça.

— Je te le jure.

Elle eut envie de fondre en larmes. Son amour pour Bryan semblait exploser dans son âme comme un feu d'artifice. Elle dut faire appel à toute sa volonté pour ne pas s'effondrer dans ses bras.

Dieu, pensait-elle, une semaine ainsi ! Jamais je ne pourrai le supporter. Pourquoi ai-je accepté de venir ?

D'une des fenêtres de la salle de bal, Germaine les observait. Ils revenaient vers la maison, très naturellement, sans paraître le moins du monde intimes. Comme ils s'approchaient de la porte, elle battit vivement en retraite et sortit de la grande salle, complètement rassurée, certaine qu'Ivy Wingate n'était qu'une mauvaise langue.

Mais sur le seuil, à l'abri de tous les regards, Bryan prit Maggie dans ses bras et l'embrassa.

— Ah, que je t'aime !

Il caressa de ses lèvres brûlantes sa joue, ses oreilles. Ils restèrent un bref moment enlacés, puis ils allèrent rejoindre les autres.

Maggie s'était fait d'avance une joie de son séjour à Carrington, mais à présent elle avait hâte que la semaine se terminât. Il était insupportable de partager ainsi la vie quotidienne de Bryan et de Germaine. Elle serait partie si elle avait pu trouver une excuse plausible mais elle supporta le reste du séjour en se surveillant à tout instant pour ne pas trahir ses sentiments.

En retrouvant enfin sa maison de Hampstead, elle poussa un soupir de soulagement à la pensée qu'elle pourrait être elle-même, qu'elle ne serait plus prisonnière de son propre corps, ne devrait plus vivre dans le mensonge.

Elle savait pourtant qu'elle y était condamnée. Derrière la porte fermée de son cottage, elle était libre, oui, mais dès qu'elle mettait le pied dehors, elle retombait dans le piège des faux-semblants. La mystérieuse Maggie Cameron, la femme avec un passé, la femme dont le présent était soigneusement voilé...

Alors, quand Bryan vint la voir le lendemain, Maggie lui annonça qu'elle allait s'éloigner un moment, qu'elle avait envie d'aller en Ecosse voir s'il restait des Cameron là-bas. Il proposa d'aller la rejoindre à Edimbourg mais elle refusa.

— Non, mon chéri. Je tiens à ce que nous nous séparions quelque temps. Je n'en ai pas la moindre envie, crois-moi, mais si je parais indépendante, il y aura moins de risque que les gens associent nos deux noms.

La semaine suivante, Maggie prit le train pour l'Écosse et s'installa dans un appartement du George Hotel à Edimbourg. Les premiers jours, elle visita la ville toute seule, la trouva charmante, alla se promener dans les roseraies au pied de Prince's Street, admira le château noirci de suie au sommet du Mound, descendit jusqu'à Holyrood House et retrouva dans l'accent rocailleux des habitants un écho de la voix de son père.

Enfin, elle se décida à rechercher sa famille écossaise. Elle écrivit une lettre, et trois jours plus tard reçut une réponse d'une autre Margaret Cameron l'invitant dans la demeure ancestrale des Highlands.

Elle quitta Edimbourg un vendredi matin et arriva dans la soirée. Margaret et Ian Cameron l'attendaient à la gare. Ils l'embrassèrent et l'accueillirent avec une telle affection qu'elle eut l'impression de les avoir toujours connus.

En arrivant au manoir, il lui parut que tous les Cameron d'Écosse s'étaient réunis pour l'accueillir et elle fut pilotée de groupe en groupe avant qu'un banquet en son honneur soit servi, auquel ne manquait même pas l'accompagnement des cornemuseux en kilt et tartan du clan Cameron. A la fin du repas, Ian Cameron se leva.

– Nous formons un clan heureux, dit-il, plus heureux encore grâce à cette visite de notre cousine américaine. Nous sommes nombreux ici à nous rappeler le père de Maggie. Alex Cameron était le plus vaillant de nous tous. Il est parti à l'aventure pour affronter le Nouveau Monde, sans s'arrêter à New York ou à Boston où la vie était facile, mais poussant jusque dans les déserts sauvages du Texas...

Le choix des mots fit sourire Maggie.

– Et Alex a su conquérir ce pays sauvage et terrible, il est devenu le plus grand seigneur de l'élevage de bétail que ce pays ait jamais connu. Ah, oui, c'était un brave... le meilleur qu'on puisse connaître ! Notre seul regret est qu'il n'ait pas vécu assez longtemps pour revenir nous voir.

Le sourire de Maggie se figea sur ses lèvres et son sang se glaça. Quoi ? Pas vécu assez longtemps ? Papa ! Papa ! pensa-t-elle avant d'être prise d'un vertige. Elle tendit une main vers la table pour s'y appuyer mais les ténèbres déferlèrent et elle glissa de sa chaise, sans connaissance.

Quand Maggie revint à elle, elle était couchée, Margaret Cameron à son chevet. Elle ouvrit les yeux et battit des paupières en se demandant où elle se trouvait. Et puis les paroles d'Ian lui revinrent à l'esprit et elle éclata en sanglots. Elle pleurait son père dont elle avait brisé le cœur; elle pleurait pour sa mère dont la colère froide la cinglait encore aujourd'hui. Et elle pleurait le Lantana qu'elle savait ne jamais revoir.

Margaret la prit dans ses bras pour la consoler, sans comprendre encore la raison de ce brusque évanouissement.

– Je ne savais pas, gémit Maggie. Il y a si longtemps que je suis partie... je ne savais pas que papa...

– Oh, ma pauvre enfant...

– C'est arrivé quand ?

– Il y a plusieurs années. Quatre ou cinq ans, je crois. Nous avons reçu une lettre de votre mère. Mais comment se fait-il que vous n'ayez pas été avertie, Maggie ?

Elle secoua la tête et pleura plus amèrement. Il lui était impossible de s'expliquer. Comment pouvait-on dire, même à une parente, que votre mère vous renvoyait vos lettres sans les avoir décachetées, que vous étiez responsable de la mort d'un oncle bien-aimé et d'un amant, que le passé et le présent faisaient de vous une femme de mauvaise vie ?

Le lendemain, malgré l'insistance de ses cousins qui voulaient la garder, Maggie fit ses bagages et repartit pour Londres. Le long voyage en chemin de fer lui donna le temps de réfléchir, de se faire à la mort d'Alex et quand elle arriva chez elle, elle comprit que Bryan était le seul homme qui restât dans sa vie... et pourtant elle ne le possédait qu'à moitié.

Ce retour soudain le surprit.

— J'ai eu tort d'aller là-bas, dit-elle simplement, manquant de courage pour lui révéler ce qu'elle avait appris.

— Je suis heureux de t'avoir de nouveau à moi.

— Je ne te quitterai plus jamais !

— Je l'espère bien.

Avec bonheur, elle se laissa étreindre et embrasser.

— Serre-moi dans tes bras, Bryan, murmura-t-elle. Serre-moi fort. J'ai besoin de toi.

Plus tard, alors qu'ils étaient au lit, Bryan annonça :

— J'ai de bonnes nouvelles. Germaine va passer un mois à Bruxelles. Je pensais que nous pourrions aller à Carrington et y être enfin seuls.

— Mais... Les domestiques ? Est-ce que ce ne serait pas dangereux ?

— Il n'y a personne que le gardien et sa femme, et d'ailleurs je n'avais pas l'intention de nous installer au château. Il y a un petit cottage où habitait autrefois un garde-chasse. Il est abandonné maintenant mais en excellent état malgré tout, c'est une petite retraite discrète, isolée. Personne ne nous y dérangerait. Dis-moi que tu viendras, Maggie !

Elle se blottit contre lui en souriant.

— Naturellement, Bryan ! Ce sera merveilleux de t'avoir tout à moi, ne serait-ce que pour un petit moment.

Le lendemain suivant le départ de Germaine pour la Belgique, Bryan vint chercher Maggie et ils partirent dans sa Daimler vers le Sussex. Ils s'arrêtèrent en chemin pour manger des sandwiches et boire une bière dans un pub de campagne, et à Reading pour y faire des provisions.

A chaque kilomètre qui l'éloignait de Londres, le cœur de Maggie s'allégeait et à la fin de l'après-midi, quand ils arrivèrent au domaine, elle était éperdue de bonheur... et extrêmement soulagée car Bryan était toujours un casse-cou épris de vitesse et plus d'une fois, alors que la voiture semblait voler sur la route, elle avait dû le supplier de ralentir.

Ce soir-là, pendant que Bryan buvait un verre de porto et lisait le journal, Maggie s'affaira dans la petite cuisine du cottage, en essayant de s'imaginer qu'ils étaient mari et femme, que cette maison isolée était leur foyer, que ces instants idylliques allaient durer éternellement.

XXIII

Bryan et Maggie étaient au cottage depuis une huitaine de jours quand il suggéra une promenade en voiture jusqu'à Newbury. Il voulait acheter du tabac et les journaux du jour. Ils partirent de bon matin sous un ciel clair et bleu, s'attardèrent pour déjeuner dans un petit restaurant, firent des achats et s'apprêtèrent à rentrer avant la tombée de la nuit.

Le temps avait changé, de gros nuages gris s'amoncelaient, poussés par un vent d'ouest, et alors que la Daimler quittait la ville en trombe les premières gouttes de pluie s'écrasèrent sur le pare-brise. Au bout de quelques kilomètres, les nuages crevèrent et ce fut un déluge si violent que Bryan avait du mal à voir la route.

Il se gara sur le bas-côté, à l'abri d'un grand chêne, et ils attendirent plus d'une heure, en grignotant du pain et du fromage, que l'averse se calme. Enfin Bryan redémarra et prit la route.

Le ciel n'était toujours pas dégagé et il faisait plus sombre qu'au crépuscule. La route serpentait devant eux comme un ruban de soie. Maggie s'efforçait de dissimuler son appréhension quand la Daimler prenait les virages sur les chapeaux de roues et en voyant défiler à toute allure la végétation ruisselante de pluie de part et d'autre de la chaussée.

La route contournait une colline boisée et plongeait ensuite dans une vallée étroite, faisant un coude brusque sur la droite.

Maggie trouva qu'ils abordaient ce virage trop vite et elle allait protester quand Bryan laissa échapper une exclamation inquiète.

Tout se passa très vite. La voiture dérapa sur la chaussée glissante, fit un tête-à-queue et quitta la route. Maggie vit des arbres se ruer vers eux, se sentit basculer et se cramponna à la portière en hurlant.

Moins de cinq minutes plus tard, un paysan et son fils découvrirent, en revenant des champs, les corps inertes de Bryan et de Maggie, gisant au bord de la route à quelques mètres de leur voiture retournée.

Le fermier se pencha sur Bryan et le reconnut pour l'avoir vu trois ans plus tôt à un comice agricole.

– C'est le Lord, dit-il à son fils. Il est vivant mais bien amoché. Et Milady ?

Il se releva et alla rejoindre son garçon.

– Elle respire, annonça ce dernier, mais elle est évanouie.

L'homme examina Maggie.

– Oui... J'ai l'impression qu'elle a plusieurs fractures. Viens, nous allons les transporter dans le chariot et les conduire en ville. Doucement... Là... Attention, faudrait pas les blesser davantage...

Les blessés ne reprirent connaissance que le lendemain et dès qu'il revint à lui Bryan appela le médecin à son chevet et lui dit :

– Il ne doit y avoir aucune publicité sur cet accident.

– Je crains qu'il soit trop tard pour ça, Milord. Les journaux du matin ont déjà annoncé que Lady Carrington et vous aviez été blessés...

Bryan ferma les yeux. Le mal était fait, leur secret éventé et Germaine l'apprendrait. Malgré ses multiples douleurs il souffrait plus encore pour elle car il savait combien sa femme l'aimait et il s'en voulait atrocement du chagrin et de la honte qu'il allait lui causer.

Quand Maggie reprit ses esprits, elle trouva ses deux bras dans le plâtre et ne put comprendre pourquoi les infirmières l'appelaient « Milady ».

Mais quand la pleine lucidité lui revint, elle comprit avec horreur l'ampleur du drame.

– Non, ne m'appelez pas comme ça, murmura-t-elle à celle qui lui refaisait un pansement. Je ne suis pas Lady Carrington.

L'infirmière s'étonna.

– Excusez-moi, madame, bredouilla-t-elle. Tout le monde l'a cru, ici.

Germaine arriva le lendemain après-midi. Elle alla tout droit à la chambre de Bryan et se tint très droite au pied du lit, la figure ravagée par la douleur.

— Ainsi, c'était vrai !

— Germaine... laisse-moi t'expliquer...

— C'est inutile.

— Je t'en prie...

— Tu n'as rien à me dire. C'est clair comme le jour. Je ne demanderai pas le divorce, Bryan, et tu n'as rien à me reprocher. J'ai été une épouse fidèle. Il me plaît d'être Lady Carrington et j'entends le rester. Désormais, quoi que tu fasses de ta vie, cela ne me regarde plus, et pas davantage les femmes que tu choisis de fréquenter. Vis à ta guise. Mais je ne veux plus te voir.

Elle tourna les talons en refoulant ses larmes. En sortant de la clinique, elle s'arrêta sur le seuil de la chambre de Maggie.

Le cœur de Maggie s'arrêta un instant de battre et la honte lui brûla les joues. Germaine la considéra un moment en silence puis, d'une voix sifflante de haine, elle lui lança :

— Vous étiez mon amie, maintenant vous êtes Judas ! Je regrette que vous ne soyez pas morte !

Maggie détourna la tête et pleura...

Au bout d'une semaine, Bryan et Maggie purent quitter la clinique et retourner au cottage de Hampstead. Bryan, qui n'avait rien eu de cassé, aida Maggie à entrer et l'installa au salon dans un fauteuil. Ils avaient à peine échangé quelques mots pendant le trajet du retour mais maintenant qu'ils se retrouvaient seuls, ils comprenaient qu'ils devaient parler de l'avenir.

— Qu'allons-nous devenir, Maggie ? demanda-t-il. Tu as dit une fois que tu me quitterais plutôt que de faire du mal à Germaine. Mais le mal est fait. Alors, maintenant ?

— J'y ai réfléchi, Bryan, murmura-t-elle. Je n'ai d'ailleurs pas pu penser à autre chose. J'étais sincère en te disant cela. J'aimais beaucoup Germaine, jamais je n'ai voulu lui faire de mal. Mais on ne peut revenir en arrière. Et, d'un certain côté, ce qui est arrivé a décidé pour moi. Je ne pourrais pas supporter de te quitter. J'aimerais mieux mourir. Nous ferons scandale... nous sommes déjà un scandale, au fond. Et puisque c'est comme ça, eh bien tant pis. Je suis prête à subir n'importe quoi du moment que cela me permet de vivre avec toi... Mais seulement si c'est ce que tu veux.

Il vint se jeter à ses pieds.
— Mon amour !
— Je me moque de ce que les gens pensent ou disent. Le mensonge est fini pour moi, il a compliqué pendant trop longtemps ma vie. Je vais marcher la tête haute, fière d'être ta maîtresse. Et si ça gêne quelqu'un, qu'ils aillent au diable. C'est toi seul qui m'importe. Si je dois pour cela vivre au ban de la société, j'y vivrai heureuse. Si je dois être bannie de l'Enclos Royal, j'assisterai volontiers aux courses avec le public, à la pelouse. J'accepterai tout à condition de t'avoir près de moi.
— Et j'y serai toujours, promit Bryan avec ferveur. Je t'aime, Maggie.
Elle sourit, les lèvres frémissantes.
— Ceux qui s'aiment plus que tout au monde...
— Plus que tout au monde, répéta-t-il, et il l'embrassa avec passion.

Le scandale émoustilla Londres pendant un moment, d'abord par la nouvelle que Germaine était séparée de Bryan, ensuite quand on apprit qu'il s'était installé dans le cottage de Hampstead et vivait ouvertement avec Maggie. Au début, les vieux amis de Bryan gardèrent leurs distances, encore qu'au théâtre ou aux courses, quand ils le rencontraient par hasard, ils le saluaient poliment, échangeaient quelques banalités; mais les yeux qui guettaient sur le visage de Maggie une trace de honte se heurtaient à un regard franc, hardi et assuré. Ivy Wingate résuma une partie de l'opinion en déclarant : « C'est presque comme si elle était fière, cette catin ! »

Bientôt cependant, les financiers du continent aux idées plus libérales avec qui Bryan traitait dans la City commencèrent à visiter Hampstead et à inviter le couple chez eux. Puis aux régates de Cowes le roi qui, malgré son âge avancé, avait encore un œil pour les jolies femmes, remarqua Maggie et se souvint de l'avoir rencontrée autrefois, un soir à Montmartre. On ne tarda pas à murmurer dans Londres que Sa Majesté avait rendu visite à Bryan et Maggie, pour une soirée de bridge et de whisky, et qu'en partant bien après minuit, Edouard VII avait invité le couple à la chasse à Balmoral.

La bénédiction royale dissipa le nuage de scandale et les vieux amis de Bryan revinrent comme par enchantement. Maggie reçut enfin un carton d'Ivy Wingate sollicitant « l'honneur de votre présence ainsi que de celle de Lord Carrington, à ma garden-party annuelle ».

Maggie éclata de rire et montra l'invitation à Bryan.

— Eh bien, on dirait que nous sommes absous !

— Tu veux que nous y allions ? demanda-t-il.

— Mais naturellement, mon amour ! J'imagine que nous serons la principale attraction. Si nous refusions, cette vieille langue de vipère ne s'en remettrait jamais !

1915

XXIV

Malgré les espoirs de Dos, sa chance l'abandonna à son procès et il fut condamné à vingt ans de réclusion dans la prison de Huntsville. Une fois par mois, pendant plus de dix ans, Anne fit le voyage du Lantana pour aller le voir bien qu'à présent, à soixante-sept ans bientôt, le trajet lui parût de plus en plus long et fatigant.

Elle apportait à son fils des douceurs, des livres, des magazines, et naturellement les derniers instantanés Kodak de Trev. Elle savait que cela brisait le cœur de Dos que son fils grandît loin de lui, mais il avait été catégorique : l'enfant ne devait pas voir son père en prison, jamais.

— Je finirai par sortir d'ici, répétait-il, et alors Trev pourra connaître son papa... mais pas avant.

— Tu lui manques.

— Lui aussi, il me manque. C'est drôle... Comment un être que l'on ne connaît même pas peut-il vous manquer ?

— Il te plairait, Dos. Il est grand et fort... et aussi entêté que toi.

— J'espère qu'il est plus malin.

Anne souriait ironiquement.

— Il l'est, je peux te le garantir.

Anne aussi était plus maligne que jamais. Lors des élections au poste de gouverneur, elle soutint avec finesse la campagne de James Ferguson en l'encourageant avec une somme extravagante, et maintenant que son candidat était bien installé au Capitole d'Austin, la capitale du Texas, elle attendait impatiemment sa récompense. Elle arriva un mois plus tard sous forme d'une grâce pour Dos. Il pourrait rentrer chez lui, le 1er mars !

Quand Dos franchit les grilles de la prison, des journalistes l'entourèrent.

— Quelques mots, Mr Cameron !

— Quels sont vos projets, Mr Cameron ? Vous retournez au ranch ?

— Je n'ai rien à dire, murmura-t-il en essayant de se dégager.

— Mr Cameron ! cria une autre voix, derrière le groupe.

— Je n'ai aucune déclaration à faire.

L'homme joua des coudes et s'approcha.

— Je ne suis pas journaliste. Jim Watts, je vends des voitures.

Dos le regarda, étonné. Jim Watts leva une main en faisant tinter un petit trousseau de clefs.

— Voyez cette automobile, de l'autre côté de la rue ? Elle est à vous. Un cadeau de Mrs Anne Cameron. Elle m'a téléphoné ce matin pour que je vous la livre.

Sans un mot, Dos prit les clefs, planta là les journalistes et monta dans la superbe Packard rouge vif flambant neuve. Sur le tableau de bord il y avait un petit mot, de la main de Jim Watts mais dicté par Anne : « Rentre vite. Roule toute la nuit s'il le faut. Je t'aime, maman. »

Il était deux heures du matin quand Dos arriva au portail du Lantana. Le garde se mit au garde-à-vous et le fit passer.

Il était attendu.

La route montant à la grande maison était pavée, maintenant, et goudronnée, une longue avenue toute droite bordée de palmiers. Dos accéléra, pressé de voir le ranch. Tout à coup, il l'aperçut. La maison était encore à huit kilomètres mais toutes les fenêtres sans exception étaient illuminées. Il fonça à tombeau ouvert.

En atteignant enfin l'allée en fer à cheval passant devant la maison il entendit de la musique. Une foule de vachers était assemblée sur le perron et dans la cour. Anne avait prévu un orchestre, des accordéons, des guitares, des trompettes qui jouaient un air mexicain entraînant. Et elle était là, entourée de ses hommes mais plus grande qu'eux tous, les bras tendus, des larmes de bonheur ruisselant sur ses joues.

Soudain une bannière se déroula du haut de la tour, tombant presque jusqu'au sol. Le vent la souleva, la fit claquer et la plaqua contre la façade. On pouvait lire, de haut en bas, BIENVENUE A LA MAISON, PAPA !

Dos leva les yeux et vit un jeune garçon aux cheveux de paille qui agitait un bras, à une fenêtre du bureau d'Anne. Debout sur le marchepied, il leva la main et cria :

– Trev ! Trevor Cameron ! Ton papa est rentré à la maison pour de bon !

Anne dévala les marches pour serrer son fils dans ses bras, ne sachant que répéter :

– Dieu bénisse « Pa » Ferguson ! Tu es enfin là !

Pendant une semaine, Dos s'occupa uniquement de faire connaissance avec son fils. Il était stupéfait de tout ce que Trev savait du ranch et du bétail, et en prenait même des leçons.

– Tant de choses ont changé en vingt-deux ans, murmura-t-il. Est-ce que les cow-boys travaillent toujours à cheval ?

– Bien sûr, répondit Trev, ravi de pouvoir instruire son père. Mais ils ont aussi des voitures et des camions.

– Et vous avez le téléphone...

– Ben tiens ! s'exclama l'enfant, surpris que Dos remarque une chose aussi banale. Nous avons notre propre central au sous-sol de la grande maison. On me permet de le faire marcher des fois. Ce n'est pas compliqué. Je te montrerai. Il faut savoir quelle fiche va dans quel trou. Tu sais... par exemple si quelqu'un appelle de l'Ebonal ou du Casa Rosa...

Dos sourit, émerveillé et stupéfait. Téléphoner de l'Ebonal ou du Casa Rosa ! Il se rappelait le temps où il fallait une journée de cheval sinon plus pour y aller !

Un soir, à la nuit tombée, Dos était assis avec Trev sur le perron de la grande maison.

– J'ai quelque chose à te dire, mon garçon.

– Quoi donc, papa ?

– Quelque chose que j'ai promis à ta mère... Elle voulait que tu saches qu'elle avait vécu assez longtemps pour te tenir dans ses bras et qu'elle t'avait trouvé très beau, le plus beau bébé du monde. Et elle voulait que je te dise qu'elle t'aimait.

Trevor se tortilla, gêné et embarrassé. Dos comprit et lui ébouriffa les cheveux.

– Allez, au lit, il est tard. Et demain nous devons aller à Joëlsboro pour m'acheter des frusques. Comment veux-tu que je dirige le ranch si je n'ai pas un jean, des bottes et un grand Stetson ?

Le lendemain après-midi, quand ils revinrent de la ville, Dos s'habilla de neuf. Anne le regarda et se mit à rire.

– Eh bien, te voilà bien déguisé, mon garçon !

– Donne-moi huit jours, maman, et tout ça sera assoupli. Ces foutues bottes ne vont pas craquer éternellement.

Elle l'embrassa sur la joue et proposa :
— Viens, montons à mon bougonnoir.
Le bougonnoir ! Dos pensa aussitôt à Maggie.
— Tu n'as pas eu de ses nouvelles, je suppose ?
Anne savait bien de qui il parlait mais elle feignit de ne pas comprendre.
— Je veux dire Maggie, maman. C'était elle qui appelait ton bureau le bougonnoir.
— Non, murmura Anne. Je n'ai jamais eu de nouvelles.
Ils s'engagèrent dans l'escalier de fer en colimaçon.
— J'aimerais bien la revoir, dit Dos.
Anne répondit sans se retourner.
— Après toutes ces années, je ne pense pas...
— Tu ne le voudrais pas, toi ? Tout au fond de ton cœur.
Elle se retourna alors. Sa figure était tragique et trahissait son âge.
— J'ai commis une erreur avec elle, Dos. Je m'étais toujours flattée de ne jamais nourrir de griefs contre ceux que j'aimais. Mais avec Maggie, c'était plus qu'un grief, sans doute. Je l'ai vraiment haïe pour ce qu'elle a fait à Carlos... et à Alex. Elle lui a brisé le cœur, tu sais, et il ne s'en est jamais remis. Je ne voulais plus jamais la revoir. Mais maintenant... ma foi, je suppose que si je savais où elle se trouve j'irais la retrouver. Mais après tout ce temps, j'imagine qu'elle n'a plus envie de me voir.
Elle se remit à monter, si lentement que Dos crut voir son âge peser lourdement sur ses épaules.
Ils entrèrent dans le bureau et il fut surpris de le trouver beaucoup plus petit qu'il lui avait paru autrefois, aux rares occasions où il avait eu le droit d'y pénétrer, enfant.
Anne lui désigna le fauteuil devant le bureau à cylindre et s'installa dans le rocking-chair. Elle prit un coffret d'argent gravé de la couronne d'épines du Lantana et y choisit un mince cigare. Puis, grattant une allumette de cuisine sur l'accoudoir du fauteuil à bascule, elle l'alluma et souffla un rond de fumée parfait. Dos sourit.
— Tu ne nous laissais jamais te voir fumer.
— Mais vous l'avez toujours su, n'est-ce pas ?
— Bien sûr.
— Et je bois aussi.
— Tu n'en as jamais fait mystère...
— Je veux dire qu'il m'arrive de boire ici, parfois. Non, ne va pas t'inquiéter, je ne suis pas alcoolique. Je veux dire simplement que si tu ouvres ce tiroir près de ton genou, tu y trouveras une

bouteille de whisky et deux verres. Buvons un toast à ton retour.

Dos remplit les deux verres et en tendit un à Anne. Elle le leva vers son fils.

– A toi... et au Lantana.

Il la regarda d'un air étonné. Elle vida son verre d'un trait puis, consultant sa montre, elle prit sa boîte de cigares et se leva.

– C'est ton bureau désormais, Dos. Je te le cède. Je fais ce métier depuis l'âge de douze ans. Tu ne crois pas que j'ai mérité un peu de repos ?

– Mais, maman... Je n'y connais rien. Je ne peux pas diriger le ranch sans toi !

– Mais si, Dos. Tu n'as qu'à te mettre à lire. Tout ce que tu trouveras dans ce bureau... cela te prendra des semaines. Quand tu auras fini, tu en sauras autant que moi.

Elle quitta le bougonnoir de la tour et ferma la porte. Depuis des années, elle songeait à ce moment, elle avait préparé avec soin tout ce qu'elle dirait, mais elle ne s'était pas doutée du mal que cela lui ferait. Elle n'était pas vraiment fatiguée, elle n'avait aucun besoin de repos. Compte tenu de son âge, elle se sentait même en pleine forme. Mais là, au sommet de l'escalier, elle comprit que plus jamais elle n'entrerait dans ce bureau.

C'était dur pour elle de constater qu'elle n'était plus la maîtresse du Lantana...

XXV

Il fallut à Dos trois semaines pour prendre connaissance de tous les papiers du bureau. Il se levait avant l'aube et la lumière brillait dans la tour bien après minuit. Il fit venir de San Antonio les avocats et les comptables du Lantana et tint avec eux de longues conférences autour de la massive table ovale, dans la salle de réunion du rez-de-chaussée. Et, Trev à côté de lui, il conduisit sa Packard dans toutes les parties du ranch pour faire connaissance avec les *caporales* et les hommes, discuter de leur travail, examiner le bétail.

Finalement, une nuit, après avoir remis en place le dernier des registres de maroquin, il se carra dans le fauteuil à pivot et sifflota doucement, ahuri de l'invraisemblable importance du Lantana.

Il descendit et trouva Anne encore debout. Servant deux verres de whisky, il alla s'asseoir avec elle sur la véranda, dans des fauteuils à bascule.

– Je savais que nous avions de l'argent, dit-il d'une voix pénétrée d'admiration. On ne peut pas posséder autant de terres sans valoir quelque chose. Mais je n'avais aucune idée... Maman, nous pourrions acheter ou vendre n'importe quoi au Texas !

Anne sourit dans la pénombre et le laissa parler.

– Nous avons des banques bourrées d'argent dans des villes dont je n'ai même pas idée.

– Ça sert toujours dans les moments de crise. Et, crois-moi, nous avons eu notre part de mauvais jours... Nous traversons en ce moment même une sale période, avec la guerre qui nous supprime les marchés européens. Beaucoup de ranchers ont déjà fait faillite. Nous serions dans les ennuis jusqu'au cou, nous aussi, sans ces réserves. Grâce à Dieu, nous pouvons attendre des jours meilleurs. Bientôt la guerre sera finie et le prix du bœuf va monter en flèche.

Dos fut d'accord avec elle mais il réfléchit un moment et dit :

— Oui, je vois que nous avons plus qu'assez pour tenir le coup mais j'aimerais en utiliser un peu... Ce serait plutôt un investissement qu'une dépense.

— A quoi songes-tu ?

— Le domaine tourne admirablement rond en ce moment, mais nous pourrions faire bien d'autres choses. Je me suis renseigné sur l'irrigation. J'aimerais faire venir des experts pour leur demander leur avis, voir si nous ne pourrions pas faire pousser de l'herbe aux Piedras Blancas. J'envisage de construire un immeuble de bureaux ici même, à deux pas de la maison, et de faire venir tous ces comptables de San Antonio, les administrateurs. J'aimerais les avoir sous la main en permanence, pour pouvoir les consulter quand je veux. Et un laboratoire... Nous en aurions bien besoin, avec nos propres vétérinaires et agronomes travaillant à plein temps pour développer une meilleure alimentation et un meilleur bétail. Et ces foutus arbres, ces mesquites qui envahissent tout ! Je parie qu'il doit bien exister quelque part un ingénieur malin capable de fabriquer une machine qui les déracinerait. Pense à toute la main-d'œuvre que nous économiserions !

— Mais la main-d'œuvre est notre ressource la moins chère.

— Je sais, mais ce ne sera pas toujours comme ça.

Le cœur d'Anne se gonfla de joie. Tous les doutes qu'elle avait pu avoir sur Dos étaient bien dissipés. Elle percevait dans sa voix la fierté et la volonté et chacun de ses projets lui paraissait valable. Elle finit son verre et se leva pour rentrer. Sur le seuil, elle se retourna.

— Fais-le, Dos. Fais tout ce que tu voudras... du moment que ce sera bon pour le Lantana.

Elle le laissa seul et pendant longtemps il resta assis en regardant les étoiles, sa terre qui s'étendait à perte de vue, en éprouvant pour elle le même amour que sa mère.

Il avait encore un autre projet dont il n'avait pas parlé à Anne mais qui serait bon aussi pour le Lantana, il en était sûr. Ce serait probablement le plus difficile à réaliser mais il avait l'intention de s'y attaquer dès le lendemain matin.

Levé avant l'aube, comme d'habitude, il écrivit à Élise, à la Nouvelle-Orléans. Il avait demandé de ses nouvelles à Anne qui lui avait répondu : « Elle ne s'est jamais remariée. Elle est aigrie et brisée. Pendant je ne sais combien de temps, j'ai essayé de l'inviter à venir me voir mais elle a toujours refusé. Je n'entends plus parler d'elle. Une fois par an, je lui envoie des comptes précis et un chèque du montant de sa part, celle de Carlos. Mais elle n'en a jamais encaissé un seul. Elle ne doit pas avoir besoin d'argent. Il est évident qu'elle n'en veut pas. »

Dos attendit une réponse à sa lettre et la reçut huit jours plus tard.

Franchement, je n'arrive pas à comprendre pourquoi vous ou votre mère avez envie de retrouver Maggie. Et je ne vois pas du tout pourquoi vous pensez que je puisse vous aider. La dernière fois que je l'ai vue, c'était en 1895, à l'hôtel Ritz, à Paris. Autant que je sache, elle est retournée dans cette maison close appelée la Maison Dollois. Si vous êtes tellement décidé à la retrouver, vous pourriez commencer par là...

Dans un dernier paragraphe, elle disait qu'elle ne manquait de rien, que Jeanette était morte en lui laissant assez d'argent pour vivre jusqu'à la fin de ses jours et elle joignait à sa lettre un document par lequel elle renonçait définitivement à tous ses droits sur le Lantana.

Dos classa le document officiel puis il décrocha le téléphone et demanda au standard de le mettre en communication avec Peter Stark à Joëlsboro.

– J'ai lu dans le journal que vous aviez fini par sortir.

Peter parlait calmement mais ne pouvait dissimuler sa surprise de l'appel de Dos.

– J'ai fait onze ans. J'espère que c'est assez satisfaisant pour tout le monde.

– Vous n'avez rien à craindre de mon côté, Dos.

– Je suis ravi de l'apprendre... Mais ce n'est pas pour ça que je vous téléphone, Peter. Il s'agit d'une affaire pour laquelle je pense que vous pourriez m'aider, car c'est un peu dans vos cordes. J'aimerais savoir comment on fait pour retrouver quelqu'un qui a disparu depuis pas mal d'années.

– Ce serait qui ?

– Ma sœur Maggie... Aux dernières nouvelles, elle était en France.

– Je serai ravi de vous aider, Dos. Passez donc me voir ici à mon bureau demain ou après-demain, et vous me donnerez tous les détails. Ensuite je me mettrai en rapport avec l'agence Pinkerton. J'ai déjà eu l'occasion de les utiliser et je crois que c'est ce que nous pourrions trouver de mieux.

En raison de la guerre qui sévissait en Europe, les renseignements que Dos désirait ne lui parvinrent qu'à la fin de l'été. Il lut attentivement le rapport et le brûla après avoir gravé dans sa mémoire l'adresse de Maggie à Londres. Tard dans la nuit, une fois tout le monde couché, il lui écrivit et, ne voulant pas qu'Anne le sache, il porta la lettre à Joëlsboro le lendemain et la mit à la poste lui-même.

L'année précédente, Maggie avait vu les nuages de la guerre s'amonceler au-dessus de l'Europe et tout en sachant que c'était fou et égoïste elle avait eu l'impression que les dieux les envoyaient pour la faire expier, pour lui faire payer les dernières années du seul vrai bonheur qu'elle avait jamais connu.

Comme elle l'avait craint, dès que la Grande-Bretagne déclara la guerre à l'Allemagne, Bryan s'engagea, tout naturellement volontaire dans le Royal Flying Corps. Il alla suivre l'entraînement et les cours de pilotage dans la plaine de Salisbury et, pendant que Maggie essayait de faire bonne figure avec courage, il se prépara à partir pour la France. Toutefois, lors de leur dernière nuit avant la mobilisation de son escadrille, elle s'effondra, éclata en sanglots et fut inconsolable.

— Ah, Bryan, j'ai si peur pour toi !

— Ne te fais pas de souci, Maggie. Nous allons repousser les Boches à Berlin et je te reviendrai vite, sain et sauf, je te le promets. Et sois heureuse que je serve dans le R.F.C. Si je me battais dans les tranchées, ils me tireraient dessus. Dans les airs, je ne risquerais rien. Ce n'est que de la reconnaissance... aucun danger.

Mais il ne put la consoler et elle pleura dans ses bras toute la nuit. Le lendemain, certaine de ne pouvoir se maîtriser en public, elle lui dit adieu sur le seuil du cottage. Il se pencha pour l'embrasser et chuchota :

— Garde une lampe allumée à la fenêtre, je reviendrai bientôt.

Cependant, son escadrille resta absente plus de six mois et ne revint en Angleterre qu'au printemps de 1915 et uniquement pour prendre possession des nouveaux chasseurs Vickers deux places armés de mitrailleuses Lewis.

— Ainsi ce n'est plus de la reconnaissance maintenant, dit Maggie. Vous allez vous tirer dessus dans les airs.

— Le Vickers est le meilleur chasseur au monde, affirma Bryan pour la rassurer. Je ne risquerai absolument rien.

Mais il avait déjà entendu parler au War Office d'un nouvel appareil allemand, le monoplan Fokker qui, d'après les rapports de l'Intelligence Service, était supérieur au britannique, à tous points de vue.

Restée de nouveau seule, Maggie se lança à corps perdu dans le service hospitalier. Elle détestait cela, elle avait horreur de la puanteur des membres gangrenés, du spectacle pitoyable des mourants — dont n'importe lequel aurait pu être Bryan — mais c'était pour elle un marché avec les dieux : son temps et ses efforts en échange de la protection de Bryan. Elle se montrait infatigable, elle faisait sans se plaindre des heures supplémentaires, elle acceptait les tâches les plus immondes et elle se gagnait le respect et l'admiration des véritables infirmières.

Ce n'était pas leur respect qu'elle voulait; c'était l'attention des dieux. Tout en nettoyant une plaie purulente ou en lisant une lettre à un soldat aveugle, elle lançait un défi muet : « Pour chacun de ceux que j'aide, vous me devez une nouvelle journée de sécurité pour Bryan ! »

Il lui sembla que sa prière était exaucée quand, à la fin d'août, Bryan revint à l'improviste.

— Promets-moi que tu ne dois pas y retourner ! sanglota-t-elle dans ses bras. Dis-moi que tu n'auras jamais à y aller !

— Pas pour l'instant, en tout cas. On m'envoie à Washington. L'armée américaine nous demande une mise au point sur la guerre aérienne. Le War Office m'a désigné.

— Quand pars-tu ?

— Dans quinze jours.

— Emmène-moi, Bryan !

Il hésita.

— L'Atlantique est dangereux, Maggie. Les sous-marins...

Maggie le savait bien, car le *Lusitania* avait été torpillé et coulé trois mois plus tôt.

— Je m'en moque, Bryan ! Je veux aller avec toi quand même.

— Tu n'as pas peur ?

— Avec toi, jamais.

Il sourit et la reprit dans ses bras.

— J'espérais que tu voudrais venir. Je ne peux te dire à quel point je souffre d'être séparé de toi.

Maggie demanda son congé à l'hôpital et se prépara au voyage pendant que Bryan travaillait jour et nuit au War Office pour mettre au point la conférence destinée aux généraux américains.

A la mi-septembre, ils embarquèrent sur un vapeur à Liverpool et partirent pour New York. Le lendemain, la lettre de Dos arriva au cottage de Hampstead.

Les États-Unis étaient pour Maggie un pays étranger. L'accent américain sonnait bizarrement à ses oreilles et elle était stupéfaite de voir combien sa patrie s'était modernisée. Les rues de Washington étaient embouteillées, il y avait encore plus d'automobiles qu'à Londres et elles faisaient un bruit assourdissant.

La prospérité régnait partout, semblait-il, car la guerre en Europe avait donné un souffle nouveau à l'économie américaine. Pendant que Bryan conférait avec l'armée, Maggie se promenait, s'émerveillait de l'abondance, s'étonnait de toutes les nouveautés qu'elle découvrait et dépensait beaucoup plus qu'elle n'avait prévu pour des articles qu'on n'avait encore jamais vus en Angleterre.

Elle tomba amoureuse de la ville en se disant que si elle n'habitait pas Londres, c'était là qu'elle aimerait vivre.

Les bâtiments lui paraissaient neufs et propres, d'un blanc éblouissant sous le soleil d'automne, et les larges avenues lui rappelaient Paris. Elle visita le Capitole, le Monument Washington et le Lincoln Memorial; elle passa deux jours au Smithsonian Institute.

Enfin, alors qu'ils étaient là depuis huit jours, elle rencontra le président Wilson à une réception à l'ambassade britannique.

Le lendemain matin, alors que Bryan s'habillait, elle parcourait le *Washington Post* dans son lit quand elle s'exclama :

— Oh, écoute ça, Bryan ! Je suis dans le journal... « assistaient à la réception Miss Maggie Cameron, de Londres » et puis ils citent d'autres personnes.

— Est-ce qu'ils parlent de moi ?

— Oh, ne t'inquiète pas, tu as droit à tout le premier paragraphe. Mais comment diable est-ce qu'ils ont appris mon nom ?

— L'ambassade a fourni une liste. Ça se fait toujours, dit-il en souriant.

Ce même matin, dans la grande maison du Lantana, Anne descendit pour le petit déjeuner. Dos venait de finir quand elle entra et Trev était penché sur la table, plongé dans le *Corpus Cristi Caller* et négligeant ses *huevos rancheros*.

– Mange ton déjeuner, Trev; tu vas être en retard à l'école, gronda-t-elle. D'ailleurs qu'est-ce que tu fais avec ce journal ? Les enfants de ton âge n'ont pas à se soucier de tout ce qui se passe sur la terre.

– J'aime bien lire les nouvelles de la guerre, grand-maman. Je déteste les Boches.

– Ton grand-papa aurait été heureux de t'entendre.

– Je sais, parce qu'il était britannique.

– Il l'était, oui, mais il est devenu texan. Il était un Texan, comme toi et moi. Maintenant donne-moi la première page et mange tes œufs.

A contrecœur, Trevor donna le journal à Anne et commença à manger, l'air bougon. Elle plia le *Caller*, l'accota contre un chandelier d'argent, mit ses lunettes et parcourut les titres en beurrant un toast. Soudain, Trev l'entendit pousser une exclamation étouffée.

– Qu'est-ce qu'il y a, grand-maman ?

Il leva les yeux et vit qu'elle était très pâle.

– Papa ! appela-t-il, mais sa voix fut couverte par les cris d'Anne :

– Dos ! Dos ! Viens vite !

Il était déjà sur le seuil mais il fit demi-tour et revint en courant dans la petite salle à manger.

Anne avait le journal à la main, maintenant, et le brandissait.

– Regarde ! Regarde ! Lis ça ! Là !

Son index tremblant souligna le nom de Maggie Cameron.

– Ah Dos, est-ce que tu crois... ?

Il lut rapidement l'article... « réception en l'honneur du président à l'ambassade britannique... Lord Carrington, colonel dans le Royal Flying Corps... assistaient à la réception Miss Maggie Cameron... »

Il se rappela le rapport Pinkerton : « ... pour le moment, Miss Cameron est intimement liée avec un membre de la noblesse britannique, Lord Bryan Carrington du Sussex... »

Dos regarda Anne qui, la tête levée vers lui, l'implorait des yeux.

– Oui, maman... C'est Maggie.

— Je vais la voir, dit Anne.

Elle était dans sa chambre et jetait fébrilement des vêtements dans une malle.

— Laisse-moi d'abord lui écrire, supplia Dos. Laisse-moi lui téléphoner. Je pourrai savoir par l'ambassade britannique où elle est descendue.

— Elle risque de tourner les talons et de s'enfuir, répliqua Anne en lançant une poignée de bas dans la malle. Je le découvrirai moi-même en arrivant à Washington. Ne courons pas de risques, Dos. Il faut que je la voie.

— Laisse-moi t'accompagner, alors.

— Non, il s'est passé tant de choses entre nous deux, il vaut mieux que nous nous retrouvions seules. Tu sais, je suis en partie responsable de ce qui est arrivé. Je ne lui ai jamais manifesté la même affection qu'à toi. Elle était la fille d'Alex, vois-tu, elle était son bébé. Je la lui ai plus ou moins laissée. Elle avait besoin de moi, depuis toujours, mais j'étais trop aveugle pour le voir. Je n'ai cessé de m'en vouloir. Maggie avait simplement besoin d'un peu d'amour, d'être un peu guidée... mais je croyais qu'Alex lui suffisait. Elle n'avait pas besoin de moi... du moins je le croyais... Laisse-moi aller à elle à ma façon. Laisse-moi essayer de réparer. Je le lui dois. Si je ne lui explique pas tout ça, elle ne le saura jamais.

Dos recula contre le mur et laissa sa mère terminer ses bagages. Enfin elle ferma la malle et déclara .

— Maintenant, appelons Marquez. Dis-lui qu'il chauffe la locomotive. Je partirai après déjeuner.

Le travail de Bryan à Washington était fini et Maggie et lui comptaient passer leurs deux dernières journées en Amérique à se détendre et à profiter du séjour. Maggie le conduisit à Mount Vernon et en se promenant avec lui dans les jardins, elle demanda :

— Qu'est-ce qu'on apprend à l'école aux petits Anglais sur notre révolution contre la Couronne ?

Bryan sourit.

— Eh bien, on dit... on dit que la pomme pourrie est tombée de l'arbre.

Maggie éclata de rire.

— Ah, ça ne m'étonne pas d'eux !

Quand ils revinrent à l'hôtel, l'employé de la réception remit un télégramme à Maggie. Perplexe, elle l'ouvrit. Bryan la vit pâlir.

– Qu'est-ce que c'est, Maggie ?

Elle lui tendit la dépêche sans un mot, d'une main tremblante.

MAMAN PART TE VOIR – STOP – JE T'EN PRIE NE PARS PAS – STOP – NE LUI DIS PAS QUE J'AI TÉLÉGRAPHIÉ – STOP – TENDREMENT DOS.

– Tu dois rester, déclara Bryan.

– Chéri ! Et te laisser partir sans moi ?

– Tu peux prendre le paquebot suivant... ce ne sera qu'une question de jours.

– Tu ne peux pas retarder...

– Il faut que je sois à Londres lundi en huit.

– Mais, Bryan...

– Maggie, tu ne peux pas être partie quand elle arrivera !

– J'ai peur de la voir...

– Tu as tort. Elle a appris, je ne sais comment, que tu étais ici et elle vient te voir. C'est sûrement parce qu'elle veut refermer la blessure, Maggie, combler le vide qui vous sépare.

Maggie se laissa tomber sur le canapé, la tête dans ses mains.

– Je ne l'ai pas revue depuis vingt ans. J'étais une enfant. Maintenant je suis une femme et elle est vieille... Ah, Bryan ! Je ne peux même pas me l'imaginer vieille ! Elle était la plus belle...

La voix de Maggie se brisa et des sanglots secouèrent ses épaules. Bryan s'assit à côté d'elle et la serra contre lui.

– Sois bonne, Maggie... sois généreuse. Reste ici et attends-la. Cela vous mettra du baume au cœur à toutes les deux. Il est grand temps que vous fassiez la paix.

Maggie se débattit contre elle-même et finit par capituler.

– Bon... Je vais rester. Pour quelques jours. Mais je ne retournerai pas au Texas avec elle. Je prendrai le prochain paquebot pour l'Angleterre. Je veux être encore avec toi avant que tu repartes pour la France.

– Je t'attendrai.

Il l'embrassa et lui essuya les yeux.

XXVI

Bryan partit pour New York le lendemain après-midi, laissant Maggie au Willard Hotel pour y attendre nerveusement l'arrivée d'Anne. Elle dormit ce soir-là d'un sommeil agité et dans la matinée elle aurait fait ses bagages et suivi Bryan si elle avait pensé avoir une chance d'arriver à New York avant le départ du bateau.

Elle meubla les longues heures de la journée en allant à pied jusqu'à Georgetown, sans prendre garde à ce qu'elle voyait, sans remarquer où ses pas la conduisaient, sans cesser de se demander : Qu'est-ce que je vais lui dire ? Comment vais-je pouvoir l'affronter ?

Le brillant soleil d'automne se couchait et il commençait à faire froid. Frissonnante, Maggie héla un taxi pour rentrer à l'hôtel. Elle trouva un mot dans sa case, au bureau de la réception, mais elle attendit d'être dans sa chambre pour le lire.

Maggie chérie,

Je suis à Washington et je désire désespérément te voir. Je pourrais te rencontrer à l'heure que tu veux, où tu veux. Ou, si tu préfères, tu pourrais venir à mon appartement du Mayflower Hotel ce soir à neuf heures.

Tendrement.

Maman.

Maintenant, il était trop tard pour fuir. Maggie s'assit au bord de son lit, le billet à la main, et décida d'aller voir Anne dans la soirée.

Soudain, sa vieille panique s'empara d'elle. Elle bondit et courut se regarder dans la glace. Elle passa une main dans ses cheveux en regrettant de n'avoir pas pensé à aller chez le coiffeur dans la journée. Et qu'allait-elle mettre ? Elle ouvrit la penderie, fouilla parmi ses robes, en prit une, puis une autre. La bleue... mais je n'aime pas le chapeau. La grise est jolie... ou la beige...

Incapable de choisir, elle abandonna les robes et alla prendre un bain. Une heure plus tard, portant la robe grise avec un sautoir de perles, sa zibeline préparée sur le lit, elle s'assit à sa coiffeuse pour apporter les dernières touches à sa parure. Elle mit un peu de parfum derrière ses oreilles, tapota sa coiffure et épingla sur son chignon l'élégant chapeau acheté quelques jours plus tôt.

— Pas mal, murmura-t-elle en s'examinant d'un œil critique.

Elle fit claquer le fermoir de son bracelet d'or à son poignet droit et tendit la main vers sa montre.

Sept heures et demie !

Mon Dieu ! Pour la première fois de ma vie je suis en avance ! Ma foi, si rien d'autre ne ressort de cette entrevue, la visite de maman aura accompli l'impossible, pensa-t-elle en riant, et pendant un moment sa tension se dissipa.

Mais à mesure que les minutes s'égrenaient, son appréhension revint et elle sonna pour commander une bouteille de champagne. Elle en but trois verres, en arpentant la chambre, et renonça au reste en sentant sa tête lui tourner un peu. Enfin, incapable de rester là plus longtemps, elle enfila son manteau et descendit.

Est-ce que j'ose arriver en avance ? se demanda-t-elle. Elle consulta de nouveau sa montre. Il n'était que huit heures et demie mais le champagne lui avait donné du courage et elle demanda au portier de lui appeler un taxi.

La bonne d'Anne ouvrit à Maggie quand elle frappa. C'était une jolie fille aux longs cheveux noirs tressés en une seule lourde natte descendant dans son dos jusqu'à la taille.

— Ma mère est là ? demanda Maggie d'une voix mal assurée.

— *Si, señorita Cameron. Pase usted, por favor.*

Elle conduisit Maggie dans le petit salon et, d'un geste gracieux, désigna un buffet préparé... du poulet froid et du homard, des canapés et des petits fours, un choix de vins et deux bouteilles de Dom Pérignon dans des seaux d'argent.

Maggie sourit. Ainsi ! Sa mère était sûre qu'elle viendrait ce soir... La petite bonne avait quitté la pièce et Maggie tendait la main vers un verre quand elle entendit une porte s'ouvrir derrière elle. Un frisson lui parcourut le dos et elle respira un grand coup avant de se retourner.

Anne venait d'entrer. Elle était vêtue de vert, grande et majestueuse, ses cheveux relevés en un élégant chignon, un collier de chien en émeraudes et diamants autour du cou.

Pendant quelques instants, ni l'une ni l'autre ne parla. La tension semblait crépiter entre elles comme de l'électricité. Enfin Anne sourit.

— Est-ce que tu reconnais ta vieille mère ?

Un barrage se rompit dans le cœur de Maggie. Elle courut à travers la pièce et Anne tendit les bras pour la recevoir. Elles s'étreignirent et leurs larmes soudaines se mêlèrent.

— Maman ! Ah maman !

— Maggie... ma chérie ! Cela fait si longtemps !

Il leur fallut une demi-heure pour qu'elles se calment assez et parlent posément. Maggie ouvrit une bouteille de champagne et elles s'assirent toutes deux sur le canapé.

— Je suis heureuse que tu sois venue, maman. Et tu as réussi l'impossible. J'ai été en avance !

Le riche buffet resta intact. Elles n'avaient aucun appétit mais elles finirent la première bouteille de champagne et Maggie déboucha l'autre.

Par un accord tacite, le passé qui les avait déchirées et séparées il y avait si longtemps ne fut pas évoqué. C'était inutile. Mais Maggie raconta tout de même à Anne qu'elle vivait à Londres et qu'elle était amoureuse d'un homme merveilleux. Et Anne parla de Dos et de Trev.

— Ainsi, j'ai un neveu !

— Un garçon superbe, Maggie. Il te plairait.

— Je suis sûre que je l'adorerais.

— Tu pourrais le connaître, Maggie... si tu voulais revenir au Lantana avec moi.

Maggie s'était attendue à cela et elle voyait une lueur d'espoir dans les yeux de sa mère. Elle lui prit la main et la serra entre les siennes.

— Je ne peux pas maintenant. Il faut que je retourne auprès de Bryan. Il se bat en France et... eh bien, tout est si incertain. Chaque fois que je le vois, cela risque d'être la dernière.

— Je comprends, ma chérie. Je ferais la même chose.

— L'année prochaine, peut-être... si la guerre est finie.

— Oui, attendons la fin de la guerre. J'ai peur en pensant que tu vas traverser l'Atlantique.

Elles gardèrent un moment le silence, puis Anne se leva.

— Eh bien, ma chérie, il se fait tard. Je suis une femme de la campagne, je me couche avec les poules. Nous nous reverrons demain. Tu veux m'emmener faire des achats ? Je voudrais acheter de petites choses, des cadeaux pour Dos et Trev.

— Bien sûr, maman, avec joie.

— Et j'ai quelque chose pour toi. Je te le donnerai demain.

Elles prirent rendez-vous pour le lendemain matin à dix heures et Maggie s'étonna encore de sa ponctualité. Elles coururent les magasins, déjeunèrent dans un restaurant élégant et retournèrent à l'hôtel d'Anne, il fallut quatre chasseurs pour porter les paquets.

— Tu as dit que tu voulais acheter quelques petites choses, dit Maggie en riant devant la pile de cartons. Tu ne m'as pas dit que tu avais l'intention de rapporter la moitié de Washington.

— Je n'ai pas pu résister, avoua gaiement Anne, qui paraissait plus détendue et plus jeune que son âge. Demain, je ferai transporter tout ça au train, et puis je partirai. Je n'aime pas laisser Trev seul trop longtemps.

— Moi aussi, je vais partir. Je prendrai le prochain paquebot pour l'Angleterre.

Anne embrassa sa fille et murmura :

— Ma chérie... Je ne peux pas te dire à quel point je suis heureuse que nous nous soyons retrouvées.

— Ah maman ! J'avais si peur que...

— Chut. C'est fini, Maggie. Inutile de regarder en arrière.

— Merci, maman... Merci d'être si bonne.

Elles s'embrassèrent tendrement et le passé fut enterré une fois pour toutes.

— J'ai dit que j'avais quelque chose pour toi, dit Anne. Attends, je reviens de suite.

Elle alla dans sa chambre et reparut avec un écrin de velours noir à la main.

— Je te l'ai toujours destiné. Je te le donne un peu plus tard que je n'avais prévu, c'est tout.

Maggie ouvrit l'écrin et vit le collier d'or d'Anne orné du grenat. Elle en trembla d'émotion.

— Maman ! Ton collier !

— Le tien maintenant, ma chérie.

— Chaque fois que je pense à toi, maman, je te revois avec ce collier. Tu l'avais sur cette vieille photo de famille.

— Oui, j'y tenais beaucoup. Il a appartenu à ma grand-mère,

que je n'ai pas connue, puis à ma mère qui me l'a donné juste avant de mourir. Tu es la quatrième à l'avoir. Mets-le, ma chérie, que je le voie à ton cou.

Tremblante, Maggie l'agrafa sur sa nuque. Le grenat brillait sur sa gorge comme une goutte de sang.

— Si jamais tu as une fille, promets de le lui donner.

Les lèvres de Maggie frémirent. Elle songea à la petite tombe sous l'angelot de marbre du Père-Lachaise.

— Ah maman... maman...

Anne la prit dans ses bras et la berça tendrement, comme lorsqu'elle était petite.

Le lendemain à midi, elles se dirent au revoir à la gare. Le train du Lantana dont Maggie se souvenait avait été remplacé par une locomotive plus moderne et des voitures plus élégantes et confortables mais elles étaient peintes du même bleu nuit et portaient sur leurs flancs la couronne d'épines dorée.

Le mécanicien dit à Anne qu'il était prêt à partir et elle se tourna vers sa fille. Maggie la trouva soudain pâle, ses traits tirés.

— Ça ne va pas, maman ?

— Mais si.

Cependant, malgré la fraîcheur de l'automne, des gouttes de sueur perlaient à son front. Maggie lui toucha la joue.

— Tu es fiévreuse.

— Je vais très bien, Maggie. Un peu de fatigue. C'est dur de voyager à mon âge. Et si je suis fiévreuse, c'est de joie.

Elles s'embrassèrent une dernière fois et Anne monta dans son wagon-salon. Elle contempla Maggie comme si elle voulait apprendre par cœur son visage. Ses yeux brillaient et ses joues étaient aussi blanches que la dentelle autour de son cou. La locomotive siffla, le train s'ébranla et Anne se pencha à la portière pour agiter la main.

Maggie attendit sur le quai que le train disparaisse puis elle retourna à son hôtel.

Peu avant minuit, la sonnerie du téléphone arracha Maggie à un profond sommeil. Elle chercha l'appareil à tâtons sur la table de chevet et marmonna un vague « Allô ».

– C'est John Gregory, madame, le mécanicien du train du Lantana.

Maggie, instantanément réveillée, se redressa.

– Qu'est-il arrivé ? Vous avez eu un accident ?

– Non, madame, pas d'accident mais c'est votre maman. Elle est malade. Bien malade. J'ai pensé que je devais vous prévenir.

– Où êtes-vous ?

– A Cincinnati.

– Qu'est-ce qu'elle a ?

– Je ne sais pas trop. Nous avons appelé un médecin dès que nous sommes arrivés en gare. Il est avec elle en ce moment.

– Allez le chercher, je veux lui parler.

Elle attendit très longtemps mais ce fut le mécanicien qui revint.

– Le docteur dit qu'il n'a pas le temps. Il faut que vous veniez le plus vite possible.

– J'arrive ! Je prends le premier train, s'écria Maggie en rejetant les couvertures. Attendez-moi à la gare.

Elle fit une petite valise et alla tout droit à la gare de Washington où elle apprit que le premier train ne partait pas avant le matin. Elle passa le reste de la nuit sur un banc de la salle d'attente, en regardant tourner lentement les aiguilles de la pendule.

Le voyage à Cincinnati lui parut interminable. Il faisait nuit quand elle arriva et elle chercha sur les voies de garage le train bleu du Lantana. Le mécanicien, Gregory, étais assis sur un des marchepieds.

– Comment va ma mère ? cria Maggie en courant vers lui.

Il se leva et prit sa valise.

– On l'a transportée à l'hôpital. Venez, je vais vous trouver un taxi.

A l'hôpital, Maggie trouva la bonne d'Anne en larmes dans le couloir, devant la chambre.

– Comment va la señora ?

– *Muy mal, muy mal !*

Maggie la repoussa et entra dans la chambre. Anne était couchée dans un lit étroit, pâle comme la mort. Une infirmière venait de placer une compresse fraîche sur son front.

– Je suis sa fille. Qu'est-ce qu'elle a ?

– La grippe espagnole, hélas !

Le cœur de Maggie se serra douloureusement.

– C'est... c'est grave ?

L'infirmière baissa la tête.

— Répondez-moi !

— Vous êtes arrivée à temps.

Maggie réprima un cri. Elle se laissa tomber sur la chaise à côté du lit et prit une des mains d'Anne entre les siennes, une main brûlante et sèche. La poitrine d'Anne se soulevait à peine, ses cheveux s'étalaient autour de son visage cireux, ses yeux étaient fermés.

— Maman, chuchota Maggie en se penchant à son oreille. Maman... C'est Maggie, je suis là.

A travers ses larmes, elle crut voir que sa mère essayait de sourire.

— Je suis là, maman, je suis près de toi, tout ira bien, tu verras.

Anne dégagea faiblement sa main, la leva et toucha le collier de grenat que Maggie avait au cou. Cette fois elle sourit vraiment et souffla :

— Maggie... Maggie, ma chérie, je t'aime.

Et sa main retomba lourdement sur sa poitrine.

— Maman !

Anne n'entendait plus, elle avait cessé de respirer.

XXVII

Dos attendait à la petite gare quand le train du Lantana arriva. A côté de lui, Trev refoulait ses larmes. Dès que le convoi s'arrêta, Maggie apparut sur le marchepied.

Elle regarda autour d'elle, clignant des yeux dans le soleil éblouissant. Le vent soufflant sur la brasada était plus chaud que l'Angleterre en plein été et la terre plate comme la mer. Le Lantana ! Elle avait cru ne jamais le revoir.

Dos s'avança.

– Tu dois être Maggie...

– Ah Dos ! Toi, je te reconnaîtrais n'importe où ! s'écria-t-elle en tombant dans ses bras.

– Tu as changé, Maggie. Tu n'es plus la petite fille que je connaissais.

– Non... Oh non ! Plus du tout.

– Voilà mon fils, Trevor.

Elle se baissa et l'embrassa. Derrière eux, quatre vaqueros déchargeaient le cercueil de bronze. Dos et Maggie se détournèrent vivement.

– A-t-elle souffert ? demanda-t-il.

– Elle est morte avec un sourire. Je sais qu'on dit toujours ça, mais cette fois c'est vrai.

Dos ne chercha pas à retenir ses larmes. Il serra Maggie contre lui et ils pleurèrent ensemble.

– Je suis heureux que vous ayez pu vous revoir toutes les deux.

Maggie le regarda.
— Nous n'étions pas de bien bons enfants, on dirait.
— Non. Elle méritait mieux.
— Mais je crois qu'à la fin, elle était heureuse avec nous.
— Je l'espère.
— Oui... je crois qu'elle l'était, murmura Maggie en portant machinalement la main au collier de grenat.
Puis elle s'effondra complètement et dut se cramponner à son frère pour ne pas tomber.
— Ah, Dieu ! Dos... Ah, mon Dieu ! Il ne reste plus que nous...
— Non. Non... Il y a Trev.
Maggie battit des paupières sur ses larmes et se tourna vers son neveu.
— Oui, c'est vrai. Trev... et le Lantana !

Le lendemain, les trois derniers Cameron ensevelirent Anne dans cette terre qu'elle avait tant aimée. Des gens arrivèrent de partout, à cheval, en carriole, en automobile. Les journaux publièrent son histoire en première page. Des télégrammes et des lettres de condoléances s'entassèrent sur la table ovale de la salle de réunion. Dans tous les cantons au sud de Las Nueces, les drapeaux furent mis en berne. A Austin, le gouverneur publia une déclaration, rendant hommage à Anne, « une femme de l'avenir, une grande citoyenne, une vraie pionnière du Texas .
Quand Dos et Maggie quittèrent le petit cimetière pour reprendre leur voiture, ils entendirent un vieillard dire à son petit-fils qu'il tenait par la main :
— Souviens-toi de ce jour, Jimmy. Tu viens d'assister à la fin d'une époque, celle de la frontière. Elle ne reviendra jamais.
Maggie se mordit la lèvre et fondit en larmes. Dos attendit pour pleurer d'être rentré à la maison.
Deux jours après, un câble de Bryan arriva.

PARS DEMAIN POUR LA FRANCE – STOP – RESTE EN AMÉRIQUE – STOP – AUCUNE RAISON RISQUER TRAVERSÉE ATLANTIQUE – STOP – CABLERAI DES MON RETOUR EN ANGLETERRE – STOP – SOUVIENS-TOI QUE JE T'AIME PLUS QUE LA VIE – STOP – BRYAN

Maggie ne voulait pas rester, mais à vrai dire elle ne serait pas plus près de lui à Londres qu'au Lantana. La guerre les séparerait mieux qu'aucun océan. Cependant, elle aurait désobéi, elle aurait bravé les sous-marins allemands et serait repartie s'il n'y avait pas eu Trev.

Sans Anne, qui l'avait élevé et adoré, il n'était plus qu'un enfant perdu et malheureux qui ne semblait plus s'intéresser à rien. Même Dos, qu'il vénérait, ne pouvait apaiser son chagrin. Toutes les nuits, Maggie l'entendait sangloter et traversait le couloir pour aller s'asseoir sur son lit, le consoler et lui caresser le front jusqu'à ce qu'il se rendorme.

Ce fut donc Trev qui la retint. Elle avait peur de le quitter, peur qu'il ne surmonte jamais sa tristesse.

– Tu ne crois pas qu'il serait temps de retourner à l'école ? lui demanda-t-elle un matin au petit déjeuner.

– Je ne veux plus y aller. Tout le monde va savoir que grand-maman est morte.

– Bien sûr, voyons. Tout le monde le sait.

– Mais je ne veux pas qu'on me regarde comme si on savait.

Maggie le comprit. Elle se rappela le jour où elle avait supplié Anne et Alex de ne pas la renvoyer à l'école de Joëlsboro. Elle sourit à l'enfant.

– Oui, je vois. Bon, ne t'inquiète pas. Je ne t'y forcerai pas.

– Tu promets ?

– Mais oui.

– Tante Maggie, tu vas rester ici, toujours ?

– Je vais rester un moment. Mais il faudra bien qu'un jour je retourne en Angleterre.

– Je ne veux pas que tu partes.

– Allons, n'y pense pas.

– Dis-moi que tu ne partiras pas.

– Je t'emmènerai peut-être avec moi.

Mais, plus tard, debout sur la véranda et contemplant cette terre où elle était née, Maggie souhaita n'être jamais revenue. A chaque jour qui passait, il lui était plus difficile de songer à l'abandonner de nouveau. Quel est donc le pouvoir du Lantana ? se demanda-t-elle. Comment peut-il nous retenir ainsi ? Comment peut-on aimer à ce point une terre aride ? Et elle comprit que seul Bryan comptait à ses yeux davantage que le Lantana.

Une semaine plus tard, Maggie se rendit à Joëlsboro. Dos faisait construire une piscine près de la grande maison et elle lui avait promis d'aller chercher les plans. Elle n'avait pas vu le village depuis plus de vingt ans et fut surprise de découvrir une petite ville. Elle reconnut plusieurs bâtiments du côté sud, mais le nord, qui avait été complètement incendié la nuit où Dos avait tué Klaus Stark, paraissait relativement neuf. Elle se promena lentement, en regardant avec curiosité le drugstore, le magasin de modes, le saloon reconstruit, des bureaux d'avocats dont elle ne connaissait pas les noms. Et puis, au coin de Main Street et de Guadalupe, elle crut reconnaître Dos et l'appela.

— Qu'est-ce que tu fais là ? Je te croyais au Casa Rosa.

L'homme se retourna et elle vit qu'elle s'était trompée. Mais il ressemblait tant à Dos... la même carrure, les mêmes cheveux blonds.

— Excusez-moi, je vous prenais pour quelqu'un d'autre, dit-elle.

Elle remarqua l'étoile de shérif sur son gilet.

— Il n'y a pas de mal, dit-il. Je suis Peter Stark.

Maggie se figea. Bien sûr ! Maintenant elle se souvenait. Elle se détourna mais Peter la retint.

— Attendez... Il me semble que je vous connais.

— Je... je...

— Vous... Mais oui ! Vous êtes Maggie Cameron, n'est-ce pas ?

— Vous vous souvenez de moi...

— Oui... Ce sont vos yeux. Ce bleu... Exactement ceux de votre papa. Il y a bien longtemps que vous n'êtes pas revenue, Miss Cameron... à moins que ce soit M^rs ?

— Non.

— Eh bien, je vous souhaite la bienvenue à Joëlsboro, dit-il avec un sourire sincère qui mit Maggie plus à l'aise puis, en s'approchant, il prit un air plus grave. Permettez-moi de vous dire que le décès de votre maman m'a fait beaucoup de peine. Il y a eu de l'animosité entre nos deux familles mais j'ai toujours eu un grand respect pour elle. Je regrette de ne pas l'avoir mieux connue. Vous savez que je suis né au Lantana, tout comme vous. Nous l'avons quitté quand j'étais tout petit et je n'ai bien connu Mrs Cameron que plus tard... après l'affaire. Mais c'est loin, tout ça. C'est oublié. Dos a purgé sa peine. Nous nous parlons quand nous nous rencontrons dans la rue. On ne peut guère exiger davantage.

— Non, en effet.

— Enfin, ça me fait plaisir de vous revoir.

— Merci, Mr Stark.

— Appelez-moi Peter.

— Si vous m'appelez Maggie.

— Je ne demande pas mieux, dit-il avec un nouveau sourire qu'elle lui rendit.

— Ainsi, vous êtes toujours shérif.

— Je vais être maire.

— Ah vraiment ?

— Du moins je le serai après les élections.

— Vous paraissez bien sûr de vous. Vous devez avoir beaucoup de partisans.

— Il y aura un rallye sur la plaza, samedi soir. Venez donc avec moi, vous verrez par vous-même.

Maggie accepta et le lendemain, quand Dos revint du Casa Rosa, elle lui parla de cette rencontre.

— Il dit qu'il sera le prochain maire.

— C'est sûr. Son frère Davey et lui sont en train de monter une puissante organisation politique par ici.

— Tiens ? Je me demande bien pourquoi. Il me semble que le canton de Zamora ne vaut guère qu'on se donne tant de mal.

— L'argent, expliqua Dos. Davey est intendant municipal et avec Peter comme maire, ils tiendront à eux deux les cordons de la bourse. La région est en pleine expansion, Maggie. Des tas d'investissements affluent et il est question de pétrole. On construit un nouveau palais de Justice et on trace des routes dans tous les sens. Et d'ailleurs... Les Stark ne s'intéressent pas qu'au canton de Zamora. Leur organisation s'étend à quatre ou cinq autres.

— Cela veut sans doute dire que le Lantana devra traiter avec eux.

— Pas tout de suite, je pense. Pour le moment, nous sommes assez puissants. Mais un jour ou l'autre...

— C'est drôle, comme les Stark et les Cameron se retrouvent toujours.

Dos la regarda.

— Tu sais que j'en suis un, non ? De sang.

— Je n'y avais jamais pensé, Dos... pas avant de prendre Perter pour toi l'autre jour.

— Alors... tu l'as vu ?

— C'était clair comme le jour.

— Oui... Moi, j'étais aveugle, il a fallu qu'on me le dise.

— Maman ?

— Non... Klaus.

— Oh, Dos !

— Ça n'a plus d'importance. Je suis quand même un Cameron, de cœur.

Le samedi, Maggie prit la voiture et se rendit à Joëlsboro où elle retrouva Peter. Il l'accueillit dans sa grande maison de style espagnol, avec un patio, des grilles de fer forgé aux fenêtres et un toit de tuiles rouges.

— Vous m'avez l'air de ne manquer de rien, Peter, dit-elle en regardant autour d'elle, remarquant le nombre de domestiques, les meubles chers, pas tous de son goût, mais qui s'harmonisaient avec l'ensemble de la maison.

— Oui, on peut dire que j'ai réussi, répondit-il sans dissimuler sa fierté. Et ça ne fait que commencer.

Ils avaient encore une heure avant le rallye, alors il lui offrit un verre et ils s'assirent dans des fauteuils à bascule sur la véranda. Sur un côté, un petit bâtiment du même style était plein d'hommes, tant américains que mexicains, qui parlaient fort, avec assurance. Maggie pouvait saisir un mot de temps en temps; elle remarqua qu'ils parlaient autant l'espagnol que l'anglais.

— Qui sont-ils ? demanda-t-elle.

— Ma foi, je les appelle mes amis mais la plupart des gens les considèrent comme mes séides. Ils m'aident tous, d'une façon ou d'une autre. Il y en a qui vont me recueillir des voix, d'autres qui cherchent à savoir ce que manigancent les adversaires, enfin ce genre de choses. Et trois sont des gardes du corps.

— Des gardes du corps ?

— Nous sommes encore plutôt turbulents par ici, Maggie, dit Peter en riant.

Elle but quelques gorgées.

— Vous ne vous êtes jamais marié, Peter ?

— Jamais eu le temps. Et vous ?

— J'ai eu le temps... mais pas l'occasion.

Il n'avait pas eu besoin de poser la question. Avant de remettre à Dos le rapport Pinkerton, il l'avait lu et il savait tout de Maggie.

Assis dans son fauteuil, une jambe sur un accoudoir, il l'observait à la dérobée. Il la trouvait très belle, grande comme sa mère mais avec le teint d'Alex. Il se demanda l'effet que cela ferait de la tenir dans ses bras et de l'embrasser, il essaya d'imaginer comment elle était au lit.

Maggie avait l'habitude d'être détaillée par des hommes et le regard de Peter ne la troubla pas. Elle lui sourit en le regardant dans les yeux.

— N'y pensez même pas, Peter.

Il se mit à rire.

— Comment savez-vous ce que je pense ?

— Vous le pensez si fort que je l'entends.

— Allons, dit-il en se levant, il est temps d'aller à la plaza. La foule devrait déjà se rassembler... Miguel ! Roy ! Sanchez !

cria-t-il en se tournant vers le petit pavillon. Il est temps d'y aller !

Le soleil venait de se coucher et la plaza était illuminée par des centaines d'ampoules électriques sur des câbles tendus d'un arbre à l'autre. Dans un kiosque à musique, un orchestre jouait des airs mexicains. Les bancs du square étaient tous occupés et les retardataires s'installaient sur des couvertures étalées sur l'herbe. Au-delà, dans l'obscurité, se dressait le palais de Justice en construction.

Peter prit le bras de Maggie pour la conduire vers l'estrade mais elle résista.

– Je préfère regarder d'ici.

– Vous voulez dire que je n'ai pas le soutien du Lantana ?

Il avait posé la question légèrement, presque en plaisantant, mais Maggie comprit soudain qu'il avait eu l'intention de se servir d'elle. Le Lantana était une puissance, tous ces gens dépendaient du ranch d'une manière ou d'une autre et sa présence à côté de lui aurait certainement un grand poids.

– D'après ce que j'entends dire, vous n'avez besoin du soutien de personne, répliqua-t-elle.

Il rit et sauta sur les marches.

Le rallye amusa Maggie. C'était un mélange de politique brutale, de fiesta débridée et de prêche enflammé. La foule était venue pour se donner du bon temps et ne s'en privait pas. Maggie ne savait pas si ces gens croyaient aux discours, ni même s'ils les écoutaient mais ils poussaient des cris et applaudissaient avec frénésie. Et quand tout fut terminé, ils se relevèrent et se dispersèrent en riant et en bavardant comme après une fête.

– Il me semble que c'était un grand succès, dit Maggie quand Peter la rejoignit.

– Oh, ce n'était que pour le spectacle. Pour que tout le monde s'amuse un peu. Ça ne veut rien dire. Je vais gagner, comme qui dirait par un raz de marée. C'est déjà réglé.

– Vous voulez dire que vous avez compté vos voix avant le scrutin ?

– C'est le seul moyen d'être sûr de gagner.

En rentrant, Maggie but un verre avec Dos dans le salon de la grande maison.

– Eh bien, annonça-t-elle, je viens de voir la démocratie en pleine action.

– La démocratie du Sud Texas. C'est une autre affaire.

– C'est sûr. Si j'étais un homme, je me présenterais contre Peter Stark, rien que pour le principe.

— Tu serais battue.

— Il tient le canton dans sa main, hein ?

— On dirait. Mais d'après ce qu'on dit, il n'aura pas besoin de truquer les élections. Son équipe et lui vont gagner quand même, honnêtement. Les gens les aiment bien.

— Pourquoi ?

— Parce qu'ils font beaucoup de bien, surtout pour les pauvres. Ils pavent les rues, ils installent des égouts, ils construisent un lycée avec un terrain de sport. Alors, qu'est-ce que ça peut faire s'ils se sucrent au passage ? Ce n'est un secret pour personne. Les Stark considèrent ça comme une commission et le peuple aussi. D'ailleurs, il n'y a pas un péon dans le canton de Zamora qui ne peut frapper à la porte de Peter et obtenir un prêt qu'il n'aura pas besoin de rembourser. Tu aurais du mal à trouver par ici un pauvre qui ne doit rien à Peter.

— Ainsi, il est un véritable *patron*.

— Eh oui. C'est comme ça qu'on l'appelle, *El Patron*.

Les élections eurent lieu la semaine suivante et Peter fut élu, comme il l'avait prédit, par une majorité écrasante.

1917

XXVIII

Enfin, les États-Unis entrèrent en guerre. Les mains crispées sur la balustrade de la véranda, Maggie regarda le cow-boy surexcité sonner la grosse cloche de la cour et annoncer la nouvelle qu'elle attendait depuis si longtemps. Enfin ! Enfin les Américains allaient participer à la lutte et elle était convaincue qu'ils mettraient fin à la guerre. Et alors elle pourrait rentrer chez elle et retrouver Bryan !

— Dieu soit loué que tu sois trop vieux, dit-elle à Dos qui la rejoignait. Je ne pourrais pas supporter d'avoir à me faire aussi du souci pour toi.

Dos la regarda tendrement.

— Quelles sont les dernières nouvelles de Bryan ?

— Rien depuis sa dernière lettre, il y a quinze jours. Je sais que je dois être patiente, mais je deviens folle.

— Tu dois tout de même être fière de lui.

— Ah, Dos, je ne puis voir aucune gloire dans la guerre. Même si Bryan m'écrivait qu'il est devenu un as, je n'en éprouverais aucune joie.

Une troupe de cow-boys enthousiastes envahit la cour en poussant des cris de « Guerre ! », « On les aura ! », « On va battre le Kaiser ! » Et Trev, treize ans à peine, était parmi eux et agitait son chapeau en se livrant à une danse guerrière impromptu. Maggie soupira.

— Pourquoi les hommes sont-ils si avides de se battre ? Regarde-les ! On dirait qu'ils partent pour un rodéo !

Le lendemain eut lieu un grand rallye de recrutement sur la plaza et plus d'une centaine de vachers du Lantana s'y rendirent pour s'engager.

– Ce sont nos hommes, dit Maggie à son frère. Je veux aller avec eux pour leur dire au revoir.

Une atmosphère de fête régnait en ville. Un orchestre jouait sur la place et des drapeaux claquaient partout. Il y avait si longtemps que les Texans rêvaient de partir et un mois plus tôt, à la publication de la dépêche de Zimmerman, leur fièvre était brutalement montée. Le message du ministre allemand des Affaires étrangères à son ambassade au Mexique proposait une alliance entre les deux pays et prévoyait une invasion de la frontière du Rio Grande dans le but de rendre le Texas et le reste du Sud-Ouest à la domination mexicaine.

La note diplomatique ravivait de vielles craintes et une haine raciale et il devenait soudain dangereux d'avoir un patronyme espagnol ou allemand. Un millier de Rangers patrouillaient dans la vallée et l'on racontait qu'ils tiraient d'abord et posaient des questions ensuite. Selon des rapports confirmés, des centaines de Mexicains, simplement coupables d'avoir un revolver à six coups à la ceinture, avaient été rassemblés, conduits dans des fourrés et abattus; Dos ordonna à tous ses vaqueros de laisser leurs armes chez eux chaque fois qu'ils devaient franchir les limites du Lantana.

Maggie se mêla à la foule sur la place et se fraya un passage jusqu'au kiosque. L'orchestre entamait une nouvelle marche militaire. En entendant son nom, elle se retourna et vit Peter Stark qui cherchait à la rejoindre.

– Quel monde ! s'exclama-t-il. Beaucoup plus que prévu !

– Oui, et quelle ironie ! dit Maggie en regardant autour d'elle. Presque tous ces engagés volontaires sont des Mexicains, alors que dans la vallée les Rangers abattent leurs *compadres*.

Un lieutenant, dépêché en hâte de Fort Sam Houston, avait installé un petit bureau de recrutement à côté du kiosque et faisait prêter serment aux hommes, par groupes d'une dizaine. Chaque fois que l'un d'eux levait la main et disait « Je le jure », les cuivres entonnaient une sonnerie martiale et la foule l'acclamait.

– Et vous, Peter ? demanda Maggie. Votre famille est allemande. Vous n'avez pas eu d'ennuis ?

– Je suis américain, Maggie, texan de la deuxième génération.

– Les Kœnig aussi, et pourtant leur vitrine est brisée toutes les semaines, malgré le drapeau qu'ils ont accroché devant.

— Ça passera, assura Peter avec confiance.

Puis il s'excusa et monta dans le kiosque. L'orchestre se tut. Il s'adressa à la foule.

— Mes amis ! Quel jour glorieux ! Tout Joëlsboro est fier de ses fils qui se portent volontaires pour défendre la démocratie. La guerre d'Europe est arrivée à notre porte. Nous sommes tous au courant des plans néfastes destinés à arracher notre État bien-aimé à l'Union pour le remettre aux mains de nos ennemis...

— T'es bien placé pour le savoir, Stark ! cria un homme dans les derniers rangs de la foule.

Peter se tut et un silence tomba. Maggie se tordit le cou pour voir qui avait parlé. Et puis quelqu'un d'autre glapit :

— De quels ennemis parlez-vous, Stark ? Des nôtres, ou des vôtres ?

Un murmure menaçant courut dans la place.

— Hé là, une minute, protesta Peter en se forçant à sourire et levant les mains pour imposer silence.

Mais l'humeur avait changé, elle devenait mauvaise et il sentit que le contrôle lui échappait.

— Je suis un Américain... aussi patriote que vous... Je suis né ici, au Lantana !

La foule parut se calmer un peu mais alors une nouvelle voix cria :

— Les Stark sont allemands ! On ne peut pas avoir confiance en eux !

— Qui a dit ça ? hurla Peter, rouge de colère. Montez un peu ici ! Ayez le courage de me dire ça en face !

Ses gardes du corps sautèrent sur les marches et l'encadrèrent en prenant soin d'exhiber leurs armes.

— Boche ! lança une voix.

— A mort le Boche !

Maggie écoutait avec une horreur croissante. Elle détecta de la peur dans les yeux de Peter et, pis encore, elle vit ses gardes du corps hésiter et reculer. Il resta ferme, isolé et vulnérable. Elle ne put y tenir plus longtemps. Jouant des coudes, elle se rapprocha du kiosque et monta à côté de lui.

Le silence retomba. Tout le monde la reconnaissait. Elle dominait les hommes, plus grande que la plupart, la tête haute, le menton résolu.

— Écoutez-moi ! glapit-elle d'une voix qui porta jusqu'au fond de la place. Vous me connaissez ! Et vous connaissez tous le Lantana, ce qu'il représente. Sans le Lantana, cette ville n'existerait pas. Aujourd'hui, plus d'une centaine de nos hommes se mettent au service de notre pays... *notre* patrie ! Les États-Unis d'Amérique ! La plupart sont mexicains, il y a quelques Anglais et certains ont des noms allemands. Qui oserait dire qu'ils ne sont pas des patiotes ? Allez... Que je vous entende !

Elle s'interrompit et défia la foule. Personne ne dit mot. Elle ne put réprimer un ricanement.

— Où sont ces braves qui criaient il y a cinq minutes ? Allons, montez ici... parlons-en un peu !

Personne ne releva son défi. Elle reprit, d'une voix frémissante :

— Je suis fière de ces hommes qui se sont portés volontaires aujourd'hui. Et je ne peux pas en dire autant des lâches qui se cachent dans la foule et accusent Peter Stark de collusion avec l'ennemi. Je puis vous assurer que Peter Stark est aussi américain que moi, que vous tous ! Et vous le savez au fond de votre cœur !

Un marmonnement parcourut la plaza. Les gens se regardèrent entre eux d'un air penaud. Les braillards se taisaient et cherchaient à se fondre discrètement dans la foule. Maggie fit un signe à l'orchestre et la musique reprit.

En se retournant, elle vit de la gratitude dans les yeux de Peter et, seulement alors, elle sentit ses jambes trembler. Tout à coup, elle prit conscience de ce qu'elle avait fait et fut prise de panique, mais il était trop tard pour avoir le trac. Tout était fini. Elle s'appuya contre une colonnette du kiosque et s'efforça de reprendre haleine.

— Merci, Maggie, murmura Peter.

— Ne me remerciez pas. Je ne savais même pas ce que je faisais. Je ne sais pas ce qui m'a pris, je n'ai pas pu me retenir, avoua-t-elle. Si j'avais réfléchi, jamais je n'aurais pu prononcer un mot.

— Je peux vous raccompagner chez vous ?

— J'ai la voiture de Dos. Mais partons d'ici ensemble pour que tout le monde puisse voir que je parlais sincèrement.

Malgré le discours passionné de Maggie faisant appel à la foule en s'appuyant sur le prestige du Lantana, Peter Stark fut réveillé en pleine nuit par le bruit d'une voiture s'arrêtant devant sa maison. Il sauta du lit et arriva à la fenêtre à temps pour voir une bande d'hommes, en longue robe blanche, descendre du véhicule et se grouper sur le trottoir.

Avant qu'il ait le temps de prendre son pistolet ou d'appeler au secours, ils avaient déjà mis le feu à des chiffons fourrés dans des bouteilles d'essence et les lançaient sur la maison. Une vitre se brisa et l'essence explosa.

Peter quitta la fenêtre, sauta sur son revolver et traversa les flammes qui faisaient rage mais quand il arriva sur le trottoir, la voiture filait dans la rue et tournait le coin. Il tira quand même, sachant qu'elle était hors d'atteinte. Derrière lui, la maison s'embrasait et les flammes rugissaient et jaillissaient de toutes les fenêtres.

Peter tremblait de peur et de rage, en comprenant que cet holocauste était un défi à son pouvoir, une menace contre l'empire qu'il avait si soigneusement construit. Impuissant, il regarda brûler sa maison jusqu'à ce qu'il n'en reste plus rien.

Le jour même, en apprenant la nouvelle, Maggie alla trouver Dos.

— Veux-tu venir en ville avec moi ? Pour aller voir Peter ?

Il se détourna.

— Ne me demande pas ça, Maggie !

— Je t'en prie ! Il est évident que je n'ai pas assez de poids. Mais toi, Dos... Tu es le Lantana. On fera attention à toi.

— Pourquoi voudrais-tu que j'aide Peter Stark ?

— Ce n'est pas Peter que tu aideras, c'est nous, nous tous. Il y a un ferment de haine à Joëlsboro et il nous détruira tous si nous ne nous en débarrassons pas tout de suite.

— Tu le crois vraiment ?

— Dos, tu n'as pas vu cette foule...

Il soupira et elle comprit qu'elle avait eu gain de cause.

Peter Stark s'était réfugié dans le petit pavillon à côté des ruines encore fumantes de sa maison. La foule de curieux massés dans la rue assista bouche bée à l'arrivée de Dos et de Maggie et vit Peter traverser la cour encombrée de décombres pour les accueillir. Comme l'avait prévu Maggie, les badauds furent impressionnés. Peter serra la main de Dos.

— Quand vous avez été candidat à la mairie, dit Maggie, vous vouliez le soutien du Lantana. J'espère que ceci vous suffira.

Peter hocha la tête. Il était encore pâle et commotionné.

— C'est encore plus important... Merci, Dos.

Ils restèrent une demi-heure, et quand ils regagnèrent leur voiture Maggie vit, à l'expression des gens toujours présents sur le trottoir que la visite avait été une réussite.

Sur le chemin du retour, elle posa une main sur le bras de son frère.

— Nous avons bien agi, Dos.

— Peter est reconnaissant, maintenant, répondit-il sans quitter des yeux la chaussée. D'une singulière façon, et sans le vouloir, il a réussi à nous placer exactement là où il le voulait.

— Peu importe, nous avons fait notre devoir. Au moins nous pouvons garder la tête haute.

Dos lui jeta un coup d'œil empreint de respect et d'admiration.

— Maggie, tu es une fille étonnante. Tu es forte... comme maman.

— Non, Dos. Mais je sais ce que c'est que d'être prisonnière de l'opinion publique. Je ne peux pas supporter de voir cela arriver à quelqu'un d'autre.

Ils roulèrent un moment en silence et comme ils sortaient des faubourgs de Joëlsboro, Dos murmura :

— Regarde l'horizon, Maggie. Il y a un orage qui se prépare à l'ouest.

Une ligne violette, à peine perceptible, barrait l'horizon mais ils n'avaient pas fait dix kilomètres qu'elle recouvrait déjà le quart du ciel.

— Il avance vite, observa Dos. Ça va être une sacrée tempête. Je parie que nous n'aurons pas le temps d'arriver à la maison.

— Maman disait toujours que les orages de l'ouest étaient les pires.

Il se déchaîna au moment où ils franchissaient le portail principal. Le ciel était noir comme à minuit; des éclairs fulgurants argentaient le paysage et le tonnerre roulait en grondant dans la prairie.

La cuisinière et ses nièces étaient dans l'allée et brandissaient des couteaux comme pour frapper le ciel et les éléments, une vieille superstition prétendant qu'on pouvait couper les nuages et chasser ainsi l'orage.

— Rentrez ! hurla Dos dans les hurlements du vent. La foudre va vous frapper ! Rentrez !

Elles obéirent en marmonnant, renonçant de mauvais gré à leur magie. Le temps que Dos et Maggie courent de la voiture à la porte, ils étaient trempés jusqu'aux os. Trev les attendait.

— Monte vite, ordonna Dos. Ferme tous les volets.

Trev grimpa quatre à quatre. Maggie fit en courant le tour du rez-de-chaussée pour fermer les volets et allumer l'électricité.

Le vent hurlait comme mille démons et toutes les deux ou trois minutes les ampoules clignotaient et la lumière baissait. Dos se précipita dans son bureau pour fermer les fenêtres et vit les phares d'une voiture danser dans l'allée. Il claqua le dernier volet et dévala l'escalier en colimaçon, en se demandant qui pouvait venir au milieu d'un tel orage.

Quand il arriva dans le vestibule, Maggie avait déjà ouvert la porte. Dos reconnut l'homme sur le seuil, le messager de la Western Union.

— J'ai essayé de téléphoner, dit-il, mais les lignes sont coupées. J'ai pensé que je devais apporter ça tout de suite.

Maggie le regardait bizarrement, les yeux fixés sur l'enveloppe jaune qu'il tendait.

— Si vous voulez bien signer là, dit-il en présentant son carnet.

— Non, souffla Maggie en reculant.

L'homme aperçut Dos et s'adressa à lui.

— Il me faut une signature.

Dos griffonna son nom et prit le télégramme.

— Non, répéta Maggie. Non, ne l'accepte pas. Je sais ce qu'il dit.

Soudain, Dos partagea sa peur.

— Ne l'ouvre pas ! Ne le lis pas !

Trev apparut dans le vestibule et l'expression de Maggie l'effraya. Elle se rua sur Dos et tenta de lui arracher la dépêche.

— Je t'ai dit de ne pas le prendre ! Je sais ce qu'il annonce !

L'homme de la Western Union battit en retraite et courut à sa voiture.

— Maggie ! Maggie ! cria Dos en s'efforçant de la calmer. Ressaisis-toi ! Ce n'est qu'un télégramme.

— Oh non, c'est plus que ça, dit-elle et sa voix se brisa.

Dos déchira l'enveloppe. Ce qu'il lut le glaça. Il détourna la tête, n'ayant pas le cœur d'affronter Maggie.

En voyant sa réaction elle recula, les mains sur la bouche pour étouffer un hurlement, et avant que Dos ou Trev puissent réagir, elle bondit hors de la maison.

— Papa ! Qu'est-ce que c'est ?

— Bryan, murmura Dos. Il a été tué en France.

— Comment est-ce que tante Maggie le sait ?

— Elle le sait... parfois on sait ces choses-là, sans qu'on ait besoin de vous les dire.

Maggie s'était précipitée dans la cour. Debout sous la pluie battante, ses cheveux acajou plaqués sur son cou et ses épaules, elle élevait la voix dans un hurlement plus fort que ceux du vent.

Elle leva les bras et tendit sa figure à la pluie, glapissant un défi aux dieux qui l'avaient traquée toute sa vie.

— Je savais que vous feriez ça ! Vous ne pouviez pas me laisser tranquille ! Vous vouliez m'empêcher d'être heureuse ! Vous m'avez encore frappée ! Alors, finissez ! Prenez-moi aussi !

Les éclairs se succédaient sans relâche. La foudre aveuglante frappa la cloche de la cour et la fit tinter lugubrement tandis que le coup de tonnerre faisait trembler la terre sous les pieds de Maggie.

— Papa ! Va la chercher ! cria Trev.

Mais Dos regardait, cloué sur place. La figure de sa sœur était la plus tragique qu'il eût jamais vue de sa vie. Trev voulut courir vers sa tante mais Dos le retint.

— Non ! Laisse-la. Elle doit faire ça.

Le petit garçon se mit à pleurer et se cramponna à son père. Maggie brandissait ses deux poings vers les cieux.

— Allons ! Frappez-moi ! Je vous défie de me frapper !

La foudre tomba encore, un éclair fourchu éblouissant qui fendit un arbre en deux et l'embrasa avant d'aller toucher une clôture de fer. Des étincelles bleues coururent sur toute sa longueur.

Les palmiers bordant l'avenue se tordaient et gémissaient dans le vent; le tonnerre claquait et grondait continuellement et les éclairs transformaient la nuit orageuse en un jour blanc-bleu.

Les genoux de Maggie se dérobèrent et elle tomba. Des larmes mêlées de pluie inondaient ses joues et ses yeux étaient aussi fous que le ciel.

— Tuez-moi ! glapit-elle encore. Essayez donc !

Elle s'affala et tomba la tête la première dans la boue. Dos se secoua enfin et courut sous l'orage. Il enlaça Maggie et la releva. Elle tremblait violemment. Ses cheveux et ses vêtements étaient couverts de terre. Il la porta sur les marches et dans le salon où il l'étendit sur un canapé. Trev s'agenouilla à côté d'elle, si horrifié par ce qu'il venait de voir qu'il ne pouvait parler.

Des sanglots silencieux secouaient les épaules de Maggie et des larmes traçaient des rigoles dans la boue qui maculait son visage. Dos lui prit la main et la serra fortement. Elle essayait de dire quelque chose et il dut se pencher pour l'entendre.

— Je les ai battus, Dos. Je leur ai donné leur chance et ils n'ont... ils n'ont pas pu...

Elle poussa un long soupir désolé mais Dos crut voir passer dans ses yeux une lueur de victoire.

— Ils ont eu leur chance, et ils ont échoué. Je n'ai plus peur d'eux. Jamais ils ne m'auront, maintenant !

XXIX

Pendant longtemps, Dos craignit que la mort de Bryan ait privé Maggie de toute vie. Elle se cloîtrait dans sa chambre et quand il lui arrivait de descendre, rarement, elle errait comme un spectre. Dos ne savait comment la réconforter et finalement ce fut Trev qui la ramena dans le monde des vivants.

Un après-midi, il frappa à sa porte et la trouva assise à sa coiffeuse qui se brossait mollement les cheveux. Il alla se planter derrière elle et la regarda dans la glace.

— Est-ce que tu vas rester enfermée ici pour toujours ?

Elle baissa les yeux et posa la brosse avec précaution à côté du peigne.

— Je sais que tu as du chagrin, tout comme moi quand grand-maman est morte. Tu m'as aidé, tu te souviens ? Alors je veux t'aider maintenant. Et puis d'abord... Je m'ennuie, tante Maggie, et tu me manques.

Elle sentit sa main se poser légèrement sur son épaule et se dit : Mon Dieu, il a raison ! Je ne peux pas m'évader des prisons de mon passé pour m'enfermer de nouveau ! D'une main hésitante, elle couvrit celle de Trev.

— Ah, Trev ! Sois ma force ! Je ne veux pas continuer comme ça !

— Alors viens, tante Maggie. Sortons d'ici. Nous allons prendre la voiture de papa et faire un tour. Allez... Viens. Allons voir ce qui se passe dehors.

Il la traîna de force vers la porte.

Ils roulèrent tout l'après-midi. L'été finissait, il faisait encore une chaleur écrasante mais Maggie pensa qu'elle n'avait jamais senti de brise plus rafraîchissante tandis que Trev la conduisait tout autour du Lantana. Quand ils revinrent au ranch dans le crépuscule, Dos les observa d'une fenêtre de la tour. Il vit Maggie sauter de la voiture et marcher d'un pas léger. Trev lui dit quelque chose et il entendit le rire de Maggie. Il ne savait pas du tout ce que son fils avait fait pour rompre le charme maléfique et tragique qui l'avait envoûtée si longtemps, mais il fut reconnaissant et soulagé de la voir revenir parmi eux.

Maggie se remit à donner des leçons à Trev, autant pour s'occuper que pour l'instruire, car elle découvrit que si elle s'affairait elle arrivait à ne plus penser à sa douleur.

Elle s'acheta une voiture, une Buick verte étincelante, et commença à visiter tout le canton, de petits hameaux qu'elle n'avait encore jamais vus, prenant le temps de bavarder avec les fermiers et les paysans mexicains, d'aller voir leurs femmes dans leurs misérables cabanes de carton goudronné. Elle voyait bien qu'on la croyait folle. Jamais personne du Lantana ne s'était soucié de savoir comment ils vivaient et elle sentait, en dépit de leur hospitalité timide, que sa présence chez eux les mettait mal à l'aise. Mais ils finirent par s'habituer à ses visites et les femmes n'eurent plus honte de lui offrir du café dans des bols ébréchés ou une part du *pan dulce* cuit du matin. Elles étaient heureuses quand elle admirait leurs bébés au gros ventre et les prenait sur ses genoux.

Elles l'appelaient *Doña* et guettaient maintenant le bruit de sa voiture. Jamais elle n'arrivait les mains vides et elle savaut donner des provisions, de l'étoffe et même de l'argent sans avoir l'air de faire la charité. Avec les enfants, c'était plus simple. Trop innocents pour être encombrés de sot orgueil, ils jetaient leurs bêches et arrivaient des champs en courant, la main tendue vers les pièces qu'elle leur distribuait.

– Pourquoi ces enfants ne sont-ils pas à l'école ? demanda-t-elle un jour à une des mères.

– Il n'y a pas d'école, *Doña.*

– Pas d'école ?

– Pas ici à Rincon, et Joëlsboro est trop loin.

Maggie reprit le volant et rentra tout droit au ranch.

– Je veux de l'argent, déclara-t-elle ce soir-là à Dos. Je vais bâtir une école à Rincon.

– Pourquoi faire ?

Cette question la choqua.

— Comment ! Ces enfants sont ignorants. Ils n'ont jamais mis les pieds dans une salle de classe. Je parie que pas un ne sait lire et écrire !

— Ils n'en ont pas besoin.

Elle poussa un soupir exaspéré.

— Voilà ce que j'appelle un cercle vicieux, Dos. On les laisse grandir illettrés et ils restent aux champs, on les laisse aux champs et...

— Mais, Maggie, ça a toujours été comme ça.

— Peter Stark chante la même chanson.

— Au fait, puisque tu parles de Peter, si tu te mêles de construire des écoles, tu vas piétiner ses plates-bandes. Il ne verra pas ça d'un bon œil.

— Alors j'irai trouver le prêtre de Rincon et nous bâtirons une école paroissiale. Ça n'aura rien à voir avec le canton. Peter ne peut pas faire d'objections.

— Essaye et tu verras.

— Alors, je peux avoir l'argent ?

— Tu n'as pas besoin de me le demander, Maggie. La moitié du Lantana t'appartient. Tu peux faire ce que tu veux avec ta part.

— Parfait. Je vais construire une école... tout comme maman a fait à Joëlsboro. Tu sais, nous avons tant pris à cette terre, il serait temps que nous commençions à le payer !

Dès le lendemain, Maggie embaucha un entrepreneur et dans la semaine les travaux commencèrent sur un demi-hectare qu'elle avait acheté et donné à l'église. Elle visitait le chantier tous les jours, faisait presser le mouvement et pensait qu'à la fin de novembre les enfants de Rincon seraient en classe. Mais un matin elle arriva et trouva le bâtiment en construction abandonné. Elle descendit de voiture, fit le tour mais dut constater que les ouvriers avaient emporté leurs outils et quitté le chantier.

Elle fronça les sourcils, perplexe, ne sachant ce que cela signifiait. Et puis, entendant une voiture, elle retourna sur ses pas et aperçut Peter Stark. Il descendit et vint à sa rencontre, en portant une main à son chapeau. Maggie fut certaine que ce n'était pas le hasard qui l'amenait.

— Bonjour, Maggie, cria-t-il de loin. Comment ça va ce matin ?

— C'est vous le responsable de ça, Peter ?

Il sourit largement.

— Allons, ne montez pas sur vos grands chevaux. Vous devriez me remercier, je vous fais économiser de l'argent.

Elle planta ses poings sur ses hanches et le toisa avec méfiance.

— Vraiment ? Je peux savoir comment ?

Il s'approcha, en s'efforçant de paraître nonchalant. Mais, comme toujours dès qu'il la voyait, son cœur battait plus fort. Depuis quelques temps, il n'arrivait pas à la chasser de ses pensées. Il était tombé amoureux d'elle et il avait follement envie de la serrer dans ses bras, de l'embrasser. Il ne doutait pas de pouvoir l'attirer dans son lit, pas plus qu'il ne pouvait s'empêcher de rêver au couple qu'ils formeraient. Invincibles ! Son propre pouvoir et la fortune du Lantana... à eux deux, ils seraient les maîtres du Texas.

— J'ai entendu parler de l'école, dit-il. Et je ne vois pas pourquoi vous devriez payer la note. Après tout, c'est au canton d'instruire ces gosses.

— Oui, eh bien le canton n'a pas l'air de faire grand-chose pour ça.

— J'ai pris des dispositions pour y remédier.

— Que voulez-vous dire ?

— Mon frère Davey et moi, nous avons vu le padre et nous l'avons persuadé de nous vendre l'école... au canton, je veux dire. Nous allons achever la construction et ça ne vous coûtera plus un centime.

— Vous n'avez pas le droit !

Il feignit l'étonnement.

— Mais cela vaut mieux pour tout le monde ! Vous n'aurez plus à dépenser d'argent, l'église n'aura pas à s'en occuper et les enfants auront leur école.

— Et Davey et vous, vous ferez un joli bénéfice sur chaque clou et chaque madrier !

— Voyons, Maggie, je ne voulais pas vous fâcher. Je pensais simplement à tous ces frais. Je ne voyais aucune raison...

— Je ne vous crois pas, Peter.

Il recula, se méfiant de la colère de Maggie, et chercha à s'y prendre autrement.

— Franchement, je ne me doutais pas de votre intérêt. Si j'avais su que vous construisiez cette école par orgueil...

— Par orgueil ! s'écria-t-elle, les joues soudain empourprées. Par devoir, plutôt !

Elle s'interrompit, honteuse, en s'apercevant qu'elle s'exprimait comme un seigneur féodal déversant ses largesses dans le peuple pour apaiser une conscience coupable. Elle se reprit, et murmura d'une voix à peine audible :

— J'ai voyagé, j'ai visité tous les villages et les hameaux du canton et... Peter, je n'ai jamais vu pareille misère, pas même dans les taudis de Londres.

Peter se sentit en terrain plus sûr. Il haussa les épaules.

— C'est comme ça depuis toujours, Maggie, du moins par ici. Il y a une poignée de riches, et puis les péons, sans rien d'intermédiaire.

— Pourquoi faut-il que ce soit comme ça ?

— Parce que la terre appartient à des gens comme vous et parce que des gens comme moi sont au gouvernement.

— Ça changera un de ces jours !

— Nous ne vivrons pas pour voir ça.

— Je me le demande...

Maggie resserra son manteau autour d'elle car un vent froid du nord se levait, soulevait ses cheveux et les écartait de sa figure révélant la ligne pure de sa joue. Le soleil brillait sur ses cils et ses yeux étaient du même bleu que le ciel.

D'un geste impulsif, Peter lui prit le bras et l'attira contre lui. Avant qu'elle revienne de sa surprise, il lui prit les lèvres et l'embrassa goulûment. Elle se dégagea d'une secousse, lui plaqua les mains sur le torse et le repoussa.

— Je vous en supplie, Maggie, chuchota-t-il en tendant de nouveaux les bras.

Elle porta un poing à sa bouche et recula contre le mur en construction.

— Assez, Peter ! Ne recommencez jamais !

Il la regarda, haletante, les lèvres encore brûlantes du baiser.

— Maggie, je vous veux. Vous ne le voyez donc pas ?

Elle avait eu peur, un instant, mais une peur vite surmontée par une colère outragée.

— Je vous veux, Maggie, répéta Peter.

— Voilà une chose que vous ne pouvez pas avoir, Peter. Vous avez pris mon école, mais moi vous ne me prendrez jamais !

1919 – 1922

XXX

L'été suivant l'Armistice, Maggie retourna en Angleterre et emmena Trev. Elle passa plus d'une semaine à Londres, dans un appartement du Savoy, avant d'avoir le courage d'aller au cottage de Hampstead.

— C'est là que j'habitais, dit-elle à son neveu en descendant du taxi.

Le ravissant petit jardin de roses était envahi par les mauvaises herbes, la rouille recouvrait la grille de fer et la suie les fenêtres aux rideaux tirés.

Elle hésita un instant sur le seuil avant de prendre sa clef de bronze pour ouvrir. A l'intérieur, tout était comme elle l'avait laissé trois ans plus tôt mais pour elle ce n'était plus qu'un spectre de maison, une coquille vide.

Elle passa de pièce en pièce, en silence. Le commissaire-priseur auquel elle s'était adressée avait estimé tous les meubles car elle comptait ne rien garder, à part les tableaux. Ils étaient déjà emballés et les caisses attendaient dans le salon. Maggie ne resta que dix minutes et quand elle dit à Trev qu'il était temps de partir, il hésita et demanda :

— Tante Maggie... Est-ce que tu veux bien me donner ça ?

— Qu'est-ce que c'est ?

Il tendit la main et lui montra le presse-papier de cristal avec le ballon doré. Les souvenirs assaillirent Maggie et elle ferma un instant les yeux mais elle se ressaisit et réussit à parler d'une voix posée :

— Mais naturellement, Trev, au contraire. Ça me ferait plaisir que tu l'aies.

Il sourit de joie et serra son trésor dans sa main. Ils sortirent, Maggie referma la porte à clef, ils remontèrent en taxi et s'éloignèrent sans qu'elle se retourne.

Pendant un mois, elle fit faire à son neveu le tour de l'Angleterre et de l'Écosse et quand ils rentrèrent au ranch, les tableaux étaient déjà arrivés. Maggie les fit déballer et commença à les accrocher aux murs du rez-de-chaussée.

— Ne me dis pas que tu as payé du bel argent pour ça ! s'exclama Dos avec stupéfaction, à mesure que chaque toile apparaissait.

— Ha ! Comme tu t'y connais. Je les ai eus pour trois fois rien et maintenant ils valent une fortune.

— Ahurissant... absolument ahurissant...

Dos secoua la tête en essayant de deviner ce que représentaient une guitare cassée, quelques taches de couleur et des bandes discordantes en zigzag.

Puis on ouvrit la dernière caisse et Maggie haussa les sourcils en murmurant :

— Ah mon Dieu ! J'avais oublié celui-là !

C'était son portrait, nue sur le canapé.

— Tante Maggie ! s'écria Trev. C'est *toi* ?

— Vraiment, Maggie ! protesta Dos, tu ne vas tout de même pas accrocher ça !

Elle sourit. Envolées, l'amertume et la haine. Elle contempla le portrait de la jeune fille au corps ravissant et aux yeux bleus innocents comme si c'était celui d'une inconnue.

— Mais certainement ! J'ai l'intention de l'accrocher là... au-dessus de la cheminée !

— Mais les gens le verront !

— Justement, j'y tiens. Je veux qu'ils voient comme j'étais belle.

Le tableau prit donc place au-dessus de la cheminée du grand salon, à la vue de tous, et chaque fois qu'un visiteur le voyait pour la première fois et réagissait en regardant à tour de rôle Maggie et la toile, elle éprouvait une certaine exaltation à la pensée qu'elle était enfin totalement libérée de la prison du passé.

La visite en Angleterre avait fixé un but à Trev; il était décidé à faire ses études à Cambridge, comme Alex. Il s'appliqua à l'école avec un entrain qui fit plaisir à Dos et Maggie et devint le premier de sa classe. Il jouait au football et au base-ball, il faisait de l'athlétisme et bien qu'il eût toujours été fort, le sport développa ses muscles et quand il sortit du lycée, en mai 1921, il était aussi grand et massif que Dos, et certainement aussi beau.

Sachant que la petite école de Joëlsboro n'avait pu le préparer pour Cambridge, il projetait de faire deux ans à l'université du Texas avant de partir pour l'Angleterre.

Le jour où Trev jeta ses valises à l'arrière de sa Ford et s'apprêta à partir pour Austin, Dos le prit par l'épaule et lui dit.

– J'espère que tu ne nous quittes pas pour de bon.

– Ne t'inquiète pas. J'adore le ranch. J'ai le Lantana dans le sang, tu sais, papa.

– C'est ce que nous pensions quand nous avions ton âge, Maggie et moi. Et puis nous sommes partis et nous avons bien failli ne jamais revenir.

– Vous ne l'aimiez peut-être pas autant que moi.

Dos contempla longuement son fils, le cœur gonflé de fierté et d'amour.

– Tu as sans doute raison, Trev... Oui, sûrement.

Il voulait prendre son fils dans ses bras et l'embrasser mais il était trop intimidé pour faire le premier pas et ce fut Trev qui l'étreignit.

– Au revoir, papa. J'écrirai, promit-il.

A l'instant où ils s'embrassèrent, Dos regretta que Lorna ne puisse les voir. Elle aurait été si fière ! Et puis Trev se dégagea, sauta dans sa voiture et démarra en trombe.

Maggie les avait observés. Elle vint glisser un bras sous celui de son frère.

– Il est rudement mieux que nous, n'est-ce pas ?

Dos était trop ému pour répondre. Ils rentrèrent dans la grande maison et se retrouvèrent au salon, devant les photographies qui avaient été prises dans leur enfance.

– Regarde-nous, Dos. Comme nous étions jeunes. Et innocents...

– Nous avions le monde entier à nos pieds.

– Ma foi, à nous deux, nous en avons couvert une bonne partie.

– Et nous avons fini par nous retrouver ici.

– J'en suis heureuse.

Dos la regarda dans les yeux.

– C'est vrai, Maggie ? Pas de regrets ?

– Aucun. Jamais je ne cesserai de pleurer Bryan. Je ne le voudrais pas. Mais je peux continuer à vivre.

– Je suppose que nous n'avons pas le choix.

Elle devina sa pensée.

— Tu songes à Lorna, non ?

Il hocha la tête.

— J'aurais bien aimé la connaître.

— Vous vous seriez adorées.

— Quel dommage que tu n'aies pas une photo !

Il eut l'air bizarre pendant quelques instants, puis il sourit presque timidement.

— Mais j'en ai une.

— Ah Dos ! Montre-la-moi !

Il conduisit Maggie dans l'escalier en colimaçon jusqu'au bougonnoir, ouvrit avec une clef un tiroir de son bureau et y prit une feuille de papier fort qu'il tendit à sa sœur.

— C'est la seule photo que j'aie.

Au début, elle ne put voir que les énormes lettres noires : RECHERCHÉE POUR VOL.

— Oh mon Dieu ! s'écria-t-elle involontairement.

— N'est-ce pas affreux ? murmura Dos. Ma femme... la mère de Trev... Et notre seule photo est un avis de recherches.

Maggie plaqua une main sur sa bouche.

— Dos ! Excuse-moi mais je ne peux pas m'empêcher de rire ! Un avis de recherches ! C'est affreux, vraiment horrible !

Dos riait aussi, maintenant.

— Mais elle est belle, Dos ! Même sur cette photo abominable, on voit qu'elle était très belle !

— Ah, Seigneur, s'écria-t-il soudain pris de fou rire. C'est exactement le genre de chose que Lorna aurait adoré ! Elle rirait plus fort que nous !

— Dos ! Ne cache pas ça ! Si j'ai accroché mon portrait nu au-dessus de la cheminée, tu peux bien encadrer cette affiche et la mettre dans le salon. Je ne crois pas que Lorna aurait honte de son passé... pas plus que moi.

Dos s'essuya les yeux d'un revers de main.

— Tu as raison. Il y a longtemps que Lorna l'aurait exposée.

— Alors tu vas l'accrocher ?

— Pourquoi pas ? Qu'est-ce que ça peut nous faire ce que pensent les gens ?

— Absolument rien, Dos ! Plus maintenant ! Jamais !

Ainsi, la photo de Lorna prit fièrement place parmi les autres portraits de famille et désormais, quand Dos voyait l'expression d'un invité qui la découvrait pour la première fois, il croyait entendre le rire clair de Lorna se répercuter dans la pièce.

Peter Stark n'avait pas renoncé à Maggie. De temps en temps, il venait la voir, il l'invitait en ville à une réception. Elle y allait de bon cœur, avouant franchement qu'elle appréciait sa compagnie malgré les avertissements de Dos qui lui répétait que Peter agissait sûrement avec des arrière-pensées.

— Je le sais parfaitement mais je sais me défendre, assura-t-elle encore une fois, alors qu'elle se préparait à aller assister à une soirée que donnait Peter en l'honneur de son candidat au Congrès. Nous avons un accord.

— J'espère que Peter le sait.

— Il devrait, depuis le temps.

Elle quitta Dos puis partit pour Joëlsboro et trouva à son arrivée la belle maison neuve de Peter déjà bondée.

Un garde armé examinait tous les cartons d'invitation avant d'ouvrir les grilles du portail mais quand Maggie apparut, il sourit de toutes ses dents et la salua en l'appelant *Doña.*

— Bonsoir, Ricardo, dit-elle en lui serrant la main. Comment va votre femme ?

— Beaucoup mieux, *Doña.* Elle m'a dit de vous remercier encore de l'avoir conduite chez le médecin la semaine dernière.

— C'était bien naturel, Ricardo. Je passais et une de vos voisines m'a dit que Maria était souffrante. Je suis heureuse d'apprendre qu'elle est remise. Dites-lui que j'irai la voir dans un jour ou deux.

— *Gracias, Doña.*

Maggie se dirigea vers le buffet installé dans le patio et y rencontra Jack Kendall, du ranch Agarita.

— Bonsoir, Maggie. Comment ça marche, au Lantana ?

— Tout doux, répondit-elle, obéissant à la loi tacite de la région de ne jamais révéler que les affaires marchaient bien.

— Ouais, reconnut-il de même. Encore deux années comme celle-ci et nous serons tous les deux à l'asile des pauvres.

Les yeux de Maggie passèrent sur l'accumulation de bouteilles d'alcool sur le buffet.

— Regardez-moi ça ! Jamais on ne croirait que la prohibition existe.

— Allons, Maggie, le Congrès ne fait pas de lois pour Peter Stark ! Si les Stark avaient été là au temps de Moïse, le bon Dieu aurait demandé conseil à Peter avant de lui remettre les Dix Commandements.

Maggie éclata de rire, sachant que Jack Kendall n'avait que faire de la machine politique des Stark.

— Surtout « Tu ne voleras point ».

— Ouais. Celui-là aurait été modifié. « Tu ne voleras point sauf dans les caisses du canton ». Enfin bon Dieu, Maggie, regardez un peu cette foutue maison, un vrai château, une forteresse, et c'est les contribuables comme vous et moi qui l'avons payée.

— Nous avons bien dû acheter chacun deux pièces.

— Disons plutôt tout le rez-de chaussée.

Maggie prit le verre de whisky que lui tendait un barman.

— Ce n'est pas très poli de dire du mal de notre hôte.

— Je ne serais sûrement pas venu si je n'avais pas envie de voir un peu ce type qu'il envoie au Congrès, grommela Kendall.

— Qui est-ce, au fait ? Je n'ai jamais entendu parler de lui.

— Un nommé Curtis Hankins. Un rien du tout, un prof d'histoire de ce collège presbytérien, mais il a une femme ambitieuse et une brosse à reluire à l'usage de Peter Stark. Ce sera une marionnette docile... Tiens, quand on parle du loup, ou des deux loups, les voilà, Peter et lui.

Maggie se retourna et vit Peter qui entraînait Curtis Hankins vers elle. Le candidat était grand et maigre, avec une mèche de cheveux noirs qui lui retombait sur le front; il ressemblait très vaguement à Abraham Lincoln. Son costume fripé en serge bleue était affreux et faisait ressortir l'élégance de Peter en costume gris clair, chemise de soie et large cravate bordeaux retenue par une épingle ornée d'un diamant trop gros pour être vrai... à cela près que Maggie savait qu'il l'était.

Peter était radieux, en pleine forme dans son rôle d'éminence grise, de tireur de ficelles. Hankins le suivait comme une ombre dégingandée.

— Je vous présente notre nouveau représentant, annonça Peter en s'approchant du buffet.

Maggie sourit poliment mais dit :

— Ah ? Les élections ont déjà eu lieu ?

Hankins parut déconcerté mais Peter éclata de rire.

— Il a ma voix... et c'est celle qui compte vraiment.

— Enchantée de vous connaître, Mr Hankins. Je suis Maggie Cameron et voici Jack Kendall.

— A eux deux, ils possèdent presque tout le sud du Texas, déclara Peter à son candidat, inutilement car Hankins connaissait bien ces noms et ses yeux s'illuminèrent.

Kendall resta juste assez de temps pour ne pas paraître grossier mais Maggie s'attarda pour causer avec Hankins, le sonder. Elle en conclut qu'il était assez sympathique, presque puéril dans son désir de plaire, malléable bien entendu, et, pour le moment, probablement honnête. Elle se demanda quand cette vertu l'abandonnerait. Cela ne tarderait pas... avec Peter à son côté.

Au bout d'un moment, Maggie voulut s'excuser mais Stark la retint.

— Ne partez pas encore. Laissez-moi mettre Curtis entre les mains de gens que je veux qu'il connaisse et je reviens tout de suite.

Il ne fut pas long et, après avoir demandé un nouveau whisky pour Maggie, il l'invita dans son bureau. Il ferma la porte sur le brouhaha de la réception. La pièce était faiblement éclairée, petite et agréable avec ses poutres apparentes, son dallage de carreaux espagnols et ses murs blancs couverts de cartes des cinq cantons sur lesquels régnait Peter.

Maggie attendit qu'il parle mais comme il gardait le silence, elle demanda :

— Pourquoi cette entrevue particulière ?

— Je voulais simplement bavarder un peu, seul avec vous. Il semble que nous ne nous rencontrons jamais que dans la foule.

— C'est plus sûr, répliqua-t-elle en souriant.

Elle traversa la pièce et alla s'asseoir dans un canapé de cuir.

— C'est de l'excellent scotch, constata-t-elle après avoir bu une gorgée. Qui est votre bootlegger ?

— Je le fais venir de l'autre côté de la frontière. Vous en voulez une caisse ? Du scotch, ou bien du rhum ou du cognac ? Ce que vous voulez.

Maggie haussa les sourcils.

— Aussi facilement ? Nous devons nous contenter de gin maison, et, à l'occasion, d'une bouteille de bourbon quand nous pouvons persuader le docteur Rogers d'en prescrire... pour des besoins médicaux, naturellement.

— Naturellement, ironisa Peter. Ma foi, il y a certaines choses que je peux mieux faire que les Cameron.

Il était resté debout près de la porte mais alors il s'approcha et s'assit à côté d'elle. Dans la rue obscure, un réverbère projetait sa lumière entre les barreaux de la fenêtre, allumant des reflets dans les cheveux acajou de Maggie et dessinant la courbe délicate de sa joue.

Peter vida son verre mais ses lèvres et sa gorge demeurèrent sèches et il sentit son cœur battre irrégulièrement.

Maggie fut distraite par le roucoulement d'une colombe sur le toit. Elle entendit cependant le tintement du verre de Peter quand il le posa lourdement sur la table de marbre et le sentit se rapprocher d'elle, l'emprisonnant dans le coin du canapé.

— Maggie, j'ai près de cinquante ans. Le temps semble passer de plus en plus vite et de jour en jour je deviens plus impatient. Je n'aime pas avoir à attendre ce que je veux et je commence à avoir l'impression que demain il sera trop tard.

— Trop tard pour quoi, Peter ? demanda Maggie qui avait fort bien compris.

Il lui prit la main.

— Pour nous, Maggie. Je vous aime, vous savez.

Ces mots la décontenancèrent. Elle s'était préparée à l'entendre dire qu'il la voulait, qu'il avait besoin d'elle, la désirait. Mais qu'il l'aimait ! Elle ne s'attendait pas à cela.

Aussi, quand il se serra contre elle et lui prit la figure entre les mains fut-elle trop surprise pour résister. Et quand il la repoussa contre les coussins et l'embrassa, elle ne réagit pas. Elle se sentait curieusement détachée, comme si elle était un témoin invisible observant ce bel homme musclé qui enlaçait une inconnue et lui baisait les lèvres avant d'enfouir sa figure contre la peau satinée du cou et de l'épaule.

Soudain, elle retomba sur terre. La tentative de séduction de Peter n'avait rien éveillé en elle, ni passion, ni répulsion; elle était simplement agacée qu'il pesât ainsi sur elle, gênant sa respiration.

Elle le repoussa. Il ouvrit les yeux et la regarda d'un air ahuri. Il s'était mépris, croyant qu'elle acquiesçait enfin, qu'elle allait s'abandonner à sa passion.

Elle réussit à se dégager et à se lever, en lissant sa jupe. Elle ne voulait pas le blesser ni l'humilier, alors elle sourit et s'efforça de traiter l'incident à la légère.

— Et si quelqu'un était entré et nous avait surpris en train de batifoler sur un canapé ? Cela aurait fait merveille pour notre réputation.

La plaisanterie ne fit pas du tout sourire Peter. Tout ce qu'il savait, c'était qu'il avait été bafoué, repoussé une fois de plus et que cette fois, cela paraissait définitif. Elle s'était laissée enlacer et embrasser, elle l'avait amené à avouer son amour. Et maintenant, elle le repoussait avec une plaisanterie et le laissait assis là comme un amoureux transi !

Furieux, estimant qu'on s'était moqué de lui, il bondit et saisit Maggie par les poignets.

— De quelle réputation voulez-vous parler ?

Elle essaya de lui arracher ses mains mais il tint bon.

— Je me moque éperdument de la mienne, gronda-t-il d'une voix menaçante. Quant à la vôtre, je la connais bien ! Vous avez couché avec tout le monde, à Paris et à Londres, et maintenant vous revenez dans ce trou perdu et vous jouez à la grande dame ! Ça ne prend pas, Maggie. Je sais ce que vous étiez !

Elle parvint enfin à libérer une de ses mains et l'abattit sur la joue de Peter. La gifle claqua comme un coup de fouet.

— Immonde salaud !

Tournant les talons, elle se précipita vers la porte mais il la rattrapa, la devança et lui barra le passage.

— Maggie, non ! Attendez ! Je n'en pense pas un mot ! supplia-t-il. Je vous aime. Je vous aime vraiment. Epousez-moi, Maggie. Je vous donnerai tout ce que vous voulez, tout. Si vous n'aimez pas cette maison, je vous en construirai une autre. Si vous voulez voyager, nous irons n'importe où...

— Ecartez-vous de cette porte, Peter, je veux rentrer chez moi.

Il comprit qu'il l'avait perdue, à jamais. C'était la première fois de sa vie qu'il ne pouvait avoir ce qu'il désirait. Il ne pouvait y croire, ce n'était pas possible, il était Peter Stark ! Il gouvernait dans cette partie du monde !

La figure de Maggie était dure, sa voix glaciale :

— J'ai dit écartez-vous.

Il fit un pas de côté mais la colère le reprit et comme elle sortait prestement, elle l'entendit marmonner :

— Tu n'es quand même qu'une putain, Maggie ! Et tu regretteras de m'avoir repoussé !

Elle traversa rapidement la maison, la tête haute et apparemment calme mais toute frémissante de fureur.

La dernière insulte et la menace résonnaient encore aux oreilles de Maggie quand elle remonta en voiture et démarra en trombe, suivie des yeux par Peter, de la fenêtre de son bureau.

Ruminant des pensées de colère et de vengeance, elle fonça sur la route à toute allure. En arrivant au portail du Lantana, elle fit un appel de phares et se rua dans l'avenue. De sa fenêtre de la tour, Dos la vit arriver à une vitesse démente. Il dévala l'escalier en colimaçon et arriva dans le vestibule au moment où Maggie y faisait irruption. Avec ses cheveux décoiffés par le vent et ses joues enflammées elle avait l'air de revenir de la prairie après un galop effréné sur un étalon nerveux.

— Qu'est-ce qui se passe ? demanda-t-il. A te voir filer entre les arbres, tu devais faire au moins du cent vingt.

Elle n'avait rien voulu dire à son frère mais maintenant qu'il la voyait dans cet état elle ne sut comment lui cacher l'incident.

— C'est Peter Stark, dit-elle simplement.

Dos serra les dents.

— Qu'est-ce qu'il t'a fait ?

— Ce n'est pas ce qu'il a fait mais ce qu'il a dit.

— Quoi ?

— Il sait tout de moi, Dos. Ma vie à Paris et à Londres. Il m'a traitée de putain.

— L'ignoble salaud !

Maggie lui saisit le bras.

— Calme-toi, Dos. Ça ne te regarde pas. Je m'en occuperai moi-même.

— J'aurai cette ordure !

— Dos ! Ne t'en mêle pas !

— Il s'est permis quelque chose avec toi ?

— Ça n'a aucune importance.

Cela suffit à Dos. Il voulut repousser sa sœur, mais elle ne le lâcha pas.

— Ne me retiens pas, Maggie ! Je vais le mettre à sa place une fois pour toutes !

— Non, Dos ! Tu as eu assez d'ennuis à cause des Stark. Ne recommence pas. D'ailleurs, c'est mon affaire.

— Tu ne penses tout de même pas que je vais laisser passer ça ?

— Si ! Si, je le veux. Peter ne supportera pas de remontrances de toi... Et nous avons déjà enterré Carlos à cause de moi, murmura-t-elle soudain accablée. Je ne veux pas que tu ailles le rejoindre.

Dos cessa de se débattre. Il reconnaissait la peur et la douleur dans la voix de Maggie et comprenait qu'il ne pouvait lui causer de nouveaux chagrins.

Elle porta une main à sa poitrine et se força à respirer calmement. Puis elle glissa un bras autour de la taille de Dos.

— J'ai besoin d'un verre, Dos. Tu me tiens compagnie ?

Ils allèrent au salon. Dos remplit deux verres de whisky pur et s'accouda sur la cheminée pendant que Maggie marchait de long en large.

— Il m'a demandée de l'épouser et quand je l'ai repoussé, il s'est mis en colère. C'est là qu'il m'a insultée. Et ensuite, il m'a menacée. Il a dit que je le regretterais.

— Sûrement pas.

— Non, bien sûr. Comme je le disais, je saurai me défendre. Et je ne vais pas laisser passer ça. Je m'en vais battre Peter Stark à son propre jeu ! Il est temps que quelqu'un lui montre qu'il n'est pas toujours le plus fort !

Elle porta son verre à ses lèvres et but une grande gorgée. L'alcool de contrebande lui brûla la gorge.

— Il faut que tu renvoies ce bootlegger, Dos. Ce truc-là tuerait un cheval.

Elle sourit soudain ironiquement, une lueur malicieuse dans les yeux.

— Je crois que je me suis trop pressée de repousser Peter. Il m'avait offert une caisse de scotch.

Dos sourit aussi en voyant que la tension de sa sœur se dissipait. Elle cessa de déambuler et s'arrêta près d'un guéridon. Soudain, d'un geste résolu, elle décrocha le téléphone. Le standard du sous-sol répondit immédiatement :

— Passez-moi le *Joëlsboro Journal*, dit-elle.

— Qu'est-ce que tu fais, Maggie ?

Elle cligna de l'œil à Dos pendant que le téléphone sonnait, et leva une main pour le faire patienter.

— Allô ?... Ici Maggie Cameron. Voulez-vous envoyer un reporter au Lantana demain matin ? Je veux annoncer ma candidature au Congrès américain.

XXXI

Peter Stark prenait son café au lit quand Curtis Hankins fit irruption dans la chambre en brandissant le journal. Peter jeta un coup d'œil à la grosse manchette et le posa à côté de lui.

– Je l'ai déjà appris par la rumeur publique.

– Qu'est-ce que ça veut dire, à votre avis ? demanda anxieusement Hankins.

– Tout simplement que Maggie Cameron cherche à vous supplanter.

– Est-ce qu'elle a des chances ?

– Allons, calmez-vous, mon vieux, dit Peter en souriant. La cafetière est là-bas, servez-vous. Vous avez l'air aussi nerveux qu'un chat à longue queue dans une fabrique de fauteuils à bascule.

– Mais je croyais que ce serait sûr... qu'il n'y aurait pas d'adversaires. C'est ce que vous avez dit.

– Elle ne sera pas un adversaire. Ne vous mettez pas dans cet état. Qui diable va envoyer une femme au Congrès ?

– Il y a eu cette Jeannette Rankin du Montana...

– Ah, c'était un hasard, et elle n'a pas été réélue.

– ...Et Alice Robertson de l'Oklahoma.

– Jamais pu comprendre ces Okies. D'ailleurs Maggie Cameron n'a aucun programme et les hommes du Sud Texas préfèreraient élire un singe qu'une bonne femme. Ils ont bien trop de bon sens pour se faire représenter par un jupon.

Ces assurances apaisèrent quelque peu Hankins qui s'assit et se servit du café.

— Elle a tout l'argent du monde pour financer sa campagne.

— De quoi a-t-on tellement besoin ? Quelques centaines de dollars pour les affiches, quelques dollars pour louer une salle ici et là, payer l'essence... il n'en faut pas tant. Ne vous inquiétez pas, Curtis, nous nous sommes occupés de tout. Et la veille du scrutin, nous distribuerons des fac-similés de bulletins de vote avec un gros X à côté de votre nom pour que même les gens qui ne savent pas lire sachent pour qui voter.

Hankins hocha la tête avec soulagement, et sa mèche noire lui tomba dans les yeux.

— Je me demande pourquoi elle a fait ça... pourquoi elle a décidé de se présenter.

Peter se laissa retomber sur son oreiller et soupira.

— Allez savoir ce qui va passer par la tête d'une femme. Juste au moment où on croit les avoir comprises, elles se retournent contre vous. Si j'avais su que Maggie brûlait d'aller à Washington, j'aurais fait d'elle un sénateur.

Hankins releva ses cheveux sur son front.

— Vous plaisantez, n'est-ce pas ?

— Ouais, murmura Peter avec un sourire ironique. Je plaisante.

Dès que Trev apprit la candidature de Maggie, il abandonna ses études, jeta ses bagages dans sa voiture et rentra à la maison. Sa tête était pleine de visions d'une folle campagne avec des rallyes bruyants sur la plaza, une fanfare sur un camion à plate-forme, des débats passionnés entre Maggie et Curtis Hankins. Mais quand il arriva au Lantana il découvrit que sa tante avait d'autres idées en tête.

— Je ne vais pas faire de discours électoraux, déclara-t-elle. Surtout pas sur la plaza. Je frémis encore quand je me rappelle le jour où j'ai pris la défense de Peter. Ça m'a fait une peur bleue. Après, j'étais si émue que je tenais à peine debout.

— Mais il te faut de la publicité, protesta Trev, incapable de dissimuler sa déception. Personne ne votera pour toi si les gens ne savent pas qui tu es !

Elle le regarda d'un air amusé.

— Trev chéri, les gens des deux continents savent qui je suis.

— Bon, mais au moins colle des affiches.

— D'accord. Je t'en charge.

— Chic ! s'écria-t-il en se levant d'un bond. Je vais tout de suite trouver un imprimeur.

— Pas si vite. Je veux que les affiches soient très simples, et pas trop nombreuses non plus. Je ne veux pas qu'on raconte que Maggie Cameron a acheté son siège à Washington.

Trev la considéra un moment en silence, puis il demanda gravement :

— Tu crois vraiment que tu vas gagner, tante Maggie ?

Elle haussa vaguement les épaules mais son visage resta serein.

— Je crois que je ferai bien courir Peter Stark. Parce que c'est contre lui que je me présente, pas contre Hankins.

— J'aimerais bien avoir l'âge de voter !

— Moi aussi. Au point où en sont les choses, je ne peux compter que sur deux voix, celle de Dos et la mienne.

Quand Trev fut parti en ville à la recherche d'un imprimeur, Maggie prit sa voiture et entama la campagne électorale la plus singulière que la région eût jamais vue. Elle se rendit d'abord au hameau de Rincon pour voir Maria, la femme du garde du corps de Peter.

Elle fut enchantée de la recevoir et lui servit du café à sa table de cuisine.

— Je me présente au Congrès, annonça Maggie.

— Je sais, Ricardo me l'a dit, mais il dit aussi qu'*El Patrón* raconte à tout le monde que vous n'avez aucune chance.

— C'est sans doute vrai mais ça ne m'empêche pas d'essayer.

Maria baissa les yeux et murmura :

— Si vous ne le dites à personne, je promets de voter pour vous.

Maggie allongea son bras sur la table et pressa la main de la brave femme.

— C'est courageux de votre part, Maria.

— Vous avez été bonne pour moi quand j'étais malade, *Doña.*

— J'aidais simplement une voisine.

— Alors, je vous aiderai en échange.

— *Gracias*, Maria.

— Et, confia Maria en baissant encore la voix, je ferai voter Ricardo pour vous, lui aussi. Il dit qu'*El Patrón* peut donner des ordres mais qu'il ne peut pas nous voir dans l'isoloir.

Maggie rendit visite ensuite à toutes les femmes de Rincon, pour répandre la nouvelle, demander un soutien et dans les jours qui suivirent, on s'habitua à la voir sillonner les routes du canton au volant de sa Buick verte poussiéreuse. Elle s'arrêtait partout, bavardait en espagnol, berçait des bébés dans ses bras et buvait tant de café qu'elle n'arrivait plus à trouver le sommeil.

Sa campagne discrète — presque invisible — endormit la méfiance de Peter et il confia à Hankins :

– Elle a dû devenir raisonnable et comprendre qu'il serait inutile qu'elle perde son temps. Elle va se sentir rudement ridicule quand on affichera les résultats.

Sa confiance se communiqua à Hankins et aucun ne vit la nécessité d'intensifier leurs efforts, alors même que tous les poteaux télégraphiques de la région portaient à présent une affiche avec la photo de Maggie.

Trev fit tout pour persuader sa tante d'organiser un rallye mais elle refusa catégoriquement.

– Je veux faire ça à ma façon, déclara-t-elle en revenant d'une longue journée dans le canton voisin. Et ça me plaît.

Mais tu t'épuises. Tu ne peux quand même pas visiter chaque maison de la circonscription !

– Je vais essayer.

Dos écoutait sans mot dire mais il finit par intervenir.

– Où t'en vas-tu demain ?

Maggie poussa un soupir de lassitude.

– A Carmelo.

– Une longue route.

– Et comment ! Il me faudra toute la journée.

Il hocha la tête et, au bout d'un moment, il s'excusa et sortit de la pièce. Le lendemain, à la table du petit-déjeuner, Trev remarqua chez son père une drôle d'expression. Comme s'il avait fait en secret quelque chose qui lui plaisait immensément et ne pouvait en garder le secret.

Maggie était trop préoccupée pour regarder son frère; elle s'agitait parce qu'elle avait déjà une demi-heure de retard sur son horaire et n'arriverait pas à Carmelo avant midi. Elle frémit quand la cuisinière voulut encore lui servir du café.

– Oh non, par pitié ! Je vais devoir en boire des litres avant ce soir !

Elle toucha à peine son déjeuner, grignota deux bouchées de bacon, un coin de toast et ignora complètement ses œufs brouillés. Jetant sa serviette sur la table, elle se leva.

– Allons, il est temps de prendre la route. Si je ne pars pas tout de suite, je ne serai pas rentrée avant minuit.

– Attends une minute, voyons. Finissons de déjeuner tous ensemble, protesta Dos.

– Je suis déjà en retard et tu sais bien que cette route est affreusement longue.

Trev observait son père et vit qu'il s'efforçait de réprimer un petit sourire.

– Mais j'ai une surprise pour toi, Maggie.

Sur le seuil, son sac à la main, elle regarda Dos; elle attendait une explication mais il lui fit signe de se rasseoir.

– Tout à l'heure.

– Ah, Dos ! Ça ne peut pas attendre ce soir ?

– Non. Ne t'énerve pas, Maggie. Et finis de déjeuner. Tu as tout le temps, crois-moi.

Médusée, elle reprit sa place à table. A vrai dire, elle avait faim et savait que la journée serait harassante. Elle fut la dernière à remarquer un bourdonnement filtrant par les fenêtres ouvertes.

– Qu'est-ce que c'est que ça ? demanda Trev.

– Ça doit être ma surprise, répondit Dos en souriant.

Maggie leva les yeux, entendit, et vit son frère se lever.

– Viens, Maggie. Sortons.

– Qu'est-ce que c'est ce bruit ?

Le bourdonnement se précisait. Dos prit la main de Maggie et l'entraîna dans le vestibule. Trev les suivit précipitamment.

Ils sortirent sur le perron au moment où un biplan écarlate descendait du ciel et frôlait la tour, passant apparemment à quelques centimètres du toit mansardé. Le vrombissement du moteur était assourdissant. Maggie plaqua ses mains sur ses oreilles. L'avion passa si bas que Trev crut pouvoir le toucher puis remonta et parut planer dans le ciel un instant avant de piquer et d'exécuter un looping.

– Mon Dieu ! s'exclama Maggie, certaine qu'il allait s'écraser, mais le pilote le redressa à quelques mètres du sol, survola encore une fois la grande maison et finit enfin par se poser dans le pâturage presque sans rebondir.

– Des ailes, Maggie ! cria Dos. Je t'ai acheté des ailes pour que tu puisses voler où tu voudras ! C'est ça, ma surprise.

– Ah, Dos, s'écria-t-elle en se jetant à son cou, pensant à Pascal et à ses petites surprises. Mais... Ah mon Dieu ! Je ne suis jamais montée dans un aéroplane !

– Si tu peux survoler Paris en ballon, tu peux faire n'importe quoi, assura Dos. Tu vas adorer ça, Maggie. C'est tout à fait ton style.

Elle en était beaucoup moins sûre. Méfiante, elle regarda l'appareil écarlate s'arrêter. Quand le pilote eut coupé le contact, il sauta du cockpit et vint vers eux en courant. Dos lui serra la main.

– Salut, Mr Porter. Voici ma sœur Maggie et mon fils Trev. Mais Trev était déjà parti examiner l'appareil.

Porter était l'image même du casse-cou, avec sa veste de cuir et sa longue écharpe de soie blanche, les grosses lunettes relevées

sur le front, des cheveux blonds s'échappant de son casque.
– Ainsi, c'est vous ma passagère, dit-il à Maggie.

– J'en ai bien peur, répliqua-t-elle en regardant l'avion avec appréhension.

– Eh bien, si vous êtes prête, nous partons. Vous voulez aller à Carmelo, si j'ai bien compris ?

– Oui, d'abord Carmelo. Puis Ochoa. Et ensuite, si nous avons le temps, nous pourrions passer à Madison.

– Oh, nous aurons tout le temps. Nous serons à Carmelo en moins d'une heure.

– Dos ! Tu entends ? Moins d'une heure pour aller à Carmelo !

Ils s'approchèrent tous trois de l'appareil; Porter plongea une main dans le cockpit et tendit à Maggie une paire de grosses lunettes.

– Je vous conseille de les mettre. Il y a pas mal de vent là-haut.

Elle obéit et il l'aida à se hisser à bord. Quand il fut installé aux commandes il cria à Trev de donner un tour d'hélice.

– Fais attention, Trev ! hurla Maggie, mais il s'acquitta parfaitement de sa tâche.

Le moteur partit au premier tour. Trev courut rejoindre Dos et tandis que le biplan commençait à rouler ils entendirent Maggie crier dans le rugissement du moteur :

– Je vous en prie, Mr Porter, soyez prudent ! Pas d'acrobaties ! Pas de vol sur le dos ! Pas de loopings !

L'aéroplane traversa le champ en bondissant et s'éleva dans les airs comme une feuille soulevée par un vent d'automne. Porter vira sur l'aile et Maggie retint sa respiration jusqu'à ce qu'il ait redressé l'appareil. Alors seulement elle s'enhardit à regarder par-dessus bord et elle fut tout aussi enchantée par la vue que le matin où Bryan l'avait emmenée en ballon.

Ses mains crispées sur le bord du cockpit se détendirent. Ce n'était pas si effrayant, finalement; elle trouvait même cela fort plaisant et se disait qu'au fond elle ne protesterait pas si Mr Porter oubliait ses ordres et retournait son biplan dans un looping vertigineux.

En un rien de temps, lui sembla-t-il, ils faisaient du rase-mottes au-dessus de Carmelo, attirant les femmes hors des maisons et affolant les ouvriers dans les champs. Ils se posèrent dans un pré et avant que l'hélice s'arrête de tourner une foule entoura l'aéroplane.

Trev aurait été ravi car cette arrivée impromptue força Maggie à faire un discours. La foule l'exigeait et elle fut surprise de trouver cela facile, après tout. Peut-être l'exaltation du vol l'avait-elle guérie de son trac, ou bien l'accueil enthousiaste de cette population, toujours est-il qu'elle se retrouva debout sur l'aile, les deux bras levés, en train de crier :

— *Buenos días, señoras y señores ! Me llamo Maggie Cameron del rancho Lantana !*

Une ovation monta qui la décontenança un instant mais elle se ressaisit vite et se remit à parler de sa candidature; elle leur demanda à tous de la soutenir et quand elle eut fini elle entendit un jeune garçon crier :

— *Viva la Doña Aguila !*

La Dame Aigle ! Le surnom plut, vola de village en village plus vite que le biplan et dans les jours à venir, partout où Maggie atterrissait, elle était accueillie aux cris de « *Aguila ! Aguila ! Aguila !* »

Soudain, Peter Stark s'inquiéta. Maggie et son aéroplane avaient enflammé l'imagination du peuple et partout où il allait il entendait parler de l'Aiglonne.

— Elle va nous battre avec un slogan, dit-il à son frère Davey. Hankins n'est pas mal mais il est terne. La foule votera à coup sûr pour une personnalité exaltante. Je crois que j'ai commis une erreur.

Il rumina sa déconvenue pendant deux ou trois jours, puis il téléphona au Lantana et laissa un message pour Maggie au standard. Quand elle arriva dans la soirée et apprit qu'il essayait de la joindre, elle sourit mais ne le rappela pas.

Le lendemain, Peter appela Dos. Il lui parla d'une voix suave et condescendante, exagérément polie.

— Vous devriez essayer de la raisonner, Dos. Seule, elle ne peut pas gagner. Elle devrait s'allier avec moi. A nous deux, nous pourrions être une puissance avec laquelle il faudrait compter.

— Cela ne me concerne pas, répliqua Dos.

— Vous devez tout de même avoir de l'influence sur elle.

— Aucune que je veuille exercer.

— Nom de Dieu, gronda Peter. Vous vous croyez forts, hein ? Il est grand temps que quelqu'un rabatte leur caquet aux Cameron ! Il est temps qu'on vous traîne dans la boue !

— Et vous allez essayer ?

— Et comment ! Dites à Maggie que si elle refuse de marcher avec moi, j'étalerai son passé à la une des journaux !

Dos lutta pour rester calme.

— Je le lui dirai, dit-il, et il raccrocha brutalement.

Il serra les poings, rêvant de pouvoir les écraser sur la figure de Peter Stark.

Quand Maggie atterrit dans la soirée, Dos lui répéta cette conversation. Ils étaient au salon et elle leva les yeux vers son portrait.

— Regarde cette fille, dit-elle comme si elle parlait de quelqu'un d'autre. Il a fallu du cran pour poser pour ce tableau, même si elle était amoureuse de l'artiste. Et il lui a fallu du courage pour voler assez d'argent pour traverser l'océan à sa recherche. Elle se sentait faible, perdue, elle croyait avoir besoin de lui. Et plus tard, quand elle est tombée amoureuse de Bryan, elle ne savait pas quel courage il lui faudrait pour vivre ostensiblement avec lui. Mais elle l'a fait ! Elle était forte, sans le savoir. Et quand elle a dû affronter sa mère, pleine de remords et de honte après tant d'années, elle s'est aperçue qu'elle en était capable.

Elle se retourna et fit face à Dos. Sa figure était dure, sa mâchoire résolue.

— Je ne peux pas laisser tomber cette fille courageuse, n'est-ce pas ? Je ne peux pas tourner les talons et fuir l'oreille basse. Il faut que je lutte comme elle, jusqu'au bout !

Le cœur de Dos se gonfla de fierté mais il l'avertit :

— Maggie, Peter va étaler ton histoire dans tous les journaux.

— Qu'il l'étale ! riposta-t-elle en souriant, totalement en paix avec elle-même.

XXXII

Deux jours plus tard, de grosses manchettes révélèrent l'histoire. Pasteurs et prêtres firent leur devoir et se dressèrent en chaire pour dénoncer Maggie, en la traitant de Jézabel. Mais, chose curieuse, leurs ouailles s'en allaient en la comparant au contraire à Marie-Madeleine; quand aux Mexicains catholiques, cela ne leur faisait ni chaud ni froid. Le libéralisme de la vieille Europe coulait encore dans leurs veines, les peccadilles ne les choquaient pas et le péché ne jouait guère de rôle dans leur vie. Il était facilement confessé, absous et sagement oublié. Les révélations sur le passé de Maggie ne retournèrent pas les femmes contre elle et, à la grande fureur de Peter, elles la haussèrent dans l'estime des hommes.

Partout où elle allait, la foule criait plus fort que jamais : *« Viva la Doña Aguila ! »*, envahissait les pâturages où se posait le biplan écarlate et les discours devenaient superflus. Sa seule apparition suffisait.

Les élections eurent lieu le quatrième samedi de juillet. Maggie se leva de bonne heure, alla glisser son bulletin dans l'urne et revint attendre au ranch.

Peter ne sortit de chez lui qu'à midi pour se rendre sans se presser au bureau de vote de la mairie. Il avait fait un dernier effort pour vaincre Maggie en ordonnant à ses hommes de parcourir la circonscription en voiture. Ils sillonnèrent les campagnes, visitèrent villes et villages et prirent des gens à leur bord pour les conduire aux divers bureaux de vote. Et en chemin, ils leur rappelaient avec autorité qu'*El Patrón* espérait bien qu'ils voteraient pour Curtis Hankins.

En arrivant à la mairie, Peter fut satisfait de voir le sol jonché des fac-similés de bulletins qu'il avait distribués, chacun soigneusement marqué d'un gros X à côté du nom de Hankins. Il sourit à part lui et, quand il sortit de l'isoloir quelqu'un lui cria avec bonne humeur :

— Comment avez-vous voté, Mr Stark ?

Il forma un pistolet avec son pouce et son index et le braqua vers le plafond.

— Eh bien, on pourrait dire que je viens d'abattre cette dame Aigle !

Puis, les pouces dans les entournures de son gilet, il souhaita le bonjour à la compagnie et alla se pavaner au soleil.

La première chose qu'il vit fut la photo de Maggie sur une affiche. En passant, il l'arracha du poteau télégraphique et la jeta par terre, parmi les bulletins-échantillons éparpillés.

Devant l'immeuble du *Joëlsboro Journal*, on avait érigé une plate-forme avec d'immenses tableaux noirs où les résultats seraient inscrits.

Maggie, Dos et Trev se garèrent de l'autre côté de la rue et attendirent dans la voiture. Il était encore tôt, mais la foule affluait déjà, déambulait sur la chaussée, s'installait sur des chaises pliantes ou des couvertures étalées sur les trottoirs. Quand le jour déclina, la lumière électrique s'alluma, éclairant les tableaux noirs et bientôt après les premiers résultats furent affichés.

Trev se tassa sur son siège. Les chiffres ne représentaient qu'un seul bureau de vote mais ils révélaient que Maggie était battue par plus de cent voix.

— Mauvais départ, dit-elle sans se troubler.

— Ne renonce pas trop vite, lui dit Dos. Ce n'est qu'un village. Et regarde, c'est Menendez, un des fiefs des Stark.

A ce moment la Packard noire de Peter arriva et s'arrêta à l'écart. Elle semblait tapie dans l'ombre comme un prédateur guettant sa proie, une panthère prête à bondir. Sa présence parut intimider la foule et la réduire au silence mais sur l'estrade les hommes ne tardèrent pas à inscrire de nouveaux chiffres et tous les yeux se tournèrent vers les tableaux.

Trev gémit. Dans la course au Congrès, Curtis Hankins menait par près de quatre cents voix. Le moral de Maggie baissa mais Dos, comme s'il devinait ses pensées, lui prit la main.

– Il est encore trop tôt. Tout peut changer.

– Oh, tu sais, je ne me suis présentée que pour faire enrager Peter. Maintenant, je suppose qu'il va me falloir avaler la couleuvre.

– Ne parle pas comme ça, tante Maggie, supplia Trev, mais il y avait maintenant du doute et du découragement dans sa voix.

– Ça ne me ferait rien de vivre à Washington, tu sais. J'ai adoré cette ville dès que je l'ai vue. Mais le Lantana me suffit. C'est mon foyer. Et j'en suis restée éloignée trop longtemps.

Mais Trev n'écoutait pas. Il s'était redressé et regardait les hommes noter les derniers résultats.

– Regarde ! cria-t-il. Tante Maggie ! Tu as remporté Rincon !

C'était vrai, et par plus de deux contre un, rognant presque de moitié l'avance de Hankins.

– C'est grâce à Maria, murmura Maggie. J'en suis sûre. Si jamais Peter l'apprend, il aura la tête de Ricardo !

Puis les résultats d'Ochoa arrivèrent et avant que Maggie puisse lire les chiffres elle entendit la foule glapir :

– *La Doña Aguila !*

– Tante Maggie ! Tu es à égalité !

– Je parie que Peter transpire, maintenant, dit Dos en riant.

Mais quelques instants plus tard, leur joie se dissipa quand Hankins remporta un gros paquet de voix. Pendant une demi-heure il mena confortablement et puis Maggie commença à le grignoter et faillit le rattraper avant qu'il obtienne une majorité écrasante dans une autre circonscription importante. Elle se couvrit les yeux.

– Dieu ! C'est pire que les courses de chevaux !

Soudain, elle entendit de nouveau la foule.

– *Aiguila ! Aiguila !*

Madison l'avait élue et la remettait en tête. Pendant une heure, tandis que les résultats arrivaient de villages lointains, Hankins et elle se battirent au coude à coude, échangeant plus de dix fois la première place.

Il se faisait tard mais la foule refusait de s'en aller, incapable de quitter les tableaux noirs des yeux, de partir avant de connaître les résultats définitifs. Maggie grignota la légère avance de Hankins puis le dépassa, mais par moins de vingt voix.

– Nous n'avons toujours pas de nouvelles de Carmelo, observa Dos.

– Attends, dit Trev, c'est peut-être ça, maintenant.

Un homme écrivait rapidement de nouveaux chiffres à la craie et ils se tordirent le cou pour voir derrière lui mais avant qu'il s'écarte Maggie sut qu'elle avait emporté la ville car les acclamations étaient assourdissantes.

— *Aguila ! Aguila ! Aguila !*

— Mon Dieu ! s'écria-t-elle en voyant le tableau.

Elle avait écrasé Hankins à Carmelo et fait un bond en avant de plus de mille voix.

— Ça y est ! hurla Dos. Jamais il ne pourra te rattraper maintenant !

Maggie toucha du bois mais elle n'avait pas à s'inquiéter car son avance était trop importante.

Trev l'embrassa en pleurant de joie, Dos aussi.

— Maggie ! Tu l'as battu !

— Je ne peux pas le croire...

Riant et pleurant à la fois, elle examina encore une fois les résultats définitifs.

— Ma foi, ça montre ce qu'une mauvaise réputation peut faire !

Ils rirent de bon cœur et Trev déclara :

— Tante Maggie, monte sur l'estrade.

— Je ne pourrai jamais !

— Il le faut ! Ils ont voté pour toi. Ils veulent te voir !

— Trev a raison, Maggie.

— Ah, mon Dieu !

— Vas-y, tante Maggie ! J'irai avec toi.

Traînée par Trev elle se faufila vers l'estrade. Bien avant qu'elle l'atteigne la foule la reconnut et se remit à l'acclamer en psalmodiant :

— *Aguila ! Aguila ! Aguila !*

Dans le fond de la place, la Packard noire démarra et s'éloigna lentement.

Maggie fut hissée sur l'estrade. Elle agita les bras et salua la foule jusqu'à ce qu'elle n'en puisse plus. Elle essayait de garder son calme mais les larmes brouillaient sa vue et elle ne trouvait rien d'autre à dire que :

— Merci. Merci. *Gracias ! Muchas gracias !*

XXXIII

Maggie se réveilla le lendemain matin encore éblouie par sa victoire. Elle enfila un déshabillé et descendit rejoindre Trev et Dos à la table du petit déjeuner. Ils l'accueillirent avec des sourires mais au lieu de s'asseoir elle se cramponna au dossier de sa chaise et les regarda à tour de rôle.

— Il vient de me venir une pensée horrible... Je ne sais absolument rien du Congrès américain !

Il y eut un instant de silence, puis Dos éclata de rire.

— Calme-toi, Maggie. Assieds-toi et mange. La prochaine session parlementaire ne se réunit qu'en décembre. Tu as tout le temps de te préparer.

Une heure plus tard, dans son lit, elle lisait la Constitution pour la première fois de sa vie. Après l'avoir lue et relue trois ou quatre fois, elle la mit de côté et se plongea dans une encyclopédie pour étudier l'histoire des États-Unis.

Au cours des semaines suivantes, elle fit le tour du Texas, rencontra d'autres parlementaires, les interrogea, apprit tout ce qu'elle put. Les hommes qu'elle voyait étaient réticents, au début ils se méfiaient de cette femme qui venait s'immiscer dans leur club exclusif et aucun ne pouvait oublier les histoires de son passé publiées au cours de la campagne. Mais son charme et sa vive intelligence renversèrent toutes les barrières et elle respira plus à l'aise en sachant qu'à part deux ou trois irréductibles misogynes, elle avait des confrères vers qui elle pourrait se tourner pour des conseils.

A la fin de l'été, Trev se prépara à repartir pour Austin, pour sa dernière année d'université américaine avant son départ pour Cambridge. Maggie le serra dans ses bras et l'embrassa.

— Je suis rudement fier de toi, tante Maggie.

— Tu viendras me voir à Washington, dis ?

— Essaye de m'en empêcher ! En attendant, dis bonjour de ma part au président Harding !

En novembre, Maggie fit ses préparatifs. Il lui fallut une douzaine de malles pour contenir tous ses vêtements et autant de caisses pour les meubles qu'elle voulait emporter.

Au cours d'un bref voyage d'exploration à Washington, en septembre, elle avait loué une ravissante maison à Georgetown, petite mais élégante avec de belles pièces de réception au rez-de-chaussée, un appartement douillet au premier et assez de chambres pour les trois bonnes et la cuisinière qu'elle emmenait.

Dos l'accompagna à la petite halte où l'attendait le train du Lantana avec ses deux voitures Pullman. Juste avant l'aube, une rafale de vent du nord avait déferlé, apportant des pluies qui avaient nettoyé le ciel et fait tomber la poussière, laissant un firmament aussi bleu que les yeux de Maggie et une brise légère annonçant à peine l'hiver.

En arrivant, Maggie aspira profondément l'air frais et pur, en regardant autour d'elle.

— Ah Dos ! Je suis complètement folle de quitter tout ça !

— Ce n'est pas pour toujours.

Elle l'espérait avec ferveur. Ses yeux regardèrent l'horizon et son esprit alla plus loin. Elle voyait tout comme elle l'avait contemplé des airs. Le Lantana ! Leur royaume à eux...

— Mon cœur est ici, murmura-t-elle. Il l'a toujours été. Nous avons le Lantana dans le sang, tout comme papa et maman.

— Comme grand-père et Sofia, ajouta Dos. Maggie, comme ils seraient fiers de toi aujourd'hui !

Une boule lui monta à la gorge et elle serra fortement la main de son frère.

— Je reviendrai, Dos.

— Bien sûr, voyons.

— Non ! Je veux dire bientôt ! Je ne peux pas rester éloignée longtemps.

— Nous t'attendrons.

— Et quand je reviendrai... ce sera pour toujours ! Je veux finir mes jours au Lantana. Je ne veux pas mourir comme maman, dans une ville lointaine. Je veux être ici avec Trev et toi... et les enfants de Trev. Ah Dos ! Je voudrais pouvoir emporter le Lantana avec moi !

Il se baissa, ramassa une poignée de sable et la versa dans le creux de la main de Maggie. Elle referma son poing et le tint contre son cœur.

Sans un mot, il l'aida à monter à bord, l'embrassa et recula pour faire signe au mécanicien.

La locomotive siffla et le train du Lantana avec la couronne d'épines sur ses flancs démarra. Maggie se pencha à la portière et regarda jusqu'à ce que Dos ne soit plus qu'un petit point à l'horizon.

Puis elle rentra dans le wagon-salon, alla au bureau et vida le coffret à cigares en argent d'Anne. Elle y laissa couler le sable entre ses doigts et le referma. La terre du Lantana resterait avec elle jusqu'à ce qu'elle revienne.

Une de ses bonnes entra et lui demanda si elle avait besoin de quelque chose.

– Non merci, Dora. Laissez-moi, j'ai envie d'être seule.

Quand la bonne fut repartie dans l'autre voiture, Maggie s'assit dans un fauteuil et regarda défiler le paysage. Il était plat, presque uniforme, d'un blanc éblouissant sous le soleil du matin. Elle se rappela une phrase d'une lettre d'Alex : « ... *cette partie du monde si étrangement belle. Est-ce que d'autres en voient la beauté comme moi ? La vois-tu ?* »

– Oui, papa ! s'écria-t-elle. Je la vois ! Je la vois !

Le train siffla encore et franchit la dernière clôture, la frontière du Lantana.

Maggie leva la main vers le collier de grenat à son cou.

Je reviendrai, se jura-t-elle. Rien ne pourra me tenir éloignée.

La composition de cet ouvrage a été réalisée par EUROCOMPOSITION S.A.
et imprimé sur les presses de la SEPC à St Amand-Montrond (Cher)
pour le compte des Editions Olivier Orban

Achevé d'imprimer le 8 octobre 1979

ISBN 2-85565-112-3

n° d'édition : 167 n° d'impression : 1057
Dépôt légal 4e trimestre 1979